ACTES ET MEMOIRES DU PEUPLE
Collection animée par
Louis Constant

le sublime

Denis Poulot

Question sociale

Le sublime

*ou le travailleur comme il est en 1870
et ce qu'il peut être*

Etude préalable d'Alain Cottereau

Ouvrage publié avec le concours du Centre national des lettres

FRANÇOIS MASPERO
PARIS
1980

ISBN 2-7071-1128-7

Étude préalable

Vie quotidienne
et résistance ouvrière à Paris en 1870

Un livre à double sens

L'ouvrage de Denis Poulot, édité un an avant la Commune, présente les mœurs des ouvriers parisiens de son temps, d'un point de vue patronal. Au premier abord, c'est un pamphlet anti-ouvrier. Un ancien contremaître, établi à son compte, dénonce l'insoumission ouvrière qui se serait généralisée dans l'industrie parisienne. L'ouvrier allergique à l'autorité patronale se désignait parfois lui-même, par ironie, comme un *sublime* ouvrier. A l'entendre, le sublime était « un chouette, un rupin, un d'attaque ». Mais, d'après le patron, ce n'était qu' « un paresseux, un violent, un ivrogne », en train de parasiter « le travailleur d'ordre et de conduite ».

Poulot n'était ni un écrivain, ni un économiste, ni un théoricien de la « philanthropie ». Loin de prendre le ton pontifiant et la docte distance des penseurs bourgeois en vogue, il déballe sans fard son expérience de contremaître et de chef d'entreprise, narre les anecdotes qui lui semblent les plus caractéristiques, et ne se gêne pas pour distribuer invectives et épithètes morales.

Cependant, le propos de Poulot ne s'arrêtait pas à la simple dénonciation. Il explique lui-même sa démarche, dans les préambules des trois éditions successives. Il voulait poser un « diagnostic pathologique » sur la « question du travail et des travailleurs », à partir de l'exemple des ouvriers de la mécanique parisienne. Grâce à ses observations directes, en

« empirique social », il prétendait être parvenu à mettre en évidence la maladie principale, le « sublimisme », et son principal facteur pathogène, le « sublime », c'est-à-dire l'ouvrier insoumis au patron et irrespectueux de la morale familiale. Il avait prescrit le traitement, à base de réformes démocratiques et de développement des associations ouvrières.

Si l'intérêt du livre se limitait au témoignage et au programme politique d'un patron parisien de gauche, on disposerait là d'un document historique d'un intérêt certain pour les spécialistes et les curieux, mais d'un intérêt plus restreint pour les autres lecteurs. Il aurait sa place dans l'abondante littérature de mémoires de bourgeois et d'hommes politiques, mais on pourrait se demander à juste titre pourquoi il est allé s'égarer dans une collection d' « Actes et Mémoires du peuple ».

En fait, *Le Sublime* de Denis Poulot a une tout autre portée, bien au-delà de ce que l'auteur avait eu l'intention d'y mettre. Quand Poulot dénonce l'insolence des apprentis, quand il accumule les détails sur les pratiques de coulages dans les ateliers, quand il évoque les conflits de ménage, il nous laisse entrevoir, sans le vouloir, tout un univers de *pratiques ouvrières de résistance* que bien peu de documents nous permettent de connaître aujourd'hui.

L'atelier et la vie ouvrière de tous les jours en 1870 : des réalités peu accessibles

Que sait-on aujourd'hui de la vie intérieure des ateliers à la fin du Second Empire ? Que sait-on des habitudes d'embauche, des contestations quotidiennes, de la discipline intérieure ? Que sait-on de la vie familiale et affective des ouvrières et des ouvriers ? Bien des choses se racontent en préambule à des ouvrages sur la Commune ou sur le mouvement ouvrier. Elles viennent là pour planter le décor, avant de passer aux choses supposées plus sérieuses : on dit que Paris était en retard sur la grande industrie. On prétend que Paris était une ville d'artisanat et de petite industrie traditionnelle. Ce serait là l'explication d'une « mentalité ouvrière » marquée par la revendication du travail bien fait, l'esprit d'indépendance, l'indiscipline d'atelier, la culture autodidacte, le ton gouailleur ; de là aussi un certain style « jacobin » donné à la Commune de Paris.

Mais sur quoi reposent les considérations de ce genre ? En fait, l'historiographie des ouvriers parisiens se trouve, aujourd'hui encore, dans une situation paradoxale. Chacun sait quelle place tient la Commune dans les histoires du mouvement ouvrier. On pourrait donc supposer qu'il existe une multitude d'études sur la vie quotidienne de l'époque, sur les rapports d'exploitation, sur le marché du travail, sur l'ensemble des conditions de vie. Or il n'en est rien. La vie des ouvriers de Londres, à la même époque, est beaucoup mieux accessible. En France, la plupart des considérations sur la vie ouvrière reposent encore sur les grandes enquêtes sociales des moralistes, des philanthropes et des économistes officiels. Le seul ouvrage moins ancien est le livre classique de G. Duveau, *La Vie ouvrière en France sous le Second Empire,* publié en 1946. Mais il reste bien proche des enquêtes bourgeoises et académiques du XIXᵉ siècle, dont il reprend les résultats pour les classer par thèmes. Quant au livre de L. Chevalier, *Classes laborieuses et Classes dangereuses à Paris pendant la première moitié du XIXᵉ siècle,* les préfets de police et les moralistes de cette première moitié du XIXᵉ siècle y reconnaîtraient un air de famille.

Par contre, l'historien et le chercheur se trouvent presque entièrement démunis lorsque des ouvriers d'aujourd'hui posent leurs exigences de connaissances. Lorsque, par exemple, des militants en session de formation syndicale ou politique demandent à mieux comprendre qui sont ces travailleurs, en chair et en os, derrière l'épopée de la Commune. Les informations concrètes sont désespérément pauvres lorsque sont posées des questions élémentaires sur la manière de travailler, sur les modalités de rémunération, sur les divisions et les solidarités internes des différents milieux ouvriers, sur la manière d'envisager leur vie et leur destin. De là un doute fort naturel : que peut-il être dit de valable sur le mouvement ouvrier ou sur les activités de ses militants, si on ignore quels liens ils entretenaient avec les gens plus « ordinaires » ?

Il serait logique de se tourner vers les prises de parole ouvrières à la fin du Second Empire. Effectivement, bien des témoignages et des textes collectifs attendent qu'on les sorte de l'oubli : presse, rapports de délégations ouvrières, comptes rendus de réunions publiques, etc. Leur remise à jour est urgente et indispensable, elle comblerait à coup sûr bien des vides. Néanmoins, elle ne répondrait pas à tout : les textes ouvriers de l'époque s'intéressaient aux transformations sociales à effectuer, et posaient des revendications immédiates. Mais le plus souvent ils n'éprouvaient pas le besoin d'expliquer en détail les situations concrètes du moment, ni les motifs réels qui avaient conduit à poser les revendications immédiates : tout cela était supposé connu. On n'a pas encore trouvé, par exemple, de description ouvrière détaillée sur les salaires. Comment se comptabilisait le travail fait ? Comment jouaient les méthodes de rémunération : à quels rythmes de travail elles entraînaient, à quelles divisions elles poussaient ? Comment les équipes de travail réagissaient, comment elles évitaient leurs pièges éventuels ?

C'est ici qu'intervient l'intérêt exceptionnel du livre de Poulot : il nous introduit à un niveau de réalité difficilement accessible par ailleurs. Il nous permet d'entrevoir les multiples épreuves de force quotidiennes dans la vie au travail et hors travail, qui opposent le milieu ouvrier aux règles du jeu économique, aux patrons, aux pouvoirs publics, aux forces « moralisatrices » et religieuses.

On reviendra plus loin sur ces épreuves de force quotidiennes, en les complétant par d'autres informations. Mais au préalable il peut être utile d'élucider par quelles voies accéder à ces pratiques de tous les jours, à travers les propos de Poulot. C'est un livre à double sens, a-t-on dit plus haut : d'une part le sens qu'y a mis volontairement le patron, d'autre part le point de vue ouvrier et la pratique de résistance qui se profilent derrière le pamphlet anti-ouvrier.

Le second sens nous parvient à travers de multiples cheminements, qui se croisent et se renforcent. On s'est arrêté ici aux deux cheminements qui semblaient les plus importants :

1. la dérision du pouvoir patronal ;

2. les pratiques ouvrières dissimulées sous les appréciations morales, dans la typologie des ouvriers que dresse Poulot.

Le lecteur pourra, s'il le veut, continuer le décryptage, en particulier à partir d'une troisième voie d'accès, celle que constitue l'*argot* des sublimes. Le choix des termes d'argot effectué par le manufacturier n'est pas innocent, bien évidemment. La manière dont se construit cette langue vivante, le choix des images, les règles d'emploi laissent supposer toute une vision du monde, toute une distanciation à l'égard des événements, du pouvoir, du destin, de la mort. Une réflexion sur cet argot conduit ainsi à s'interroger sur l'imaginaire et les rêves propres au milieu ouvrier [1].

La dérision du pouvoir patronal

Avec le recul du temps, *Le Sublime* est devenu un ouvrage plein d'humour plus ou moins involontaire. Chaque fois que Poulot prend à témoin le lecteur, chaque fois qu'il déplore l'injustice ou l'ingratitude des ouvriers envers les pauvres patrons, il nous laisse deviner tout autre chose : la plupart des tentatives de « moralisation du peuple » étaient devenues une vaste dérision, face à la résistance ouvrière. Il arrive que Poulot admette lui-même l'ironie de certaines situations. Ainsi cette anecdote du chapitre sur les apprentis :

---

1. Les termes mêmes choisis par Poulot pour établir sa typologie, empruntés au langage ouvrier de son temps, sont d'une grande richesse symbolique. L'industriel explique le choix du titre et des principaux termes dans le préambule de l'édition de 1870 et dans le chapitre XVII, « Le Chansonnier des sublimes ». Les sublimes parodiaient une chanson moralisatrice, intitulée *Le travail plaît à Dieu*. Par dérision, ils s'étaient nommés *fils de Dieu* alors que la chanson désignait plus modestement les travailleurs *enfants de Dieu*. Pour les patrons et les travailleurs, le sens du changement de termes était clair : le message *Dieu fait homme* était retourné symboliquement en message *ouvrier fait Dieu*. La dérision argotique parisienne n'avait pas attendu un penseur génial pour procéder à deux opérations philosophiques :

a) adopter la vision de l'homme-fait-Dieu proposée ailleurs par les courants hégéliens ;

b) revendiquer un salut historique de la classe ouvrière, en substituant les producteurs à l' « homme » (« Producteurs, sauvons-nous nous-mêmes »...). A la suite de semblables culbutes métaphysiques, le *sublime ouvrier* prend la place et le travail du Dieu créateur.

« Un patron avait confié une mortaise à faire, dans une grande et mince poulie, à un jeune apprenti passionné pour le théâtre. Pensant sans doute au dénouement d'*Antony*, qu'il avait vu jouer la veille, il brisa la frêle poulie du patron [qui], fort mécontent, survint, le gourmanda vertement. Le gamin, se reculant, d'un ton tragique lui dit : " Elle me résistait, je l'ai assassinée. " Le patron ne put s'empêcher de rire. »

Mais souvent c'est Poulot lui-même qui adopte le ton tragique, sans aucun humour, pour multiplier les aveux d'impuissance des patrons dans maintes situations, au travail et hors travail. Après l'anecdote citée plus haut, il enchaîne aussitôt :

« Quand ils font rire, c'est bien. Mais écoutez la conversation de cet apprenti. [...]
« [...] Ne vous semble-t-il pas entendre un libéré des chiourmes de Toulon ? [...] Il est impossible à Paris d'avoir d'autres résultats, quand on sait qu'il y a soixante pour cent de sublimes dans les travailleurs.
« Le sublimisme est une greffe qui prend toujours sur de jeunes sujets. C'est comme un fluide, il pénètre quand même, quels que soient les soins de certains patrons consciencieux ; la lèpre finit presque toujours par tomber sur les apprentis. »

Ainsi la dérision des ouvriers envers leurs patrons peut être parfois transparente dans le texte. Le chapitre sur « Les Ficelles des sublimes », par exemple, décrit sans détour des ruses collectives d'atelier. En cas de succès, le rire des compagnons au détriment de leur « singe » se fait entendre jusqu'à nous, pour ainsi dire, par-dessus les épaules du narrateur. Ainsi en est-il de l'évocation des « coulages ». Poulot commence par se poser en victime, et en appelle à l'équité du lecteur :

« Ecoutez la ficelle au chantage, et vous me direz si vous appelez ça de la justice.
« Vous convenez avec plusieurs compagnons d'un prix pour le façonnage ou le montage d'une machine ou de plusieurs pièces. La chose bien entendue, et le travail aux trois quarts fait, si vous avez affaire à des sublimes et qu'ils veuillent abuser de la situation, voici le moyen.

« S'ils savent, par exemple, que vous êtes en retard pour la livraison et que vous avez reçu une mise en demeure de livrer l'ouvrage, le lendemain, la moitié de l'équipe manque. »

Et Poulot explique comment le patron n'a aucun recours et se trouve obligé d'accorder par écrit une augmentation de salaire. L'épilogue qui s'ensuit devait achever d'indigner le lecteur :

« Après ça, on se fourre un coup de figure numéro z'un à la santé du singe, un gueuleton à c... partout. Dans les assommoirs, on les appelle les malins qui n'ont pas froid aux yeux. »

Avec une telle dérision du pouvoir patronal, la traduction du pamphlet en termes d'épreuves de force quotidiennes est la plus facile et la plus directe. Le livre est émaillé d'anecdotes de ce type.

Des pratiques ouvrières à reconstituer par-delà les appréciations morales du patron

Mais en général le double sens n'est pas aussi visible, la pratique ouvrière ne se dévoile pas d'emblée. Les appréciations morales du manufacturier recouvrent l'ensemble, et bien des lecteurs ne sont jamais allés au-delà. Le livre dessine les bons et les mauvais ouvriers types. Du côté des bons, les variétés d' « ouvriers » proprement dits, conformes aux désirs du patron. Du côté des mauvais, les variétés de « sublimes ». Une telle galerie de portraits pouvait sembler bien traditionnelle. Tracer des caractères, des types, mesurer ensuite leur degré de conformité à « la » morale, c'était là un procédé des plus antiques qui soient. La littérature sur les ouvriers n'a pas échappé au genre, bien au contraire. Dès le xviᵉ siècle au moins, les jugements sur les compagnons établissaient leur système de mensuration morale par profils individuels ou par métiers, avec les mêmes étalons-mesure que Poulot :

— degré d'ivrognerie ou de sobriété ;

— degré de paresse ou d'ardeur au travail ;

— degré de conformité au modèle familial bourgeois ;

— degré de violence entre compagnons [2].

Naturellement, pour les enquêtes philanthropiques et moralistes, les bonnes notes et les mauvaises notes vont toujours aux mêmes types : l'ouvrier ardent au travail est en même temps sobre, respectueux de la morale familiale, et ne participe pas à l'agitation ouvrière. Par contre, symétriquement, tous les « vices » vont du côté des mauvais types. Faut-il préciser que, dans tous ces cas, les enquêtes sur « la condition ouvrière » nous renseignent davantage sur l'imaginaire des philanthropes que sur la vie des ouvriers elle-même ?

Une lecture superficielle des types selon Poulot aboutit au même simplisme moraliste. Levasseur, l'historien de la vie ouvrière réputé le plus compétent au XIXᵉ siècle, n'avait rien vu d'autre, dans *Le Sublime,* qu'une accusation de paresse et d'immoralité contre la majorité des ouvriers parisiens. Il l'avait trouvée exagérée, et avait opposé, en guise d'argument, ses propres incursions d'enquêteur dans quelques ateliers parisiens :

« J'ai vu aussi des ateliers de Paris à cette époque, et je ne puis admettre que les sublimes aient formé alors la moitié de la classe des salariés de Paris [3]. » (Poulot disait 60 %.)

Plus tard, G. Duveau reprend et élargit la documentation de Levasseur, mais il s'enferme à son tour dans un dialogue avec les économistes, les philanthropes et les administrations de l'époque. S'il donne une large place au *Sublime,* il en maintient la lecture plate et à sens unique. La typologie est présentée dans le sous-chapitre sur l'alcoolisme, ce qui est déjà révélateur. Le type parfait, l' « ouvrier vrai », se distinguerait par sa sobriété. Les chefs des sublimes « ne manquent ni d'éducation ni d'ins-

---

2. Seul un cinquième critère, habituellement associé au genre, est abandonné par Poulot : le critère du « vol », parce qu'avec l'évolution des systèmes de production ce critère est peu pertinent à Paris. Par « vol », il fallait entendre en général des usages de récupération sur la matière première, pour travailler et vendre en partie à son propre compte, quand les modalités de façonnage et de commercialisation s'y prêtaient, tant à domicile qu'en atelier ou en manufacture.

3. E. LEVASSEUR, *Histoire des classes ouvrières et de l'industrie en France de 1789 à 1870,* A. Rousseau, Paris, 2ᵉ éd., t. 2, p. 774.

truction ». Quant aux types de sublimes plus courants, ils sont présentés, en reprenant des qualificatifs de Poulot, comme « le sublimisme sale, brutal, grossier, ignorant, instinctif, bestial[4]. »

Poulot contre les sciences sociales de son temps : les classes laborieuses ne se confondent pas avec les « classes dangereuses »

Pourtant, au niveau même de la lecture superficielle de Poulot, il aurait fallu relever un point important sur lequel le patron de gauche se démarque des traditions philanthropiques et criminologiques. Poulot se garde bien de confondre les classes laborieuses et les classes « dangereuses ». Dans les traditions académiques, la question rituelle en matière de réflexion sur les mœurs était : quels sont les crimes commis par les ouvriers, par les différents métiers, et par les pauvres en général ? De sophismes en sophismes, la question glissait immanquablement vers des considérations sur la nature « vicieuse » ou « pathogène » des milieux d'où sortaient ces crimes. Les statistiques administratives sur les crimes et délits alimentaient le mécanisme. On raisonnait comme si les crimes réprimés représentaient l'ensemble des crimes commis. Les réquisitoires, les plaidoiries, répercutés par les médias (journaux, romans, chansons, théâtres et spectacles de cabaret), entretenaient en permanence cette forme de racisme anti-ouvrier : mettre les délits réprimés individuellement au compte d'un groupe porteur désigné par les préjugés dominants. Faire de la « criminalité » une sorte de caractéristique naturelle du groupe désigné.

Au lieu de se demander pourquoi la répression frappait plutôt parmi certaines catégories sociales, des criminologues se demandaient pourquoi des groupes sociaux s'attaquaient davantage que d'autres aux « honnêtes gens ». Naturellement, les classes laborieuses, en particulier celles des villes, les plus surveillées, semblaient les plus dangereuses[5].

---

4. G. Duveau, *La Vie ouvrière en France sous le Second Empire*, Gallimard, Paris, 1946, p. 492 et 519-520.
5. Au lendemain de la Commune, un docte article scientifique, paru dans le *Journal de la Société de statistique de Paris,* justifiait ainsi l'amal-

Tandis que, dès 1867-70, la presse des « amis de l'ordre » relance largement l'amalgame entre la classe ouvrière et les classes criminelles, vicieuses et infectieuses, Poulot partage la vigilance des militants socialistes pour dénoncer la technique de confusion, que ce soit l'utilisation policière de certains milieux dans les provocations anti-ouvrières, ou que ce soit les plaidoyers misérabilistes d'avocats attribuant le crime à la fatalité de la condition ouvrière.

Pour le manufacturier parisien, l'imputation des chiffres de « criminalité » à une prétendue pathologie urbaine est tout aussi dénuée de fondement, puisque les explications sont à rechercher dans les différences de système répressif entre les grandes villes et le reste du territoire, dans les migrations d'individus auxquelles ces différences donnent lieu.

Selon lui, les criminels « qui sont mêlés au corps des travailleurs » ne sont pas plus nombreux parmi les ouvriers que parmi les autres classes de la société. Tout serait question d'ajustage de la répression individuelle. Face aux amalgames des philanthropes et des journalistes conservateurs, il flétrit la présence des hors-la-loi dans les ateliers, « parce que les vols commis dans les ateliers font planer des soupçons injustes sur les ouvriers et les sublimes de l'atelier ». Pour s'opposer au racisme anti-ouvrier, il reprend en fait à son compte un racisme individuel contre le « criminel-né », ou bien contre le délinquant perverti, flétri socialement, revêtu d'une seconde nature par son premier délit. Cette façon de raisonner procède d'un réflexe défensif que Poulot partage avec le milieu ouvrier, et qui est loin d'avoir disparu.

---

game entre la « canaille » et les ouvriers des villes, dans une étude intitulée « Essai sur la moralité comparative des diverses classes de la population, et principalement des classes ouvrières » (par E. BERTRAND, conseiller à la cour d'appel de Paris, n° 10, octobre 1872). Il montrait comment les ouvriers des industries urbaines détenaient les records de « criminalité », en arrangeant à sa manière le fait qu'ils subissaient effectivement la plus forte répression. En général, les jacassins du XIXe siècle sur la « pathologie urbaine » appartiennent à des modes de raisonnement du même genre, souvent répétés jusqu'à aujourd'hui.

Les pratiques réelles derrière les appréciations de « paresse » et d' « ivrognerie »

Restent les sept autres types de travailleurs, jaugés eux aussi comme bons ou mauvais sujets. Pour aller au-delà des appréciations morales, un décryptage s'impose. Son principe est simple : il suffit de repérer attentivement les comportements ouvriers indiqués par l'auteur à l'appui de ses jugements. A partir de ce moment-là, des dimensions tout autres peuvent se révéler, et aller jusqu'à contredire les jugements explicites du livre.

Soit, par exemple, les appréciations de paresseux ou courageux, et de sobre ou ivrogne. Pour l'*ouvrier vrai,* doté de toutes les qualités, les éloges ne manquent pas : c'est le « type par excellence », le « type d'honneur », « consciencieux dans son travail », et « qui ne s'enivre jamais ». Mais laissons de côté les bons points pour retenir les informations réelles sur la conduite de l'ouvrier vrai à l'égard de son travail et de l'alcool. Il travaille trois cents jours par an, ce qui est beaucoup plus que la moyenne parisienne. Il sait diriger une équipe, mais n'est pas toujours aussi habile que les sublimes. Par contre, il tient une cadence journalière beaucoup plus rapide. Il accepte le travail de nuit et du dimanche quand son patron le lui demande. « Si c'est un travail de nuit, une réparation, rien ne le retient : ni camarades, ni parents, ni amis. » Il trouve encore le moyen de travailler à des inventions en dehors des heures de travail salarié.

Ainsi, lorsqu'on rapproche des indications concrètes éparses dans le livre, au lieu du simple qualificatif de « courageux » se profile la description d'un véritable bourreau de travail. Attitude qui serait peu vraisemblable si Poulot ne nous en donnait pas la clé, au détour d'un paragraphe. L'ouvrier vrai sait « qu'il a plus de bénéfice à s'attacher à un patron consciencieux qui finira par l'apprécier et lui donnera sa confiance ». En d'autres termes, les ouvriers vrais sont des aspirants contremaîtres. Ils correspondent à ceux qu'entre camarades d'usine on appelle aujourd'hui les « fayots ». Ils n'acceptent de se tuer au labeur que dans l'espoir d'en sortir rapidement, par la grâce du patron.

Poulot pense ici manifestement à ses propres débuts dans la maison Gouin (l'un des plus gros établissements de construction mécanique à Paris). Il évoque la vingtaine de chefs d'équipe de la même maison qui devinrent successivement contremaîtres, puis chefs d'entreprise. Il en avait effectivement établi la statistique (en fait, c'était très peu par rapport à plusieurs milliers d'ouvriers) ; il les citait souvent en exemple dans ses fonctions de président de l'Association amicale des anciens élèves des écoles d'arts et métiers.

Une fois repérées quelques pratiques réelles d'ouvriers vrais, il devient possible d'en trouver une traduction exacte d'un point de vue ouvrier. Voici par exemple la présentation des ouvriers vrais, « flatteurs » de contremaîtres ou devenus contremaîtres, telle qu'elle est publiée par la délégation ouvrière des cloutiers à l'Exposition universelle de 1867. Leur texte collectif s'adressait à la fois aux compagnons d'atelier et aux pouvoirs publics.

« L'entrepreneur [...] s'adjoint des chefs d'atelier ou contremaîtres qui, oubliant qu'ils sont sortis de la grande famille ouvrière, abritent leur fainéantise derrière un titre qui, malheureusement, attire toujours autour d'eux des flatteurs qui, faisant des bassesses pour leur plaire, nous plongent encore plus avant dans la misère ; disons tout de suite que ces flatteurs sont méprisables, indignes d'aucune considération, et que nous devrions les chasser de nos ateliers, où ils ne devraient jamais remettre les pieds. Ils épousent complètement les seuls intérêts de leurs patrons. Ils imposent à leurs subordonnés des réductions de prix qui ne donnent plus qu'un salaire illusoire. Encore, si cette réduction n'était que momentanée, n'avait que la durée des circonstances qui en sont le prétexte ; mais elle acquiert, par l'usage, pour ainsi dire force de loi. »

La sobriété exemplaire des ouvriers vrais prend elle aussi des contours nouveaux quand on procède à un décryptage analogue. En cas de malheur, de maladie ou d'accident, lorsque l'ouvrier vrai se trouve acculé à une situation économique insoutenable, au lieu de boire, il sait « ravaler sa tristesse ». « Ce n'est pas lui qui viendra faire étalage de son malheur. » Il ne veut ni ne peut compter sur l'aide de ses compagnons, car, contrairement à la plupart des ouvriers, il se lie difficilement, « il a peu d'amis », et se trouve rejeté comme « peloteur ». Dès lors, « c'est dans le travail qu'il trouve une consolation à l'amertume que sa situation a fait naître ». Bref, le travail de l'ouvrier vrai est devenu une drogue, un substitut de l'alcool. Il donne une prime aux patrons assez habiles pour capter l'énergie du malheur et pour mettre en exploitation des alternateurs de joie et de rage au travail. De plus, à l'opposé de l'alcool des équipes de compagnons, le travail de l'ouvrier vrai est une drogue asociale, une drogue de solitude qui refoule la communication, et se résout dans l'autopunition.

Le décryptage des appréciations sur l'ardeur au travail peut ainsi se poursuivre pour les six autres types d'ouvriers. On en a regroupé et résumé les résultats dans les deux tableaux ci-dessous. A gauche de chaque tableau, les appréciations morales données par Poulot, à droite, les comportements correspondants, regroupés d'après des indications éparses dans le livre.

TABLEAU 1. « PARESSE » OU « ARDEUR AU TRAVAIL »

	Appréciations morales du patron	Reconstitution des pratiques d'après les indications éparses dans le livre
OUVRIERS VRAIS	D'après le patron, c'est « le type par excellence, le type d'élite, consciencieux dans son travail ».	Ouvriers habiles, mais pas toujours aussi capables que les sublimes. Acceptent tout de leur patron pour gagner une promotion. « Si c'est un travail de nuit, une réparation, rien ne les retient : ni camarades, ni parents, ni amis. » Acceptent le travail du dimanche, travaillent toujours le lundi.
OUVRIERS	Le patron l'estime « très laborieux. On voit qu'il aime la besogne ».	Habileté passable, sans plus. Acceptent le travail de nuit et du dimanche, travaillent toujours le lundi. Principal stimulant : la course au gain.
OUVRIERS MIXTES	Aux yeux du patron, « il a plus de faiblesse » que les deux premiers types. « Les autres l'entraînent avec trop de facilité. »	Ce sont les moins habiles, ils seraient incapables de diriger une équipe. Ils suivent les coulages si toute l'équipe s'y met. Ils suivent parfois leur équipe pour fêter la saint-lundi.

	Appréciations morales du patron	Reconstitution des pratiques d'après les indications éparses dans le livre
SUBLIMES SIMPLES	Aux yeux du patron, « le sublime descend peu à peu par le marchand de vin. La paresse et l'ivrognerie lui donnent la main. » Ils n'abattent de la besogne que lorsqu'ils sont « disposés à travailler ».	Ouvriers habiles, capables de diriger une équipe. « Couler son patron, c'est plus qu'une habitude, c'est un devoir. Tant qu'un sublime aura de l'argent, il ne travaillera pas. » Quittent les ateliers plutôt que d'accepter des règlements trop stricts. Font trois à cinq patrons par an. Refusent le travail de nuit et du dimanche, fêtent toujours la saint-lundi.
VRAIS SUBLIMES	Le patron se lamente : « Il pousse la vanité du vice et de l'abjection jusqu'au cynisme le plus révoltant. Paresse, pose et soûlographie sont leur bagage. »	Ils ont été des ouvriers d'élite, d'une habileté exceptionnelle. Ils demeurent indispensables, ce qui leur permet de défier leur patron sans crainte des représailles. Ils gagnent leur vie avec des semaines de trois jours et demi. « Allons donc, il ne veut pas se faire crever. »
FILS DE DIEU	« Très bon ouvrier. » Le patron déplore seulement leur passion politique.	Ce sont les plus aptes à diriger une équipe. Il a « une grande influence sur les autres ; c'est, pour ainsi dire, l'âme d'un atelier ». Ils organisent la résistance collective aux patrons. Ils animent les rythmes de coulage. Ils peuvent aller jusqu'à se faire embaucher afin de corriger un contremaître, ou bien de « moucher le singe ».
SUBLIMES DES SUBLIMES	« Le type d'élite. » Mais, d'après le patron, « il ne paiera pas de sa personne ».	Dans la mécanique, ils sont dans les bureaux ; ailleurs, ils se rencontrent surtout dans les travaux à domicile. Ils ne supporteraient pas de patrons sur le dos. Ce sont les « prophètes » de la résistance dans les ateliers, mais ils n'affrontent les patrons que par l'intermédiaire des fils de Dieu.

TABLEAU 2. L'ALCOOL ET L' « IVROGNERIE »

	Appréciations morales du patron	*Reconstitution des pratiques d'après les indications éparses dans le livre*
OUVRIERS VRAIS	D'après le patron, ils sont d'une sobriété exemplaire.	Ils ne s'enivrent jamais. En cas de malheur, « il sait ravaler sa tristesse. C'est dans le travail qu'il trouve une consolation ». Ils refusent la camaraderie d'atelier, et se trouvent rejetés.
OUVRIERS	Le patron l'estime « honnête homme, avec un peu plus de négligence que l'ouvrier vrai ».	Ils s'émèchent parfois, en famille, le dimanche. Mais ils boivent très rarement avec les compagnons d'atelier, leur femme ne le leur permet pas.
OUVRIERS MIXTES	Aux yeux du patron, c'est le caractère faible, trop facilement entraîné par ses compagnons.	Ils s'émèchent plus souvent, soit dans des fêtes familiales, soit avec des compagnons d'atelier. Ils le font le samedi de paye, les lundis matin, et lors des événements fêtés par les équipes de travail (mariages, funérailles, succès revendicatifs).
SUBLIMES SIMPLES	D'après le patron, « le sublime descend peu à peu par le marchand de vin. La paresse et l'ivrognerie lui donnent la main ».	Ils se soûlent au moins une fois par quinzaine, le samedi, le lundi ou dans les « bordées » de camarades d'atelier. Le dimanche se passe le plus souvent en famille.
VRAIS SUBLIMES	Le patron voit en eux des ivrognes au comble de la dégradation. « Il a pris goût au travail du comptoir, au détriment du travail d'atelier. »	Les seuls véritables alcooliques, dans la typologie. Ils ne fonctionneraient plus guère qu'à l'eau-de-vie, dans l'atelier et hors de l'atelier.
FILS DE DIEU / SUBLIMES DES SUBLIMES	Le patron estime qu'ils descendent aussi bas que les vrais sublimes, non par la passion de l'alcool, mais par la passion politique.	Ils s'enivrent rarement, seulement dans les fêtes de famille ou entre amis. Entre compagnons, ils n'acceptent de boire que pour participer à des discussions collectives. Ils peuvent alors tout au plus s'émécher, entre camarades d'atelier, ou en « sénat » politique.

Dans chacun des cas, les comportements changent complètement le sens des jugements moraux du patron. Le degré de « paresse » laisse la place à plusieurs dimensions distinctes. La typologie se révèle avant tout comme une gradation de l'insoumission aux patrons. A partir de l'ouvrier vrai, dont Poulot déplore la rareté, on passe progressivement aux types qui ne se laissent pas complètement mener par leur patron, avec l'*ouvrier* et l'*ouvrier mixte*. Vient ensuite l'escalade de l'insoumission. Les *sublimes simples* constituent en quelque sorte l'infanterie des pratiques de résistance : pour eux, « couler son patron est un devoir », et ils ne font une reddition provisoire que lorsqu'ils « sont dans la dèche ». Le *vrai sublime* résiste en franc-tireur individualiste, rendu invulnérable par son habileté.

Viennent enfin ceux que la police et le patronat appellent les « meneurs », et qui sont désignés comme les *sublimes de Dieu,* répartis en deux catégories : les *fils de Dieu* et les *sublimes des sublimes*. En fait, ce sont ceux que le mouvement ouvrier commençait à appeler couramment les « militants ». Mais le mot « militant » ne doit pas faire illusion. Actuellement, le terme connote, à tort ou à raison, un certain détachement entre des membres politisés d'organisations et des masses à « conscientiser » ou à « remuer ». Le témoignage de Poulot implique des liens d'une nature différente.

Certes, les patrons auraient eux-mêmes bien aimé croire que les meneurs étaient d'une autre espèce que la masse, et qu'il était possible de faire revenir dans de « bons sentiments » cette masse qu'on supposerait entraînée et égarée par des propagandistes. Mais ce qui désespère Poulot est précisément que le lien est beaucoup plus profond. Les sublimes de Dieu partagent une manière d'être commune à tout un milieu ouvrier. Ils ne font qu'exercer une fonction particulière, dans des PRATIQUES COLLECTIVES DE RÉSISTANCE. S'ils sont renvoyés, l'atelier suscitera des remplaçants. L'auteur a beau accumuler les charges fielleuses contre les fils de Dieu et les sublimes des sublimes, dans les deux chapitres qui leur sont consacrés, les situations décrites tout au long du livre ne laissent aucun doute sur ce point. Les fils de Dieu sont l'exécutif du contre-pouvoir ouvrier dans l'atelier. Les sublimes des sublimes sont les « prophètes » de la résistance et du destin de la classe ouvrière. La plupart des ouvriers reconnaissent en eux leur propre expression. Ce sont ceux qui savent le mieux dire les choses, ils sont désignés, au sens le plus littéral du mot, comme des « porte-parole ». Poulot admet que même les ouvriers mixtes les investissent de cette fonction : « Si vous discutez avec lui, écrit le manufacturier, à propos des ouvriers mixtes, et que les arguments lui manquent, il vous dit : " Tenez, un tel, sublime des sublimes, vous l'expliquera bien ". »

La gradation de la résistance s'appuie sur l'habileté des métiers et des individus. Les sublimes sont toujours les plus habiles. Seul l'ouvrier vrai idéal pourrait rivaliser avec les fils de Dieu. Mais, en pratique, ce sont ces derniers qui savent le mieux diriger une équipe. Aux yeux de Poulot, il va de soi que la « qualification » n'est pas une chose, qu'elle n'est pas une caractéristique qui pourrait se marquer sur la fiche d'un individu. Elle traduit un rapport de forces sur le marché du travail.

L'ivrognerie tient le premier rang, dans une lecture superficielle et moraliste du *Sublime*. Mais le décryptage des pratiques réelles de l'alcool fait évaporer la question, quand bien même on s'en tiendrait aux précisions données par le livre. Les seuls véritables alcooliques sont les vrais sublimes. Chez eux, l'alcool est intégré au rythme de vie, dans l'atelier et hors de l'atelier. En dessinant leur profil, l'auteur pensait surtout aux fondeurs et forgerons à chaud. Chez eux, l'alcool fournissait le principal stimulant aux efforts intenses et saccadés, rythmés par les coulées ou le chauffage des métaux. Poulot donne lui-même des exemples de cette espèce de métabolisme couplé du four et de l'énergie du fondeur. Des analyses semblables auraient pu s'appliquer aux verriers et à tous les travailleurs poussés à l'alcool par l'organisation même du travail[6].

_____

6. A Paris rentraient dans cette catégorie de nombreux ouvriers travaillant dans les raffineries de sucre. Au cours d'une assemblée générale de grévistes, en avril 1870, l'un d'eux répondait aux accusations d'immoralité de la presse bourgeoise, devant 1 500 grévistes (propos résumés par le journal *La Marseillaise* du 31 avril 1870, soit dix jours après la sortie du *Sublime*. La réponse à Poulot est peut-être intentionnelle) :

« Un autre ouvrier [...] fait ensuite, avec une émotion profonde, un

Pour le reste, la question de l'alcool n'a de sens que dans la tête de la bourgeoisie et des réformateurs sociaux, comme forme de racisme anti-ouvrier. Mais dans la vie des travailleurs de l'époque la question ne pouvait se poser en tant que telle. L'alcool ne faisait qu'accompagner des pratiques de significations très différentes. L'alcool pouvait fonctionner comme simple aliment banal. Il accompagnait des fêtes de famille. Il aidait à combattre la fatigue physique et à provoquer un sursaut d'énergie, soit pour un travail, soit pour des relations sexuelles. Il accompagnait des conciliabules de compagnons. Il consacrait la conclusion de marchandages, d'embauches ou de sorties d'atelier.

Si on cherche encore un point commun à la question de l'alcool, on ne le trouve plus qu'en négatif, par opposition aux exigences du patronat. L'enjeu véritable n'était pas nouveau, et n'a pas disparu : pour tirer le meilleur profit de la force de travail, les employeurs doivent monopoliser la dépense d'énergie des ouvriers. Ils doivent les empêcher de mobiliser leurs forces ailleurs. La seule fatigue tolérable hors de l'atelier concerne l'entretien du corps et de la famille. Mais, hors de l'atelier et de l'entretien familial, la morale patronale ne peut concéder au mieux qu'un temps minimal de repos réparateur. L'anti-alcoolisme patronal trouve ici sa source véritable. L'alcool n'est pas lui-même attaqué. Le critère est ailleurs. Dans *Le Sublime,* l'évaluation d'immoralité est exactement proportionnelle au temps que les ouvriers disputent au travail salarié et à l'entretien familial. L'anti-alcoolisme suit. L'alcool des dimanches en ménage, de « la communion de la petite », des fêtes familiales est toléré. Mais la saint-lundi, avec ses libations, fait figure de défi au bon fonctionnement de l'ordre industriel. C'est une sorte de mutinerie périodique, qui fait la désolation des patrons, tandis que des groupes ouvriers rechargent leurs batteries.

---

sombre et véridique tableau de la situation des raffineurs, qui travaillent toujours dans une température moyenne de 40 à 60 degrés de chaleur.
« " Le travail aux pièces nous tue et nous ruine ; de là la maladie ; puis on nous accuse d'intempérance, et quand nous sommes malades et fatigués on nous met deux jours à pied. Il faut absolument, si nous ne voulons pas succomber, travailler un peu moins et gagner un peu plus ". »

Les compagnes d'ouvriers entre la pression patronale et la pression du compagnon

Le manufacturier pouvait connaître et comprendre sans trop de difficultés la vie des travailleurs hommes, grâce à son expérience directe. Mais, quand il s'agit des épouses de ses ouvriers, et de la vie de leurs ménages, le décryptage pose davantage de problèmes. Poulot se montre d'une complète misogynie. Il partage la vision habituelle de la bourgeoisie sur la vocation « naturelle » de « la » femme : épouse et mère, potiche et bonniche. S'il s'agit plus spécialement du milieu ouvrier, il nous livre sa vision idéale des rapports hommes-femmes à travers le portrait de l'ouvrier vrai. Celui-ci est affublé de toutes les vertus domestiques que le patron aurait aimé rencontrer parmi ses salariés. Certes, l'ouvrier vrai « aime et respecte sa femme ». Mais encore faut-il voir ce qui se cache derrière ce respect. En cas de décision importante, c'est l'homme qui tranche, avec cet argument suprême : « Tu es une bonne femme ! » Et, pour le cas où le lecteur n'aurait pas compris, Poulot prête à l'ouvrier vrai cette réflexion de « bon sens » en opposition avec des théories diffusées dans les réunions publiques : « Et dire qu'il y a des individus qui prétendent que la femme a autant de jugement que l'homme ! »

La pression patronale en direction des « bourgeoises » des ouvriers

S'il n'y avait que la misogynie pour brouiller le témoignage de Poulot, les pratiques des ménages ne seraient pas trop difficiles à reconstituer : les courants féministes actuels ont commencé à provoquer une certaine vigilance sur ce point. Mais le livre obéit aussi à une autre logique, beaucoup plus discrète : le patronat parisien est engagé dans une stratégie d'alliance avec les épouses des ouvriers, contre leurs compagnons. C'est là une donnée de base, trop souvent négligée, qui commande toute compréhension des familles de l'époque.

Avec l'évolution du salariat industriel, l'intérêt du patron et celui de la ménagère convergeraient. La pression dominante pourrait se résumer ainsi : *un mari ouvrier est d'autant plus valable qu'il soumet bien régulièrement la plus grande partie de son temps à la mise en valeur capitaliste.* Dès lors, le patronat peut jouer sur les oppositions de ménage et en tirer profit. Contre un mari qui voudrait ménager ses forces, maîtriser son temps de travail, résister à la discipline des ateliers, un patron peut escompter que la ménagère fera valoir la « discipline de la faim », qu'elle poussera son mari à consacrer toutes ses forces à gagner le salaire familial [7].

Cependant, parler de la stratégie du patronat ne signifie pas que cette stratégie fonctionnait avec succès. Les tentatives d'alliance entre patrons et épouses d'ouvriers suscitaient des contre-pressions de la part du milieu ouvrier. La réaction est bien connue en cas de grève. Lorsque des conflits opposent des patrons à des salariés hommes, l'issue de la bataille se joue en partie autour des épouses : pousseront-elles à la reprise, en raison des nécessités alimentaires, ou bien le mouvement leur donnera-t-il les moyens de faire cause commune avec les grévistes ?

Mais les contre-pressions du milieu ouvrier peuvent aussi opérer, d'une façon moins perceptible, dans la vie de tous les

---

7. Dans ce décryptage, on n'a pas insisté sur les niveaux de vie, domaine sur lequel Poulot glisse trop facilement. La typologie des ouvriers correspond à des niveaux de ressources différents (voir plus loin, tableau 3, colonne « ressources du ménage »). Il est important de se rappeler ici que, si depuis 1848 la question des disettes et des manques de denrées ne se pose plus directement à l'échelle des consommations globales, la question de la faim se pose toujours à la plus grande masse des ouvriers, sous des formes moins spectaculaires. Poulot y fait quelques allusions à propos du « chômage » — il pensait surtout au chômage saisonnier. En règle générale, avec l'amélioration quantitative des ressources, la question de la subsistance est éliminée pour les périodes d'emploi dans la force de l'âge et en bonne santé. Elle se pose toujours dans les autres cas. Elle est plus discrète, parce que ses rythmes sont plus individualisés. D'autre part, avec l'abondance commerciale des denrées et l'amélioration des transports, des travailleurs peuvent toujours trouver quelques produits avariés, comme ils peuvent de plus en plus acheter des « fripes » d'occasion. On ne meurt plus guère de faim, mais d'intoxication alimentaire, de fièvre épidémique ou de défaillance entraînant un accident du travail.

jours. Poulot nous en donne un exemple instructif, plus ou moins involontaire, en laissant courir sa plume. Il indique d'abord une ficelle patronale, exemplaire à ses yeux. Puis il avoue de quelle manière le milieu ouvrier est susceptible de retourner la ruse.

« Dans quelques maisons bien organisées, la paie de l'ouvrier est accompagnée d'un petit bulletin portant le nom, la date et la somme qu'il touche. La femme qui connaît ce moyen lui demande son bulletin ; il est souvent perdu ou falsifié. Elle le traite alors comme un gamin ; sans cela, rien pour la quinzaine. » (En termes plus explicites, le chantage de la compagne se traduirait ainsi : « En me remettant ta paie, remets-moi un bulletin sans ratures ; sinon je garde tous les sous de la quinzaine. »)

Si l'exemple s'arrêtait là, on aurait un cas d'alliance réussie entre les patrons et les « bourgeoises » de leurs ouvriers. Les uns et les autres exerceraient une pression convergente pour pousser leurs hommes à la discipline et à la régularité dans le travail. Mais Poulot laisse dériver sa plume, sans souci de cohérence. Car il enchaîne aussitôt :

« Aussi, quand elle tient la paie, elle accompagne son homme chez les marchands de vin avec ses enfants, on y dîne et passe la soirée. Elle entend éreinter le singe, le contre-maître et les mufles, ou faire l'apologie d'un ami présent. Le samedi soir, remarquez-le, les marchands de vin sont pleins de ces ménages-là. »

Ainsi, tout est remis en question. L'arme du bulletin de paie est retournée contre ses auteurs. En attirant l'épouse aux sorties d'atelier, parmi les compagnons, les samedis de paie, le patron croyait aiguiser à son profit les oppositions de ménages. Or il encourage une « familiarité » entre les familles des compagnons. Ces jours-là, chez le marchand de vin, même aux yeux des femmes et des enfants le patron n'est plus qu'un exploiteur. Et, comble d'ironie, on boit, on sacrifie la primeur de la paie, on défie la discipline de l'entretien familial. De nos jours, cette affirmation de liberté — dépenser son argent à sa guise — ne serait guère tolérée, s'il s'agit de familles

« économiquement faibles ». De tels comportements seraient jugés indignes par bien des assistantes sociales, et risqueraient d'entraîner un placement sous tutelle judiciaire.

La visée stratégique du patronat parisien à l'égard des ménages ouvriers entraîne une perception très contraignante des rapports familiaux. Les patrons sont portés à considérer les épouses de leurs ouvriers comme les victimes des individus dont ils ont eux-mêmes du mal à venir à bout. Ils y sont également incités par leurs contacts personnels auprès des épouses, en qualité d'employeurs ou d'administrateurs d'œuvres sociales. A ce titre, ils peuvent voir constamment des mères de famille, à bout de ressources, venir implorer un don. Or, pour être jugées « dignes d'intérêt », le moyen le plus efficace dont elles disposent est de se poser en victimes d'ouvriers, quel que soit leur sentiment réel. Les patrons ne demandent qu'à les croire : leur action en sort confortée et légitimée. De plus, en cas d'accident du mari au travail, un don charitable coûte moins cher aux employeurs qu'une condamnation à verser des dommages et intérêts. Que leur importe si, après coup, des femmes se moquent d'eux et racontent comment elles se sont payé leur tête.

Il est remarquable que le patronat de cette époque suive deux comportements opposés face à ce que les pouvoirs sociaux appellent les « simulations ». Lorsqu'il s'agit d'accidents du travail, les patrons, leurs compagnies d'assurances et leurs médecins veulent toujours croire en une mise en scène destinée à leur soutirer de l'argent (Poulot participe lui-même à l'intoxication, dans le chapitre « Les ficelles des sublimes » : il raconte une anecdote d'accident simulé, mais n'y parle pas des accidents eux-mêmes). Par contre, lorsque ce sont des épouses qui font des démarches auprès des employeurs, l'attitude du patronat change du tout au tout. Aucun soupçon de simulation n'est de mise. La littérature pratique du patronat et de la bienfaisance ne veut plus douter de la sincérité des sentiments affichés. Tout se passe comme si l'essentiel était d'obtenir de la part des femmes une malédiction de la conduite des ouvriers mâles, et une manifestation de « bons sentiments » envers les « hommes d'œuvre ».

Les propos explicites du *Sublime* nous donnent, en surface, un reflet fidèle de cette vision patronale. Les hommes sont présentés comme les coupables de toutes les insuffisances du ménage, coupables des manques à gagner, coupables de violence et d'ivrognerie. Les compagnes seraient les innocentes victimes, porteuses des vertus d'ordre, d'économie et de propreté. Les femmes de sublimes, en particulier, ne pourraient échapper à une alternative : ou bien préserver leur vertu ménagère tout au long de leur vie, ou bien, après des luttes plus ou moins longues, succomber et se laisser elles-mêmes « sublimiser ». Pour décrire les ménages de travailleurs, le mythe du péché originel se trouve ainsi renversé. L'ouvrier a goûté le premier les fruits de la résistance au régime capitaliste. Puis il entraîne la femme dans sa chute. Une formule peut résumer cette perception bourgeoise des rapports au sein des ménages prolétariens : *la femme, martyre de l'ouvrier.*

Femmes « bourgeoises » et femmes « sublimes » : différentes manières de se défendre

Par contre, la vie des ménages change de signification lorsque le décryptage rejette toute recherche de culpabilité morale, pour prendre en compte la stratégie patronale et sa dérision. Le sort des épouses suit des chemins moins simples. Une foule de détails contradictoires peut être relevée.

En premier lieu, les compagnes des ouvriers ne sont pas aussi désarmées que voudraient le croire des patrons trop intéressés à leur apporter un soutien moral. Sans doute, la martyre de l'ivrogne, si complaisamment décrite par les patrons et les philanthropes, est une réalité, il ne s'agit pas de le nier. Mais tous les drames, tous les conflits, toutes les « scènes de ménage » ne doivent pas être ramenées à ces relations. Tout au long du livre, des croquis de situations laissent deviner des moyens de défense efficaces. La grève sexuelle est plusieurs fois évoquée, sous le couvert de l'argot, comme une arme qui n'aurait rien d'exceptionnel. Dans les bagarres de ménage, les hommes n'ont pas systématiquement le dessus. Les bagarres consistent-elles d'ailleurs toujours à tenter de martyriser la partenaire ? Ne retrouverait-on pas plutôt, dans la perception bourgeoise et philanthropique des scènes violentes, les fantasmes sadiques de bourgeois voyeurs ? En fait, dans les milieux prolétariens, la violence faisait partie des techniques de vidage de querelles. Elle s'appliquait à des situations multiples. Elle était codifiée, contrôlée et graduée selon des règles beaucoup plus subtiles que ne pouvaient l'imaginer les enquêteurs philanthropiques.

Poulot s'est probablement fait renvoyer souvent lui-même à ses affaires, quand il croyait devoir jouer les saint-bernard et qu'il offrait son aide à la supposée victime d'un sublime. A propos de la compagne du sublime, il note : « Si elle attrape un poche-œil » elle réplique, par la suite, à ceux qui l'interpellent : « Oh ! ce n'est rien, ils se sont taraudés pendant la nuit. » Le « oh ! ce n'est rien » s'adresse manifestement à ceux qui se mêlent de ce qui ne les regarde pas. Mais, plus précisément, ne résume-t-il pas une manière de revendiquer, pour les femmes d'ouvriers, le droit de vider ses querelles sans que des patrons, des policiers, des travailleurs sociaux ne leur infligent le traitement des âmes « en détresse » ?

Le manufacturier avoue qu'il est lui-même dérouté par le comportement des femmes de sublimes. Ses déroutes nous fournissent alors autant de clés pour comprendre des réalités qu'un patron ne veut pas admettre. Ainsi ce passage révélateur, dans le chapitre « La Femme du travailleur » :

« Les sublimes, un grand nombre du moins, ont déteint sur leur femme. [...] Si vous leur faites observer qu'elles s'éreintent pour un paresseux et un lâche qui les bat et qu'elles ont tort, elles vous répondent : "Il n'est pas mauvais garçon ; s'il ne travaille pas, c'est que les travaux ne vont pas " ; ou mieux : " Il a attrapé un tour de reins. Et puis, voyez-vous, elle a un béguin pour lui. " Voilà le fin mot. Tous les goûts sont dans la nature. »

La majorité des femmes de sublimes seraient donc elles aussi sublimes. Une telle remarque est d'autant plus vraisemblable qu'elle va à l'encontre de la réalité désirée par la bourgeoisie. Dans les mêmes phrases sont encore avouées des vérités qui, en général, affleurent mais se trouvent refoulées, au fil des chapitres :

— l'absentéisme des mécaniciens, baptisé « paresse » par le patronat, résulte avant tout de l'épuisement physique au travail ;

— la majorité des compagnes d'ouvriers refusent de traiter leurs compagnons en « feignants » (sauf en cas de scène de ménage). Le plus souvent, les ménages sont solidaires contre l'exploitation dans le travail. C'est cette solidarité qui fait dire à Poulot qu'un grand nombre de femmes sont elles-mêmes sublimes.

Le patron oublie de parler de l'usure au travail, lorsqu'il évoque la paresse supposée des travailleurs parisiens, en espérant les voir traiter de « feignants » par leurs compagnes. Par contre, dans une digression à la fin du chapitre « L'Ouvrier », il admet crûment l'importance de cette usure au travail, dans la capitale. Il écrit notamment :

« Paris est la ville du monde où l'on travaille le plus. [...] Quand un travailleur de province arrive à Paris, il ne peut pas toujours y rester, il y a trop à masser pour y arriver. [...] A Paris, dans certains métiers, où le travail se fait aux pièces, au bout de vingt ans, le travailleur est déformé, usé, s'il n'est pas tué. »

Une fois élucidée la stratégie patronale envers les ménages, une fois déchiffrées les réactions ouvrières contre la pression des employeurs, on se trouve amené à éclairer la typologie du *Sublime* sous un jour différent : au lieu d'une typologie des ouvriers mâles, on obtient des profils de ménages.

Pour qu'une femme de sublime devienne elle-même sublime, la condition la plus décisive serait qu'elle exerce elle aussi un travail salarié. Poulot ne le dit jamais directement, mais, là encore, ce sont ses descriptions de détail qui nous le laissent entendre. Mais au préalable il faut noter que le recours au travail d'appoint féminin se retrouve aussi bien dans les ménages d'ouvriers que dans les ménages de sublimes. Le manufacturier en fait mention dans différents endroits, en appliquant des appréciations morales opposées selon qu'il s'agit de sublimes ou d'ouvriers.

S'il s'agit de ménages d'ouvriers vrais ou d'ouvriers, les

deux partenaires qui travaillent pour l'extérieur sont traités de « laborieux » (chapitre « L'ouvrier ») :

« Il y a beaucoup d'ouvriers vrais et d'ouvriers qui établissent leur femme crémière, épicière, marchande de vin, blanchisseuse. Beaucoup, presque tous réussissent. La paie du compagnon vivifie le commerce, tandis que dans le cas du sublime son parasitisme le mine.

« L'ouvrier est très laborieux ; il fait toujours quelque autre chose à côté de son état, afin d'augmenter son gain. Il y en a qui sont concierges, la femme tient la loge ; lui fait le gros ouvrage et toutes les choses qu'il peut faire avant ou après son travail. »

Par contre, lorsque la compagne du sublime exerce un travail d'appoint, le patron voudrait nous faire croire qu'elle y est contrainte par un « lâche fainéant » (chapitre « La femme du travailleur »).

« Parmi les femmes de sublimes, il y en a de bien actives, de très courageuses, qui travaillent rudement, se tuent pour faire vivre le ménage et la famille où le lâche fainéant est une charge. Les unes sont blanchisseuses, porteuses de pain, marchandes des quatre saisons ; d'autres travaillent dans les ateliers ou chez elles. »

L'énoncé des activités des compagnes nous livre ainsi la véritable condition de la « sublimisation » des travailleuses : d'un côté, les femmes sublimes exercent des activités d'ouvrières salariées. De l'autre, les épouses des rares ouvriers conformes aux désirs du patronat accèdent à des petits commerces, ou bien se font les auxiliaires des propriétaires.

La vie des ménages : une suite d'étapes à resituer dans la perspective des destins ouvriers

Le décryptage peut se poursuivre ainsi, et passer au crible tous les détails sur la vie des ménages ouvriers. On n'a choisi ici que quelques exemples clés, mais bien d'autres aspects se prêtent au même déchiffrage :

— le célibat, l'union libre et le mariage ;

— les rapports entre les parents, les enfants et les aïeux ;

— la question de la « jalousie » et de la « familiarité » entre ménages ouvriers.

Pour résumer le décryptage et grouper quelques points de repère, on a recomposé sous forme de tableaux la typologie des ménages, telle qu'elle peut se dégager à l'issue des recoupements critiques. (Voir les deux tableaux des deux pages suivantes.)

Au lieu d'une juxtaposition de psychologies, au lieu d'une galerie de portraits plus ou moins pittoresques, on obtient de la sorte une vision dynamique de tout un milieu. C'est la combinaison de l'ensemble qui donne son sens à chacun des comportements.

Chaque type de ménage représente un « mode de vie », un *modus vivendi,* une manière particulière de faire face à des problèmes qui sont posés à tout le milieu des travailleurs.

Le célibat, l'union libre et la mise en ménage stable, avec ou sans mariage légal, ne sauraient être interprétés comme de simples acceptations ou refus d'un « modèle familial » dominant, comme de simples « illégalismes ». Le « modèle familial » ne s'impose que dans les petites imaginations des grandes enquêtes philanthropiques, ou dans celles de leurs émules contemporains.

Les différentes positions sociales des ménages se comprennent de façon beaucoup plus convaincante si elles sont placées dans la perspective des *destins ouvriers.* Plus précisément, chaque modalité d'union conjugale se comprendrait comme manière d'affronter une existence de travailleur. La vie de chaque type de ménage se situe dans une suite d'étapes, et chaque suite comporte sa cohérence. Il s'y mêle toujours certaines doses de résignation, de dérive et de refus de la condition d'ouvrière ou d'ouvrier.

Une minorité veut « s'en sortir » par la promotion de contremaître ou de petite commerçante. Les autres se livrent

TABLEAU 3. RECONSTITUTION DES RAPPORTS FAMILIAUX
d'après les indications éparses dans le livre

	Avant la mise en ménage stable	Mise en ménage stable	Degré d'aisance Ressources du ménage
OUVRIERS VRAIS	Ils « préfèrent les ambulantes [prostituées professionnelles] plutôt que de s'acoquiner. Il ne voudrait pas débaucher une jeune fille sage. Et puis on n'a pas de remords ».	Ils se marient sans avoir jamais pratiqué le concubinage.	Les plus aisés. Epargnent, participent aux sociétés de secours mutuels et en chassent les sublimes : leur femme est souvent petite commerçante ou concierge.
OUVRIERS	Ils s'acoquinent avec des blanchisseuses, femmes de chambre, bonnes d'enfants... La compagne évite ainsi les servitudes d'un logement de maître ou d'un loyer coûteux.	Ils se marient un jour en délaissant leur concubine pour aller chercher une bonne ménagère d a n s leur pays.	Ils ont parfois un peu d'argent d'avance et peuvent rembourser leurs dettes. Leur femme est souvent petite commerçante ou concierge.
OUVRIERS MIXTES	Ils sont célibataires en garni. Parfois ils se mettent dans leurs meubles, mais c'est un grand risque économique. Ils se contentent du « collage ».	Ou bien ils se marient avec une ménagère à poigne, ou bien ils passent au sublimisme.	Ils ont des difficultés permanentes pour joindre les deux bouts.
SUBLIMES SIMPLES	Ou bien ils sont célibataires, « en ignobles garnis. Ils aiment mieux ça, on ne leur fait pas la morale » ; ou bien ils vivent en concubinage.	Ils se fixent en ménage et souvent se marient, pour élever des enfants et assurer leur vieillesse.	Difficultés permanentes. Budget géré au jour le jour. Dettes fréquentes. Ne pas payer est une gloire. Leur compagne est le plus souvent ouvrière.
VRAIS SUBLIMES	Ils gardent leur mobilité affective, qu'ils vivent seuls ou en union libre.	Ils se fixent en ménage, avec ou sans mariage, pour élever des enfants et assurer leur vieillesse.	Toujours « dans la dèche ». Ressources toujours en dessous du minimum d'entretien d'un ménage. Leur compagne est le plus souvent ouvrière.

	Avant la mise en ménage stable	*Mise en ménage stable*	*Degré d'aisance Ressources du ménage*
FILS DE DIEU	Ils sont don juan jusqu'à trente-cinq-quarante ans. « La famille est une chaîne qui les gênerait. » Ils peuvent séduire facilement les épouses et les filles des ouvriers de leurs équipes de travail.	Ils se fixent tardivement en ménage, pour élever des enfants et assurer leur vieillesse. La femme est ouvrière. Le couple demeure souvent en union libre.	Ils ont moins de difficultés que les sublimes mais, par principe, ils s'arrangent pour ne pas payer leurs dettes aux commerçants et aux propriétaires.
SUBLIMES DES SUBLIMES	Ils sont don juan jusqu'à trente-cinq-quarante ans. Ils séduisent des femmes dans toutes les classes de la société.	Ils se fixent tardivement en ménage, pour élever des enfants et assurer leur vieillesse. La femme est cuisinière, concierge, etc. Le couple demeure en union libre.	(Pas de problèmes signalés.)

TABLEAU 4. RECONSTITUTION DES RAPPORTS FAMILIAUX (suite) *d'après les indications éparses dans le livre*

	Relations des couples entre eux	*Avec les enfants*
OUVRIERS VRAIS	Ils sont les chefs du ménage. Pour eux, la femme est inférieure par nature : « Tu es une bonne femme ! » Ils mettent une cloison entre leur vie privée et la vie d'atelier. Ils tiennent jalousement leurs épouses à l'écart de leurs connaissances ouvrières.	Les pères dirigent l'éducation des enfants. Ils veulent faire de leurs fils de bons ouvriers, avec ou sans l'accord de la mère.
OUVRIERS	L'épouse est le chef de l'économie domestique. Appelée la « bourgeoise », immigrée rurale. Les sublimes disent d'elle : « Elle a retourné le Code civil. » Au besoin, elle sermonne et culpabilise son mari. Elle voit les compagnons d'atelier du mari les samedis de paye, pour exercer son contrôle.	Les mères dirigent l'éducation des enfants, en conformité avec la morale dominante. Le père donne son appui.

OUVRIERS MIXTES	La « bourgeoise » est « un rude gendarme » qui se fait craindre par son époux. Elle « tient le sac ». C'est elle qui, d'autorité, empêche l'ouvrier mixte de passer au sublimisme.	« Il aime bien ses enfants, mais c'est sa bourgeoise qui s'en occupe ; il n'a pas le temps, et puis ça l'ennuie. »
SUBLIMES SIMPLES	Si l'épouse est la « bourgeoise » du ménage, qu'elle n'a pas elle-même un travail salarié, il se produit des conflits périodiques : le sublime bat parfois sa femme, se fait parfois battre, et il se sent épisodiquement coupable de ne pas assez gagner, face aux misères familiales. Si l'épouse sort tout droit de sa campagne et n'a pas de salaire, c'est souvent une « martyre » du mari, accrochée au bureau de bienfaisance. Si la compagne est elle-même ouvrière, elle est souvent « sublime » : elle est solidaire de son mari dans la résistance à l'exploitation. Chacun fréquente les compagnons de travail de l'autre.	Les pères appuient la liberté des enfants avec ou sans l'accord de la mère, y compris la liberté sexuelle.
VRAIS SUBLIMES	Si la compagne n'est pas « sublime », drames et épreuves de force permanente. Elle est souvent battue, victime de jalousies d'ivrogne. « Si elle ne le quitte pas, c'est pour les enfants. » Si la compagne est « sublime », le ménage parvient à s'entendre. Les bagarres des jours de paye ne sont pas un drame. Devant un patron, la compagne dira : « Oh ! ce n'est rien, ils se sont taraudés pendant la nuit. » Parfois, la compagne pratique le « racolage », par nécessité alimentaire, surtout à l'approche du terme. Contre le mépris général, elle oppose la fierté de nourrir des enfants, des vieux parents ou des accidentés du travail aux frais d'un exploiteur ou d'un petit chef.	Les mères s'occupent des enfants. En cas de conflit, elles opposent l'intérêt des enfants à l'intérêt du père.
FILS DE DIEU **SUBLIMES DES SUBLIMES**	Une fois passée la force de l'âge du « sublime de Dieu », la compagne « mate » son compagnon et mène le ménage.	Les parents encouragent la liberté et l'esprit d'indépendance de leurs enfants. Ils les poussent à participer à l'« émancipation ouvrière ».

à des pratiques de résistance individuelle ou collective, mais, du même coup, ils doivent affronter des contradictions plus ou moins insolubles au sein des ménages.

Deux étapes sont communes aux types de travailleuses et de travailleurs à Paris, au temps de la Commune :

— une longue phase de refus ou d'impossibilité du ménage stable, en célibat ou en « collages » ;

— ensuite, une stabilisation, avec ou sans mariage, pour élever des enfants et aménager au mieux le déclin de ses forces et de ses ressources économiques.

Une contrainte omniprésente commande ces étapes : la variation des gains selon l'âge et le degré d'usure au travail. Poulot se garde d'insister sur ce point, mais il laisse glisser de temps à autre des détails suffisamment instructifs. Un trait particulièrement caractéristique du salariat ouvrier, à cette époque comme à d'autres, est la coïncidence des revenus des hommes avec l'histoire de leur force et de leur usure physiques : passé les âges de trente-trente-cinq ans commence pour la plupart le déclin des rémunérations. Le sort des travailleuses est subordonné aux premiers. Les nombreuses jeunes ouvrières, rémunérées en salaires d'appoint (de moitié inférieurs aux salaires des hommes), ne peuvent rester célibataires indépendantes. Mais, avec ou sans enfants, la majorité d'entrer elles n'a pas d'occasion de se mettre en ménage stable avant que les hommes, au début du déclin, n'en aient eux-mêmes besoin : les unions se fixent lorsque les ouvriers ne peuvent plus s'offrir un service ménager avec leur argent ou avec leur séduction ; lorsqu'ils doivent prévoir des ressources complémentaires de femmes et d'enfants ; lorsque leur usure accroît les risques de maladie et de chômage.

Dans une telle perspective, la stratégie d'alliance des patrons avec les compagnes d'ouvriers doit être rapprochée des intérêts combinés des travailleuses et des travailleurs, à différentes étapes de la vie. A aucun moment les intérêts ne se déterminent de façon simple et univoque. Bien sûr, avant la mise en ménage stable, les patrons ne peuvent guère jouer sur les oppositions entre les couples, et on s'explique facilement leur hostilité affichée contre l' « union libre ». Symétriquement, la préférence ouvrière pour l'union libre s'expliquerait comme une ruse contre les servitudes de la famille, afin de mieux développer la résistance dans les ateliers. Mais quels avantages les patrons ne tirent-ils pas d'une exploitation intensive des célibataires, femmes et hommes ? Les célibataires auraient-ils été aussi facilement embauchés si leur utilisation n'avait été éminemment profitable ?

Quand les ménages sont stabilisés, la stratégie patronale peut se faire plus pesante. Un mot de l'argot ouvrier symbolise bien la pression de la classe dominante au sein des ménages : la femme d'ouvrier qui fait valoir les exigences de l'entretien familial, qui dirige l'économie domestique, sans travailler à l'extérieur, est appelée la *bourgeoise*.

Mais, d'après le décryptage des rapports de ménage, l'alliance donne lieu à des réactions contradictoires, sans jamais aller jusqu'au bout du succès. Elle s'en rapproche le plus dans le cas des ménages d'ouvriers et d'ouvriers mixtes. Encore faut-il noter que, dans ces cas, la faiblesse économique du ménage joue vraisemblablement le premier rôle dans le degré de soumission aux exigences du marché du travail.

Par contre, face au sublimisme des hommes, les réactions des ménagères sont diversifiées et peuvent jouer sur différents tableaux. Lorsqu'elles ne sont pas sublimes, elles entrent en conflits permanents, et deviennent « martyres » ou « bourgeoises », selon qu'elles sont plus ou moins armées elles-mêmes. Dans ces situations, l'alliance avec les employeurs de leurs compagnons, et avec les bureaux de bienfaisance, constitue effectivement l'une des armes dont elles disposent pour se défendre.

Dans la majorité des cas, celui des ouvrières sublimes, les oppositions de ménage changent de signification face aux patrons. Le compagnon, usé le premier, perd la direction du ménage, mais l'autorité patronale ne récupère pas ce que gagne la compagne. Le profit tiré des ménages s'exerce sur un autre plan. Le vieillissement se fait tragique. Les ouvrières dont les compagnons sont usés, plus ou moins malades, accidentés, chômeurs, doivent recourir de plus en plus longtemps à un travail salarié. Elles doivent subir elles-mêmes une exploitation de plus en plus cynique et intensive, qui atteindra son point culminant lorsqu'elles seront veuves. Peut-être est-ce précisément parce que ces situations sont les moins défendables, même au regard de la morale bourgeoise, que les propos de Poulot se font agressifs et peu vraisemblables, quand il prétend dépeindre le vieillissement des ménages de sublimes des sublimes : il leur prête une psychologie de petits-bourgeois aigris et ratés, dévorés par le remords de ne pas s'être élevés au rang de bourgeois lorsqu'ils en avaient eu soi-disant la possibilité.

De telles combinaisons entre l'exploitation du travail et les oppositions hommes/femmes incitent à écarter des faux problèmes qu'on pose parfois aujourd'hui : il n'y a pas d'un côté la lutte des classes, de l'autre la lutte des sexes. L'exploitation s'empare des oppositions de sexes, tout comme elle s'empare des oppositions culturelles, raciales, nationales, etc. Et chaque fois se produisent des effets historiquement originaux, qui ne sauraient se résumer dans des formules simplistes « classe contre classe ».

En l'occurrence, la condition des femmes de travailleurs, au temps de la Commune, se résumerait mieux dans la formule attribuée à Flora Tristan : *prolétaires du prolétaire,* à condition de prendre le terme de prolétaire dans son sens historique le plus chargé. Elle rappelle alors une double exploitation, mais aussi une double défense quotidienne. Aucune lutte spectaculaire, hors du quotidien, n'est possible tant que les perspectives offertes isolent le côté « femmes » ou le côté « classe ouvrière ».

Au temps de Poulot, certains courants féministes voulaient ne retenir que les oppositions de sexes pour définir leurs luttes et rallier les femmes de toutes classes. Ils se réduisaient alors à un féminisme bourgeois et petit-bourgeois. Les perspectives de libération étaient bien réelles lorsque des bourgeoises et des petites-bourgeoises prenaient pour cibles l'autorité de leurs maris, maîtres de leur argent, de leur corps, de leur temps. Mais que pouvaient signifier leurs campagnes d'opinion parmi les femmes d'ouvriers ? On proposait à celles-ci de revendiquer la réforme du droit matrimonial. Mais, comme le disait l'argot des sublimes, la majorité d'entre elles

avait déjà fait « retourner le Code civil » à leurs compagnons :
elles tenaient déjà la gestion de la communauté des biens, et
l'irresponsabilité domestique de leurs hommes leur paraissait
peut-être plus enviable.

Vraisemblance et réalité des pratiques ouvrières reconstituées d'après « Le Sublime »

La cohérence des pratiques de chacun des sept types, évoquée ici à propos des ménages, s'étend à tous les aspects de
la vie quotidienne : vie en atelier, vie affective, vie familiale,
loisirs, vie politique. Et cette cohérence ne se réduit pas à une
gradation de profils plus ou moins conformes, plus ou moins
soumis à des mécanismes d'intégration et de pouvoir. Il n'y
a pas de degré zéro de l'insoumission, au-delà duquel se trouverait un moment de rupture ou de révolte. Pas de ligne de
démarcation entre une masse supposée passive et des minorités agissantes. Ce qu'on a souligné à propos de la vie des
ménages se retrouve dans l'ensemble des pratiques quotidiennes : *chacune des manières d'affronter un destin de travailleur comporte toujours une part de résignation, une part
de dérive et une part de refus de la condition d'ouvrière ou
d'ouvrier.*
Pour visualiser cette cohérence, il est suggestif de feuil-
leter ensemble les quatre tableaux précédents et de parcourir
les pratiques de chacun des profils selon les différents aspects
de la vie quotidienne. Afin de compléter l'ensemble, on a
ajouté un cinquième tableau, sur les liens avec la scène politique. Le décryptage ne pose guère de problèmes ici, et on
reviendra sur le contexte parisien qui donne tant d'importance
aux « réunions publiques » et qui fait envisager ouvertement,
au début de 1870, l'hypothèse d'une « commune sociale ».
D'autres rapprochements comparatifs seraient encore possibles, sur l'habitat, le vêtement, le comportement dans la
rue, les activités du dimanche, des fêtes et des soirées.
La cohérence entre la vie politique et le reste des pratiques
quotidiennes appellerait à elle toute seule bien des réflexions.

Admettre cette cohérence conduit à bousculer nombre d'habitudes intellectuelles : c'est remettre en cause la dualité courante établie entre, d'un côté, la vie ouvrière ordinaire, de l'autre, le « mouvement ouvrier ». Dualité qui se rencontre aussi bien dans les sciences humaines que dans le journalisme et dans des études menées par des organisations ouvrières.

Que signifierait, par exemple, l'idée de « prise de conscience », utilisée pour désigner le prétendu passage de la vie ordinaire à une activité militante ? Peut-on parler d'un manque de « prise de conscience » pour une ouvrière qui se défend doublement tous les jours, contre son patron et contre son compagnon ? Où situer la « prise de conscience » d'un vrai sublime qui défend mieux ses conditions de vie par la résistance individuelle qu'il ne pourrait le faire dans des formes de résistance collective ?

Les différentes voies de décryptage du *Sublime* nous permettent du même coup d'en apprécier la vraisemblance. Il serait absurde de se demander s'il s'agit d'une « source » suffisamment objective pour y puiser de l'authenticité historique. Le patron se débat dans un certain nombre de contradictions. Il voudrait à la fois dénoncer et ne pas reconnaître les pratiques ouvrières qui se mettent en travers de sa route. Ce sont donc ses contradictions mêmes qui sont les plus révélatrices. Son témoignage est d'autant plus vraisemblable et contrôlable qu'il étale sa partialité et ne cache pas ses inconséquences.

Mais chaque reconstitution de pratique ouvrière, si vraisemblable soit-elle, amène fatalement de nouvelles questions : comment vérifier par ailleurs la réalité et l'ampleur des épreuves de force quotidiennes suggérées par le livre du manufacturier ? Force est d'en revenir au constat d'une carence générale d'information, évoqué au début de cette introduction. Est-il permis d'espérer que la réédition du *Sublime* fera admettre (ou redécouvrir) certaines exigences de connaissances ?

En effet, ces pratiques quotidiennes ne sont pas inaccessibles. Dans les limites de cette introduction, on se bornera à en donner quelques exemples à partir de recherches en cours. Le plus indispensable est de reconstituer les pratiques de marchandage, les systèmes de salaires et les modalités d'ex-

	Opinions et rôle politique	*Réunions publiques*	*En cas d'explosion sociale...*
OUVRIERS VRAIS	« Vrais démocrates. » Lisent les journaux d'opposition (bourgeoise) républicaine. Ils sont contre l'Empire et contre le socialisme. Ils partagent avec Proudhon « l'aspiration juste de la possession » et sont favorables à l'association capital-travail.	Il va rarement aux réunions publiques. « Il n'aime pas les utopies. » Il y voit une démagogie ouvrière.	Ils défendraient la république si elle était attaquée par les socialistes.
OUVRIERS	Il « ne comprend pas bien » les exposés socialistes des réunions publiques, et désapprouve les idées les plus avancées.	Se rend « assez souvent » aux réunions publiques et applaudit les tribuns.	« Si tous les travailleurs étaient comme ces trois types [...] les convulsions que nous fait pressentir l'avenir seraient évitées. » Mais, dans l'état des choses, les ouvriers et les ouvriers mixtes suivraient les socialistes.
OUVRIERS MIXTES	Il suit les idées politiques des « fils de Dieu », lit ce que les « fils de Dieu » lui recommandent. « Si vous [patron] discutez avec lui et que les arguments lui manquent, il vous dit : " Tenez, untel, sublime des sublimes, vous l'expliquera bien. " »	Il « manque rarement » les réunions publiques et applaudit les tribuns.	
SUBLIMES SIMPLES	« Les réflexions du samedi [de paie] sont socialistes. [...] " Ah oui, nous sommes un troupeau d'exploités. " Les tyrans qu'il connaît sont le patron et le propriétaire : des exploiteurs et des voleurs. »	Il va « quelquefois » aux réunions publiques. « Il se place à côté d'un de ses amis, fils de Dieu. »	« Les sublimes, en masse, produiraient des héros aussi bien que des vandales. »
VRAIS SUBLIMES	« Le vrai sublime parle peu politique, lit rarement ; quelquefois le journal, les faits divers ; en revanche, il écoute attentivement la lecture et surtout les commentaires de son vieux de la vieille, un [...] fils de Dieu.	Il « ne va jamais » aux réunions publiques. « Ce n'est pas son affaire. »	

FILS DE DIEU	« Il lit le journal tous les jours et commente les faits politiques. Il est presque toujours orateur [...] un air profond, méditatif, inspiré. [...] Les autres l'écoutent comme un oracle quand il parle politique. Il a toujours l'air de rêver la solution des problèmes sociaux. » Il a lu les socialistes, mais n'aime pas Proudhon. Dans les mouvements, il est l' « exécutif » du pouvoir ouvrier.	Ils « sont les assidus des réunions publiques et électorales ».	« Il y a de l'étoffe du martyr dans le fils de Dieu. »
SUBLIMES DES SUBLIMES	Il est « plus réfléchi » il « est l'homme de principes, il enfante des théories : théories politiques, économiques, sociales [...] Ils sont les grands maîtres des travailleurs, touchent aux hommes politiques, aux influents. [...] On en présente à la députation. C'est le prophète, le savant, le législateur des problèmes sociaux ».	Ce sont les orateurs les plus écoutés des réunions publiques.	Ils étudient la « commune sociale. Si le gouvernement de la république arrivait, ils l'attaqueraient ».

ploitation. Ainsi peuvent être dégagées les racines du sublimisme à l'atelier. Sur ces bases, il est plus facile de comprendre contre quoi se jouaient les épreuves de force quotidiennes, à l'atelier et hors de l'atelier. De même, le mouvement ouvrier se trouve alors reconsidéré par rapport aux enjeux concrets de l'époque, et du coup il prend une dimension plus universelle.

Denis Poulot : un capitaliste démocrate

Mais au préalable il est nécessaire d'évoquer la propre expérience de Denis Poulot, d'après les éléments de biographie qu'on a pu reconstituer. Celle-ci permet de situer les moyens de lutte contre le sublimisme proposés par le manufacturier dans le dernier tiers du livre. Beaucoup de ces moyens furent effectivement mis en œuvre par des « couches nouvelles » démocrates, au début de la III° République.

Le personnage de Denis Poulot concentre en effet sur lui-même — parfois de façon aussi caricaturale que ses portraits de sublimes — les caractéristiques de tout un patronat parisien engagé dans la lutte contre le sublimisme avec les armes de la démocratie et du « progrès » industriel. Notable patronal, il fait partie d'une génération d'hommes parvenus à la fortune grâce à leur activité industrielle, opposants au régime impérial, démocrates plus ou moins « radicaux ». Citant volontiers en exemple leur propre réussite, ils étaient convaincus que seule une démocratie du mérite et de l'égalité des chances était capable de rétablir la paix sociale entre patrons et ouvriers.

La famille de Denis Poulot : des bourgeois provinciaux en ascension sociale grâce à l'instruction

Denis Poulot est issu d'une famille franc-comtoise de bourgeoisie modeste. Ses grands-parents étaient les uns marchands drapiers, les autres commerçants tailleurs d'habits. Son père accrut sa fortune et sa notabilité dans son canton natal franc-comtois, à Gray, en Haute-Saône. Il commença une carrière militaire à la fin du Premier Empire, puis, en 1815, capitaine en retraite, il se fit négociant en fer. La ville de Gray avait alors un trafic fluvial prospère, fondé sur le négoce des matières premières.

A la naissance de Denis-Joseph Poulot (le 3 mars 1832, à Gray-la-Ville, petit village près de la ville de Gray), l'ex-militaire négociant vivait en concubinage depuis plusieurs années avec une compagne désignée comme rentière dans les actes d'état-civil. Denis-Joseph est reconnu et légitimé par le mariage de ses parents l'année suivante, en même temps que quatre autres frères et sœurs aînés. Au total, huit enfants naissent de cette union. La famille est alors en pleine prospérité économique et fait partie des notabilités locales. Le père est élu commandant de la Garde nationale de son canton.

L'administration l'avait distingué des autres officiers en raison de son niveau élevé d'instruction. Il envoie ses enfants aux grandes écoles et se trouve en état de leur fournir un petit capital suffisant pour lancer des affaires. Trois frères au moins passent par les grandes écoles militaires et mènent des carrières d'officiers supérieurs. Deux autres frères passent par l'école d'arts et métiers de Châlons, pour devenir ingénieurs civils, puis entrepreneurs de mécanique.

Denis-Joseph est lui-même envoyé à l'école de Châlons, où il achève son instruction à l'âge de quinze ans. Dès sa sortie de l'école, il entre dans l'atelier de son frère aîné, Etienne-Alfred, chef d'une entreprise de constructions mécaniques à Paris. Trop jeune pour occuper un poste d'encadrement, il travaille comme chef-monteur, la plus haute qualification ouvrière.

S'il faut en croire les confidences du *Sublime* (digressions dans les chapitres « L'ouvrier » et « L'ouvrier mixte »), la formation du jeune mécanicien est alors prise en main par des ouvriers vrais, chefs d'équipe. Ennemis du mouvement révolutionnaire de 1848, ceux-ci se tiennent à l'écart des tentatives d'association de production qui visaient le regroupement et l' « émancipation » de la totalité de chaque corps de métier. Pour eux, seule une élite devait fonder les associations.

Ensuite, le chef monteur connaît ses premières déceptions amoureuses. Il cherche à fréquenter des filles de famille bourgeoise. Pour faire oublier sa condition manuelle, au besoin, il passe à la meule les durillons de ses mains. Mais peine perdue. Il a beau avoir un physique séduisant et soigner ses bonnes manières, il ne parviendra jamais à conquérir une riche héritière parisienne.

Passé ses vingt ans, il est promu contremaître à la maison Gouin. De cette période relèvent de nombreuses anecdotes du livre sur le sublimisme le plus archaïque, celui des « grosses culottes ». C'est le sublimisme des ouvriers d'élite, marchandeurs, capables de réaliser les pièces les plus grosses et les plus délicates à l'aide de simples outils manuels. Leurs pratiques sont bien illustrées dans les chapitres « Les grosses culottes » et « Une séance au sénat ». La clé de leur pouvoir est simple : ils sont indispensables, les ingénieurs ne peuvent se passer de leur savoir-faire. Toute commande mise en chantier par une équipe ne peut être terminée par une autre. Quand il s'agit de réunir une équipe de travail, une grosse culotte ressemble davantage à un recruteur d'artistes qu'à un sous-officier avant la manœuvre.

Le livre nous explique comment le sublimisme des grosses culottes a été tué par la machine-outil. Dans la fabrication des locomotives et du gros armement, la période cruciale se situe, pour Paris, au début du Second Empire, au moment même où Denis Poulot était contremaître dans la branche. Peut-être est-ce cette expérience qui définit le grand dessein de sa carrière : combattre le sublimisme sur un plan à la fois technologique et politique.

Les premiers succès industriels de Poulot : une technologie de combat contre la qualification ouvrière

Dès l'âge de vingt-cinq ans, Denis Poulot suit l'exemple de son frère aîné, déjà chef d'entreprise et inventeur de machines-outils : il fonde sa propre affaire, en association avec un beau-frère. Avec un apport de quinze mille francs chacun, les deux associés destinent leur société en nom collectif à « la fabrication de boulons, rivets et autres pièces servant à l'industrie mécanique, comme à l'achat et la revente des pièces de même nature, et même des métaux ». La mise de fonds provient d'héritages familiaux.

Tandis que le beau-frère s'occupe de gestion, l'ingénieur s'attaque immédiatement à la rénovation des procédés de fabrication de sa partie, afin de s'affranchir des pratiques du sublimisme. C'est en effet un des secteurs où les sublimes forment une proportion écrasante : 85 % de sublimes parmi les boulonniers, estime le patron dans son livre. Du point de vue ouvrier, « la partie est libre » : aucun règlement d'atelier, aucune discipline extérieure ne parviennent à entraver le contrôle collectif exercé par eux-mêmes sur le marchandage.

Un examen minutieux des inventions techniques en relation avec les rapports de travail permettrait d'obtenir une vision complètement différente des histoires habituelles des techniques : tandis que celles-ci se contentent de suivre les prétendus progrès des instruments de production, une exploration de détail révèle de tout autres dimensions : plusieurs lignes d'invention se sont combattues, et aucune « exigence technique » ne peut être posée en soi, indépendamment de la lutte contre le contrôle ouvrier. On en donnera ici un bref aperçu, avec l'exemple de la boulonnerie. Il éclaire cette réflexion de l'auteur : « Pour nous, il n'y a rien de moralisateur comme une machine. »

Les écrits techniques de Poulot expliquent comment, pour satisfaire les manufacturiers, les « bonnes » machines-outils devaient remplir simultanément trois conditions :

— développer la précision (du sur-mesure ou de la série) ;
— faire progresser les conditions techniques de la rapidité ;
— faire régresser le libre arbitre de l'ouvrier [8].

Jusque dans les années 1860, aucun procédé de fabrication de boulons ne fut jugé satisfaisant. Les deux premières conditions pouvaient être remplies, mais la troisième manquait. Dans le cas de la production purement manuelle, les outils se perfectionnaient régulièrement, et avec eux la précision du produit (bouterolles, matrices, procédés de déchâssage des boulons). Mais les patrons s'estimaient beaucoup trop dépendants des équipes de boulonniers et frappeurs, variantes spécialisées des équipes de forgerons et frappeurs grosses culottes [9].

Dans le domaine de la machine-outil, une longue série d'inventions et de modèles complexes, très automatisés, ne satisfont pas les industriels. Poulot analyse leur principal défaut : les automatisations soulagent certes les boulonniers et les frappeurs, mais l'entretien des machines est trop déclicat, trop subordonné à leurs opérateurs. En d'autres termes, ces machines seraient l'occasion de nouveaux champs d'action à l'habileté de l'ensemble des ouvriers engagés dans la pro-

---

8. Voir la liste des écrits de Poulot à la fin de cette introduction, en particulier les n⁰ˢ 1, 2, 4 et 6.

9. Pour préparer son roman *L'Assommoir,* E. Zola a lu *Le Sublime,* lecture dont on reparlera. Il a lu aussi un article de Poulot sur la boulonnerie (*Travail des métaux...,* n° 4), d'après le contenu de ses notes manuscrites. Puis il est allé visiter un atelier de cette fabrication. Cela nous a valu une description précise des opérations manuelles, effectuées à l'aide de simples outils, dans le chapitre VI de *L'Assommoir.*

duction. Elles ouvriraient la voie à de nouvelles formes de sublimisme. Dès lors, la plupart des prototypes s'en vont à la ferraille. Quant aux rares machines-outils en usage au début des années 1860, elles ne modifient pas fondamentalement la qualification ouvrière. Pendant longtemps, dans les grands ateliers de grosse chaudronnerie, on dut garder en réserve des équipes pour confectionner des boulons sur mesure, sans pouvoir les employer à autre chose, tant elles étaient indispensables et reconnues d'une qualification supérieure.

Les machines-outils ne s'imposèrent vraiment dans la boulonnerie que lorsque la tendance se renversa : lorsque les tâches furent déqualifiées. C'est à ce point précis que Poulot opéra sa percée industrielle. Il avait commencé par la création de petits outils spécialisés dans le taraudage : « filière annulaire », « tourne à gauche sphérique ». La spécialisation des outils devait faire gagner du temps et créer des spécialités d'outilleurs. De la sorte, on enlevait aux ouvriers des occasions de marquer des pauses : jusque-là, leurs outils, adaptés à leur personne, jugés trop universels par Poulot, se cassaient assez souvent, et les patrons devaient les laisser aller eux-mêmes réparer avec soin leur matériel.

Ensuite, la société Poulot-Bricaire passe aux grosses machines-outils, pour la frappe des rivets et boulons, et pour le taraudage de ces derniers. Leur succès repose sur un principe simple : spécialiser toujours davantage les machines-outils pour permettre les séries à grande cadence. Pour atteindre leur but, les constructeurs renoncent aux prouesses techniques de certaines inventions automatisées. Leur idéal est atteint lorsque les opérations, suivant les termes de Poulot, peuvent être menées « par un manœuvre intelligent formé en quelques semaines » et que des normes individuelles de production peuvent être fixées en fonction des caractéristiques de la machine, et non plus en fonction des aptitudes du travailleur.

Le succès commercial sanctionne leur choix. Les « machines à tarauder Denis Poulot » s'imposent sur le marché français. Au moment de l'Exposition universelle de 1867, plus d'un millier d'exemplaires des plus gros modèles avaient été vendus. Le rapporteur du jury international commentait, avec une pointe de jalousie, que Poulot exposait des machines « plus spécialisées encore » que celles de ses concurrents anglais, et qu'elles étaient « devenues en quelque sorte officielles », car « elles sont adoptées même par les ateliers de l'Etat » (dans les arsenaux). Sur la même lancée, le manufacturier avait imposé, pour la normalisation du pas de vis, le « pas Denis Poulot » aux arsenaux de la marine (circulaire ministérielle du 15 septembre 1863). Bref, dans sa lutte technologique contre le sublimisme, Poulot avait inventé, pour son secteur de production, ce qu'on appelle maintenant les « O.S. ». Ou du moins il en avait créé les conditions techniques. Car, face à la résistance ouvrière quotidienne, aux yeux mêmes du patron, l'élaboration de technologies de combat était une arme essentielle, nécessaire, mais non pas suffisante.

Le projet démocratique de Poulot : réaménager les rapports de classes, avec les « couches nouvelles » pour pivots

Sur le plan politique, Poulot fut un notable de seconde zone. Il ne parvint jamais à franchir le dernier pas qui en aurait fait un conseiller de Paris, un député ou un sénateur. Il en est d'autant plus représentatif de ces milliers de notables professionnels, en retrait de la scène politique, qui formèrent un tissu de pouvoir local très efficace.

Ses premiers pas d'homme public sont faits au sein de la Société des anciens élèves des écoles (impériales) d'arts et métiers. Il y adhère dès 1851. Puis il entre au comité de direction en 1864 pour promouvoir le recrutement de contremaîtres et d'ingénieurs dans l'industrie privée, contre les prétentions de l'armée. Il espérait revaloriser le travail manuel aux yeux des fils de bourgeois. La vocation sociale de ce type d'association, telle que l'envisage le manufacturier, est exposée à la fin du chapitre sur les apprentis. La Société des anciens élèves devint effectivement une sorte de franc-maçonnerie des cadres, techniciens et ingénieurs de l'industrie privée, très influente, où s'échangeaient informations et services mutuels sur les places vacantes, sur les techniques et sur les politiques du personnel au sein des entreprises. Plus tard, en 1882, Poulot en devint un président actif, multipliant contacts, réunions et publications. Quand il se retira de la vie publique et industrielle, en 1899, la Société comptait, d'après lui, plus de six mille membres.

Durant l'année même où il se lance dans la promotion des couches nouvelles, le nouveau patron abandonne également sa prétention à un mariage ascendant dans la grande bourgeoisie parisienne : en 1861, il va épouser dans sa province natale, à Vesoul, une jeune bourgeoise rentière, d'un niveau de fortune équivalent au sien. Elle apporte un peu plus de quarante mille francs de biens. Sans avoir encore « fait fortune », le jeune ménage se situe ainsi d'emblée dans les couches bourgeoises aisées. De ce mariage naissent quatre fils : ils seront tous envoyés à l'école d'arts et métiers de Châlons pour devenir ingénieurs civils.

La publication du *Sublime,* en avril 1870, valut à son auteur une entrée remarquée sur la scène politique. Néanmoins, il conservera l'anonymat jusqu'à la seconde édition : il craignait des représailles de fils de Dieu dans ses ateliers. Quinze journaux au moins commentèrent l'ouvrage. La plupart saluaient l'art « pictural » et « photographique » de l'auteur, mais ils le rapetissaient au pittoresque et au moralisme habituel de l'époque. Les propositions de réformes mises en avant par le livre étaient très liées au contexte politique du moment. Elles appartiennent à l'opposition républicaine radicale. Elles intègrent le programme de Gambetta, mais elles s'inspirent également des travaux de délégations ouvrières mises en place pour l'Exposition universelle de 1867.

Leur originalité réside surtout dans le grand dessein politique qui les sous-tend. Centré sur les problèmes parisiens, Poulot propose de forger une alliance de classes entre une bourgeoisie démocratique, les couches nouvelles d'ingénieurs, cadres, techniciens, les petits-bourgeois (artisans, petits commerçants, employés) et une élite ouvrière que les trois autres forces sociales devraient susciter et dégager de la masse. Leur alliance se cimenterait dans un combat commun contre les aristocraties d'argent, les privilèges, les grands monopoles, et contre leurs serviteurs : la soutane, le sabre, la toge et le fonctionnariat. Une idéologie commune : l'égalité des chances, la participation de tous aux affaires publiques, l'anti-étatisme, l'intégration démocratique des forces ouvrières.

On n'a pas trouvé trace des activités politiques de Poulot pendant la Commune, mais sa position nous est livrée quatre mois après la Semaine sanglante, dans un opuscule au titre évocateur : *Manifeste d'un bourgeois démocrate,* signé des initiales D. P. Sur un ton grandiloquent, exprimant à sa façon l'horreur de la répression, partagée par nombre d'industriels parisiens, Poulot précise son dessein d'alliance de classes. Solidaire de Gambetta, il se démarque cependant des fusilleurs versaillais avec plus de vigueur que ses amis de la scène politique, puis explique les raisons de cette hardiesse :

« Trente à quarante mille citoyens à juger, c'est beaucoup de besogne ; les conseils de guerre ne peuvent pas tout faire ; aussi Bazaine, Trochu et autres graines d'épinards qui ont lâchement livré Metz, Paris et la France se promènent. Ceux-là ne sentent pas le fagot et ne parlent pas contre les abus.

« Mais les milliers d'innocents qui pourrissent sur les pontons avec ces voleurs et ces incendiaires, tourbe flétrie qui déshonore tout ce qu'elle touche ; mais ces victimes du bataillon de la misère crient depuis quatre mois justice ! Et rien ?

« Grand parti de l'ordre, tes longueurs m'épouvantent ; craindrais-tu le débarras par le peloton d'exécution ? Ce monceau de cadavres, cette masse de sang (il y en a assez pour vous couvrir tous) gênent ta conscience [...] le martyre des victimes les rend saintes à nos yeux ; et c'est au nom de la justice et de l'apaisement qu'on prépare un cataclysme épouvantable dont nous, bourgeois, serons les premières victimes. Au nom de notre sécurité et de la justice écrasée, nous te clouons au pilori infâme de l'exécration [10]. »

Rédigé avec le ton condescendant d'un père qui morigène son enfant, le manifeste ne pouvait que rebuter les ouvriers. Mais dans la classe politique l'aile ouvriériste des gambettistes, avec Barberet, fit grand cas de cet opuscule, un an avant le fameux appel aux « couches nouvelles » lancé par Gambetta [11].

---

10. *Manifeste...,* p. 28-29.
11. Est-il besoin de souligner que, dans des discours politiques et dans des analyses actuelles des rapports de classes, on parle toujours des

Quelques citations du *Manifeste* en résumeront mieux le contenu qu'un long commentaire.

« AU PEUPLE,

« Après tant de désastres et de fautes, dans ton affolement, tu cries à l'abandon et à la trahison de la bourgeoisie ; elle ne t'a ni suivi ni soutenu, et, dans ta sourde colère, tu les voues tous à la haine implacable des travailleurs ; ces bourgeois égoïstes, tous, dis-tu, sont les ennemis du peuple. [...] Mais [...] il y a bourgeois et bourgeois, comme il y a républicain et républicain. Ne dis pas que tu la connais, celle-là. [...]

« Voici un bourgeois démocrate, un phénomène, sans doute, qui vient t'indiquer un chemin sûr, où il y a des pierres, et des grosses, mais sur lequel on ne culbute pas. [...]

« Il faut faire notre besogne nous-mêmes, nous avons assez de tuteurs.

« Sais-tu ce qu'il faut d'abord pour que tu aies l'instrument de travail ? Eh bien, il faut que tu sois de taille à l'avoir tout seul et ne pas l'attendre de l'Etat-providence ; si tu cries à l'impossibilité, regarde les Anglais (pour ne t'en citer qu'une) : la Société des mécaniciens possède quatre millions cinq cent mille francs en caisse ; ils les utilisent pour faire augmenter leurs salaires, en attendant le grand lavage social, qui purgera le pays de ces castes aristocratiques et débarrassera la législation de ces lois de privilèges qui ne leur permettent pas de les utiliser pour avoir le produit intégral [12]. [...]

« Courbé et abaissé par la corruption et l'abêtissement que les grands ont cultivé pour te dominer, il faut te redresser, voilà les moyens. Ils crient depuis un demi-siècle : *Enrichissez-vous !* Ton bourgeois leur répond : *Devenons citoyens.* [...]

« Travailleurs des bras, de la plume, du pinceau, ouvriers de la pensée, petits boutiquiers, petits commerçants, petits usiniers et tous ceux qui ont quelque chose de généreux dans

---

« nouvelles couches » d'ingénieurs, cadres et techniciens, pour déterminer un cours politique nouveau, alors que ce genre de stratégie ou de discours est maintenant plus que centenaire ?

12. Allusion à l'impossibilité légale de transformer les unions syndicales en associations de production.

le cœur, tous unis dans la grande arène politique, tous à l'assaut ; nous voulons tous devenir des citoyens dans la grande et large acception du mot. »

Suit une synthèse des programmes républicains les plus radicaux : libertés publiques, instruction laïque et gratuite à tous les niveaux, justice gratuite, magistrature élective, suppression des armées permanentes, etc.

« Ce n'est pas sur monsieur Capital qu'il faut frapper, c'est sur ces lèpres sociales dont les quatre principales sont : le sabre, la soutane, la toge et la paperasse. [...]

« Laisse monsieur Capital ; pour l'instant, il n'y peut rien ; quand tu auras fait tes preuves, il te donnera sa fille en mariage.

« Il y a à Paris cent mille petits-bourgeois, employés, petits rentiers et ouvriers qui se rallient au programme que tu as lu ; si, au lieu de te cantonner dans tes chimères et de te monter le cou avec la fameuse puissance du peuple, tu entres franchement dans l'arène et viens te joindre à eux, le Mont-Cenis des difficultés sera percé dans vingt années. [...]

« La première étape est l'application des principes démocratiques pour obtenir la solution du grand problème social.

« Pour l'obtenir, il faut vaincre par la légalité nos ennemis ligués ; pour que la victoire soit à nous, il faut de l'union et surtout de la discipline. Laissez les rêves pour le possible, le cosmopolitisme pour la nationalité, le fantôme pour la réalité ; le succès est à ce prix.

« Si cet appel est entendu, la république démocratique sera fixée à tout jamais. Pour son triomphe, la bourgeoisie démocratique t'attend. »

Entre-temps, la carrière industrielle de Poulot se poursuivait, et le bourgeois démocrate n'oubliait pas de s'enrichir. En 1868, il cède sa part d'associé dans la société Poulot-Bricaire, en pleine prospérité, pour se consacrer à de nouvelles inventions et à l'exploitation de ses brevets, en attendant le moment propice pour lancer sa propre affaire. Sa part est vendue cinquante-cinq mille francs, pour une mise de quinze mille francs, onze ans plus tôt.

L'occasion se présenta un an après la Commune. Poulot avait inventé de nouveaux procédés pour le meulage et lança une entreprise de construction de machines-outils dans ce secteur, sur des bases analogues à sa première entreprise : conquérir un quasi-monopole sur un créneau du marché très élaboré techniquement et très spécialisé : exploiter le monopole en maintenant une taille modeste à son établissement de production. Il achète un terrain de 990 mètres carrés, avenue Philippe-Auguste, sur la marge de l'agglomération dense, en profitant de l'effondrement des prix fonciers. Il y fait construire un immeuble de rapport de trois niveaux, côté avenue, et deux bâtiments industriels parallèles, côté cour. Sur la rue, au rez-de-chaussée, boutiques et porte cochère. Les 200 mètres carrés du premier étage sont aménagés en un dix pièces pour la résidence du patron. Au total, ses investissements se montent, y compris les terrains, à cinquante-trois mille francs pour l'immeuble d'habitation et à quarante-cinq mille quatre cents francs pour son usine (37 % pour le terrain industriel, 22 % pour les bâtiments de l'usine, 41 % pour les machines fixes).

L'opération immobilière est très typique chez les industriels moyens de l'époque. Pour la seule année 1872, dans la même avenue, se montent cinq autres usines de capitaux familiaux, avec immeuble de rapport côté rue et résidence du propriétaire au premier étage. C'est une opération très morale dans l'optique républicaine-radicale, par opposition aux spéculations impériales de l' « aristocratie financière » : les terrains et les immeubles fonctionnent comme instruments immédiats du capital productif, tandis que les grandes compagnies immobilières monopolisaient les terrains afin de « rançonner l'usager », suivant une expression courante chez les radicaux parisiens.

L'usine fonctionna avec dix à quatorze ouvriers seulement. Le manufacturier maintint sa suprématie dans le domaine très spécialisé de la meule artificielle de grande dimension. Il renouvela ses prototypes de machines-outils en temps opportun. A chaque grande exposition, ses modèles étaient signalés parmi les meilleurs et collectionnaient les médailles. Sa fortune devint considérable. A sa mort, en 1905, il fait partie de la bourgeoisie la plus riche de Paris, sans avoir atteint la dimension des grandes fortunes exceptionnelles : son patrimoine est estimé à quatre millions cent mille francs, correspondant à un revenu annuel de plus de cent vingt mille francs. Les immeubles y rentrent pour cinq cent mille francs, tout le reste est constitué de titres mobiliers. Ses revenus de capitaux représentent cinquante fois le salaire d'un ouvrier mécanicien qualifié, à la même époque.

C'est un exemple qu'il serait utile d'avoir à l'esprit lorsque des historiens parlent du caractère prétendument « semi-artisanal » des petites entreprises parisiennes et divaguent sur la prétendue proximité entre patrons et ouvriers. Si les ouvriers de Poulot pouvaient côtoyer tous les jours leur patron, ne serait-ce pas au contraire une raison supplémentaire d'accroître la distance sociale ? Quelles réflexions pouvaient-ils en tirer, sachant par exemple que, si on nivelait les revenus du « petit » patron et de ses ouvriers, le salaire de chaque ouvrier serait multiplié par plus de quatre ?

Denis Poulot, notable politique : la quête d'une aristocratie ouvrière introuvable

La mise en place de la III\ e République permit à Poulot de se lancer dans la réalisation de son programme. Les propositions de réforme contenues dans *Le Sublime* et le *Manifeste...* faisaient de lui un précurseur. Néanmoins, comme un bon nombre de ses collègues, l'industriel parisien resta dans l'ombre des politiciens radicaux pour l'action publique. De même restat-il dans l'ombre des notables ouvriéristes quand il s'agissait de peser sur les organisations ouvrières. Il partagea discrètement les combats du clan politico-syndical « barberettiste » en faveur d'un syndicalisme réformiste (soutiens de la presse, conférences publiques). Il appuya l'action publique d'ex-militants ouvriers devenus conseillers municipaux ou parlementaires (tels Nadaud, Tolain, Corbon), en faveur de la création d'associations ouvrières de production.

Il franchit lui-même le premier pas d'une carrière politique lorsque Gambetta le fit nommer maire du XI\ e arrondissement, en 1879. Pendant trois ans, il déploya l'activisme habituel des notables radicaux en quartier ouvrier. Soutien à l'enseignement populaire, doublé d'un combat anticlérical ; promotion de l'enseignement primaire, de l'enseignement professionnel et des « cours d'adultes » (fréquentés en majorité par des adolescents et des jeunes ouvriers). Il multiplia les « œuvres » laïques : crèches municipales, écoles maternelles, bibliothèques populaires, école de gymnastique, orphéon. Dans les œuvres créées par le maire se dépensent ces « petits-bourgeois », employés, cadres d'entreprises, boutiquiers dont il prêchait l'accès à la vie publique, dix ans plus tôt.

De même, dans les œuvres d'assistance sociale, les religieuses sont chassées, les dames patronnesses sont supplantées. A la place s'installent un personnel et une pratique qu'un article consterné du *Figaro* appela le style « bon zig ». Des petits-bourgeois — fonctionnaires ou amateurs — se mirent à distribuer les aides publiques selon des critères matériels de ressources, en prohibant tout chantage moralisateur ou religieux. Et ces « bons zigs », au dire du *Figaro,* poussaient l'esprit démocratique jusqu'à « prendre un verre sur le zinc avec l'indigent qu'ils secourent, afin de lui remonter le moral ». (A Paris, plus de 10 % des ménages ouvriers touchaient chaque année une assistance municipale.) C'était un moyen efficace de faire aimer le régime, aux yeux du maire, et peut-être est-ce une des actions municipales où sa stratégie était la plus juste. Car les ouvriers pouvaient apprécier des gains de liberté bien réels et tangibles.

L'anticléricalisme était une chose naturelle pour de nombreux capitalistes, contrairement à l'idée qu'a pu nous en laisser parfois une historiographie superficielle. La raison en était simple : l'appareil ecclésiastique était rejeté là où il était incapable de contribuer à la soumission des ouvriers. De plus, à Paris, bien des industriels déploraient en lui une incitation permanente à la haine des classes, dans la mesure où « la soutane » revendiquait les formes de pouvoir les plus ostentatoires et les plus humiliantes. En outre, à Paris l'anticléricalisme populaire était plus fort et plus violent que jamais, après les bénédictions ecclésiastiques prodiguées aux massacreurs versaillais.

C'est donc avec de bonnes raisons politiques que Poulot

prit des voies anticléricales et libérales pour s'attaquer au concubinage ouvrier. Il fonda en 1881 la « Société pour le mariage civil », concurrent laïc de la trop cléricale « Société de Saint-François-Régis ». Il en définissait les buts en ces termes : « Faciliter le mariage des personnes qui, par suite de leur position nécessiteuse, ne peuvent pas faire la dépense ou les démarches exigées par la loi. » Le style « bon zig » se manifeste ici par le fait qu'on se contente de faciliter les démarches administratives et qu'on propose d'éviter les gros frais d'une cérémonie religieuse. Seuls étaient touchés les ménages qui se manifestaient pour bénéficier d'une aide matérielle, tandis que la Société de Saint-François-Régis se livrait à une prospection systématique et à des chantages moralisateurs auprès de tous les ménages irréguliers qu'elle pouvait débusquer. En 1904, la Société pour le mariage civil se targuait d'avoir encouragé 18 280 mariages et provoqué ainsi la légitimation de 7 880 enfants (9 à 10 % du total parisien de légitimations par mariage).

Voici un échantillon du ton de combat de l'époque. C'est un extrait d'allocution prononcée par Poulot en sa mairie, en 1881 (texte retrouvé dans ses notes personnelles, laissées à la mairie du XIe arrondissement) :

« Jeunes mariés,

« [...] Vous venez de constituer une famille républicaine, puisque vous commencez par un acte de franchise et d'indépendance, en vous débarrassant de cérémonies auxquelles les neuf dixièmes de ceux qui les pratiquent ne croient pas.

« C'est à vous, Madame, que je tiens surtout à adresser mes félicitations les plus sincères, car ces actes d'indépendance seraient plus fréquents si la fiancée, presque toujours, n'exigeait ce cérémonial d'un autre âge.

« Vous entrez dans la vie sociale avec le culte de la famille, de l'humanité et de la patrie ; dans cette religion-là, on n'apprend pas aux jeunes filles à déserter les devoirs et les joies de la maternité pour les jeter dans un mysticisme ridicule.

« Non ; vous êtes à l'abri de cette école de lâcheté ; vous serez mère, vous éprouverez toutes les joies que procure l'amour maternel.

« Si j'ai quelques paroles amères, c'est que je suis sous le coup d'une pénible impression.

« Je connais une jeune fille, belle, intelligente ; je l'ai vue enfant : elle vient de quitter mère, père, frères et sœurs pour entrer dans un couvent : mademoiselle Louise est aujourd'hui sœur Raphaëla.

« On l'a séduite avec cette théorie monstrueuse qu'il est plus noble de passer sa vie à prier que d'élever une famille et faire le bonheur d'un époux.

« Je sais que vous repoussez ces doctrines abhorrées et que c'est joyeux que vous entrez dans la vie sérieuse, guidés par les principes qui font les bons citoyens. »

Poulot fut saisi par la griserie du changement, dans la vie politique locale. Fort de ses succès, il se sentit dans le vent de l'histoire : il adopta un ton triomphant, dans la préface à la troisième édition du *Sublime,* en 1887 (reproduite au début de la présente réédition). L'irruption des « couches nouvelles » dans la vie publique était une réussite. Avec ces couches nouvelles, le pouvoir politique présentait des dehors moins bourgeois. Poulot estimait que désormais les espoirs de la classe ouvrière pouvaient être canalisés par le régime démocratique. Le premier signe de ce progrès, à ses yeux, était la régression du sublimisme. Pour démontrer cette régression présumée, il alignait, dans sa préface, deux séries d'arguments :

— la disparition de signes extérieurs de sublimisme dans les rues de Paris ;

— le développement d'une élite ouvrière opposée au sublimisme au sein des syndicats et autres institutions démocratiques ouvrières.

Le premier point correspondait bien à une réalité facilement vérifiable. Dans la rue, l'arrogance bourgeoise ne se voyait plus opposer une arrogance ouvrière. Le vêtement ouvrier n'était plus une distinction élevée à la fierté d'un défi. Mais de là à y voir le signe d'une intégration ouvrière dans la société démocratique bourgeoise il y a un grand pas que l'auteur franchit trop allègrement. L'argument n'a guère plus de poids que les considérations sur l' « embourgeoisement » ouvrier qui, depuis lors, ressortent périodiquement.

Le développement d'une élite opposée au sublimisme au sein des organisations ouvrières est une affirmation des plus contestables. Sans discuter ici du fond du problème — ce qui supposerait un examen critique de toute une phase du mouvement ouvrier parisien —, on évoquera un exemple instructif, tiré d'une intervention du manufacturier auprès des syndicats ouvriers.

Poulot fut parmi les fondateurs les plus actifs de la « Caisse centrale populaire, banque du travail et de l'épargne ». L'objectif de l'opération était de relancer un vaste mouvement de créations d'associations ouvrières de production à partir d'une collecte de l'épargne populaire. La Caisse centrale définissait ainsi ses perspectives, dans son rapport au Conseil d'administration de 1883 :

« Quand des milliers d'ouvriers auront chacun une action d'une Caisse populaire, quand ils lui auront confié leurs épargnes, quand ils auront apprécié ses procédés de gestion, de comptabilité, d'informations, de crédit, quand un certain nombre d'entre eux auront établi près de leur banque leur situation de travailleurs économes, de vigilants administrateurs de leur modeste fortune, ils trouveront près de la Caisse centrale populaire tous les appuis nécessaires à leur établissement personnel ou par association.

« Et c'est ainsi que l'élite de la population ouvrière, s'avançant, à son tour, dans la voie qui conduit à la richesse et à la liberté, parviendra à acquérir sa part légitime dans la possession de l'actif industriel et commercial de la France. »

Or les réactions aux offres de la banque populaire révélèrent à l'époque une allergie complète du mouvement ouvrier à la dynamique proposée. Au départ, les amis de Poulot pouvaient avoir quelques illusions. L'opération, lancée en 1879-80 à grands renforts de publicité, avec parlementaires gambettistes, conseillers de Paris, dignitaires de la franc-maçonnerie, industriels de gauche, reçut un accueil favorable non seulement auprès des syndicats de petits commerçants et d'employés, mais aussi au sein de courants réformistes du syndicalisme ouvrier.

Le projet obtint l'adhésion quasi officielle de l'Union syndicale des chambres ouvrières de France, regroupement de syndicats réformistes issu d'une scission au Congrès national ouvrier du Havre, en 1880. Les dirigeants de l'Union syndicale s'engagent à fond dans l'opération. Ils font financer secrètement leurs journaux par la Caisse centrale au moment même de la scission (Poulot semble y avoir joué un rôle important). Beaucoup d'entre eux souscrivent des actions de la Caisse centrale, pour les rétrocéder aux adhérents de leurs syndicats. Des assemblées de souscripteurs ouvriers se tiennent régulièrement au siège de l'Union syndicale. Deux dirigeants de l'Union syndicale sont élus pour occuper des places d'administrateurs de la Caisse centrale, conformément aux désirs des promoteurs de cette Caisse.

Cet étrange mariage devait être justifié, officiellement, par la création d'associations de production. Effectivement, durant les trois premières années (1880-1882) se créent une vingtaine de coopératives de production. Mais tout de suite s'installe un pourrissement des rapports internes au sein de l'Union syndicale, et l'affaire reflue avant même la crise économique des années 1883-86.

Au premier abord, le pourrissement serait dû à la corruption financière des dirigeants de l'Union syndicale [13].

---

13. La zizanie s'installe entre responsables syndicaux candidats à des postes lucratifs d'administrateurs à la Caisse centrale ou d'intermédiaires. Des trésoriers syndicaux se font courtiers en actions, touchent des commissions et récompenses diverses, et se livrent parfois à des opérations irrégulières. Ils y sont encouragés par l'exemple de la direction de la Caisse : le groupe Donon, principal financeur fondateur, abuse les souscripteurs et alimente en outre les « frais de publicité » politiques de députés gambettistes. Les fondations d'associations de production deviennent de simples opérations à but lucratif, entre petites coteries professionnelles. Elles se développent surtout là où des coups de pouce de conseillers de Paris et de parlementaires peuvent faire obtenir des commandes publiques de travaux.

En suivant ainsi l'action politique de Poulot (d'après archives d'entreprises et archives de police accessibles au public), on est tombé sur un épisode peu connu de l'histoire des organisations ouvrières : la première tentative de regroupement syndical réformiste faillit connaître son petit « scandale de Panama », en important les mœurs de l'opportunisme parlementaire. Les conditions de création de cette union furent plus dou-

Cependant la corruption n'est que la partie superficielle d'un phénomène plus profond. En tentant d'introduire une logique de gestion capitaliste au sein des syndicats, les politiciens et capitalistes de gauche se méprenaient totalement sur la dynamique du mouvement ouvrier de l'époque. Les réactions ouvrières, y compris dans les syndicats « modérés », sont significatives. Aucun syndicat actif n'a réellement joué le jeu de l'épargne collective. Les plus gros adhérents de l'Union, telle la Chambre syndicale des ouvriers peintres en bâtiment, désavouent immédiatement et excluent leurs représentants pour leur double action au « Congrès ministériel » et à la Caisse centrale. Dans les petits syndicats, lorsque les dirigeants ne sont pas désavoués, les effectifs se réduisent bientôt à des états-majors intéressés à une adjudication publique de travaux ou à la fondation de petites entreprises.

Dans la pratique de gestion, les principes mêmes de la représentation et du mandat dans les entreprises capitalistes furent rejetés par l'Union syndicale. Le trésorier de l'Union, J.-B. Gruhier, membre du conseil d'administration de la Caisse centrale, intermédiaire financeur du journal *Le Moniteur des syndicats,* fut confondu et dénoncé comme homme de paille de Denis Poulot. Ses camarades syndicalistes refusèrent de le laisser se comporter en administrateur bourgeois. Ils auraient voulu introduire dans la « banque populaire » les pratiques habituelles de démocratie ouvrière : mandats impératifs, délégués contrôlables et révocables à tout moment devant les assemblées ouvrières.

Même au sein des groupes ouvriers réformistes, la revendication d'associations de production n'avait pas le même sens que chez les patrons de gauche. Dans le mouvement

---

teuses encore que ne le supposèrent ses adversaires d'orientation révolutionnaire. Ceux-ci en dénoncèrent les compromissions sur la scène politique, et surnommèrent ses congrès « Congrès ministériels ». En fait, l'Union syndicale portait aussi les espoirs d'une fraction du patronat. Son trésorier, commanditaire du journal *Le Moniteur des syndicats,* rendait directement des comptes à Denis Poulot. Un tel contexte déplace évidemment la signification de l'éloge que Poulot développe sur l'Union syndicale et *Le Moniteur des syndicats,* dans la préface de sa troisième édition du *Sublime.*

ouvrier parisien, l'association impliquait l' « émancipation » collective de toute la classe ouvrière, c'est-à-dire la suppression du patronat ; les controverses portaient seulement sur la possibilité et les moyens d'y parvenir.

De leur côté, Denis Poulot et ses amis rêvaient d'une aristocratie ouvrière faite de cadres d'associations et de syndicats, capables d'introduire la discipline d'une épargne collective. On escomptait que, soucieuses de faire prospérer leurs associations, ces nouvelles élites seraient les mieux placées pour réprimer le freinage des sublimes au travail et pour introduire une morale productiviste. Mais rien de semblable ne se produisit dans le Paris de l'époque : les rares associations ouvrières prospères ne pouvaient durer qu'en appliquant les règles du capitalisme. Elles se trouvaient alors immédiatement considérées, dans le milieu ouvrier, comme des associations d'exploiteurs.

A la suite de cet échec, la carrière politique de Poulot est compromise [14]. Aux élections législatives de 1885, il est placé sur la liste des candidats opportunistes du sénateur Tolain, à l'occasion d'une opération conjointe lancée par des notables patronaux et par des membres de l'Union des chambres syndicales ouvrières. Leur comité voulait imposer des « candidats du commerce et de l'industrie », contre la « politique des politiciens ». Mais ni Poulot ni aucun autre de leurs candidats acceptés sur la liste opportuniste n'obtinrent un nombre de voix suffisant [15].

Poulot en revint alors à des activités de notable patronal plus classiques, sans grande influence sur les rapports sociaux.

---

14. Poulot ne semble pas avoir trempé dans les irrégularités juridiques de la Caisse centrale. Il aura probablement été abusé. La Caisse centrale put être liquidée sans scandale. Une forte réduction de capital permit, dès 1884, de résorber discrètement les irrégularités de constitution. La liquidation définitive intervint en 1893.

15. Aux côtés de D. Poulot figurait notamment V. Delahaye, président de la Société professionnelle des ouvriers mécaniciens. Ce syndicat ouvrier, issu d'une scission de l'importante Union des ouvriers mécaniciens de la Seine, se réclamait du modèle anglais. Il était assez bien vu des petits patrons. Mais il échoua complètement à son tour lorsqu'il proposa des coopératives de production et disparut en 1888.

Il fait figure de grand spécialiste des questions d'apprentissage. A ce titre, il cumule des missions officielles, notamment inspecteur régional de l'enseignement technique, membre de jurys d'expositions internationales, membre du Conseil supérieur du travail. Mais, si l'auteur du *Sublime* prêche toute sa vie en faveur des écoles professionnelles afin de retirer les apprentis des ateliers, la pratique est différente. La politique de l'apprentissage répondait à d'autres exigences. Le ministère de l'Instruction publique ne savait faire que des humanistes, et, au ministère du Commerce, des patrons comme Poulot donnaient des conseils très différents de leurs discours publics. Ils admettaient que les chefs d'entreprises travaillaient à la déqualification de la masse. Ils n'exigeaient de la collectivité que la formation d'un encadrement technique moyen et supérieur. Cette logique patronale prévalut, et Poulot en fut l'un des principaux porte-parole dans les instances officielles. Rien de sérieux ne fut fait pour l'apprentissage de la masse, et seules furent développées les écoles d'ingénieurs, techniciens et contremaîtres.

Les racines du sublimisme à l'atelier : « Nous nous révoltons contre le travail que nous aimons. »

Un préalable : quels rapports sociaux derrière l'imagerie de l' « artisanat » et la « petite entreprise » parisiens ?

Pour comprendre quelque chose à la réalité de la vie ouvrière à l'époque du *Sublime,* il est indispensable d'écarter au préalable quelques mythes courants qui bloquent toute compréhension des rapports sociaux. Une imagerie de la « révolution industrielle » répétée comme un catéchisme depuis un siècle voudrait que seule la grande production en usine et l'usage de la machine à vapeur aient réalisé le véritable capitalisme industriel « typique » et son sous-produit, la véritable classe ouvrière « typique ». Par voie de conséquence, la situation parisienne n'est plus décrite qu'en référence à ce stéréotype. Demeurée en dehors de la grande industrie, la production de la capitale serait restée, dans sa plus grande partie, « traditionnelle », conservée dans les vieilles formes de l'artisanat et la petite entreprise. Les industries « de luxe » (orfèvrerie, « articles de Paris », vêtements de mode), et l'ensemble des industries de consommation y auraient déterminé un profil ouvrier très spécial et très différent de celui des prolétaires issus de la révolution industrielle. Une forte « aristocratie ouvrière », très qualifiée, jalouse de son indépendance, aurait développé un esprit libertaire, attaché aux anciennes valeurs. L'abondante immigration d'artisans ruraux aurait renforcé la tendance.

Or un examen des analyses ouvrières et des rapports concrets de travail nous fait entrer dans un univers complètement étranger à une telle imagerie. Tout d'abord, artisanat ou petit atelier de luxe ne signifie par « artisan » ou « ouvrier de luxe ». Soit par exemple le secteur le plus « traditionnel » et « luxueux » qui soit, celui de l'orfèvrerie. Voici comment s'exprimait, à l'Exposition universelle de 1867, la délégation ouvrière des orfèvres, l'une des plus modérées aux yeux du patronat de l'époque :

« En 1789, nos pères brisèrent la jurande et la maîtrise ; ils croyaient, en brisant le privilège et proclamant toutes les libertés, que la justice et l'équité allaient régler les rapports du capital et du travail. Mais les malheurs des temps qui succèdent nous enlèvent nos libertés et nous laissent alors sans défense et sans moyens de protester, à la merci d'un capital insatiable et plus terrible peut-être que le privilège, que, certes, nous ne regrettons pas.

« Jamais le mal n'a été si accablant ni si visible que dans ces grands centres de fabrication où les capitaux agglomérés, jouissant de toutes les libertés, arrivant à une sorte d'oppression légale, réglementent le travailleur et divisent le travail en parcelles, créent des spécialités et suppriment presque l'ouvrier [c'est-à-dire l'ouvrier qualifié] : système anglais qui voudrait nous englober tous, en faisant de l'ouvrier un manœuvre soumis à une production abrutissante, sans bénéfice pour lui, et qui le conduit à la perte de son savoir qui lui devient inutile. Nous signalons ce fait comme le mal présent le plus dangereux ; considérant la centralisation du travail et l'embrigadement du travailleur, malgré tous les avantages mensongers que l'on fait briller à ses yeux, comme étant la plus grande atteinte à sa liberté individuelle, puisque ces maisons absorbantes, prenant toujours de plus grandes proportions, ne lui laisseraient bientôt plus que le choix de travailler dans les manufactures à prix réduits, ou de changer d'état.

« Devant cet ennemi envahissant, la centralisation et la division du travail, qui diminue la valeur intrinsèque de l'ouvrier, qui nous frappe dans nos intérêts présents, détruit la main-d'œuvre dans l'avenir en supprimant le goût et le sentiment de l'ensemble qui caractérisent et font la supériorité des ouvriers français ; devant ces faits qui nous atteignent tous, nous devons résister. »

Les maux dénoncés par les orfèvres se retrouvent dans la plupart des doléances ouvrières de l'époque : dépendance toujours plus forte d'un capital en concentration ; déqualification et parcellarisation des tâches, qui rendent l'habileté inutile. Dans la suite de leur rapport, les orfèvres dénoncent également la mise en concurrence des ouvriers, sous l'effet de l'ouverture des frontières. Il en résulte une pression à la baisse des salaires ; les ouvriers ne peuvent la compenser que par une accélération permanente des cadences de travail, s'ils ne s'organisent pas pour résister.

On est loin de l'imagerie des artisans indépendants « traditionnels ». Déjà, à l'époque du *Sublime,* Zola avait subi le choc du contraste : en allant visiter un artisan orfèvre pour préparer son roman *L'Assommoir,* il découvrit un artisan en chambre dont la condition rappelait davantage l'imagerie du « pauvre tisserand » que celle de l'artisan de luxe. Le couple qu'il nous décrit à partir de sa visite travaille dans un domicile minuscule à la fabrication d'une spécialité de chaînes d'or, pour le compte d'un négociant. Attentifs à ne jamais perdre une minute, les deux « artisans » répétaient les mêmes gestes depuis leur enfance pour atteindre un salaire de survie. Agés de trente et trente et un ans, l'homme et la femme semblaient déjà des vieillards [16].

Les contresens actuels les plus courants se cristallisent autour de la notion d' « artisanat ». On trouve encore, jusque dans des thèses d'histoire, des commentaires d'ensemble sur l' « artisanat » ou la « petite entreprise » de la capitale au XIXe siècle comme s'il s'agissait d'entités homogènes. Or la notion d'artisanat est des plus piégées qui soient. Elle peut masquer des rapports sociaux parfaitement hétérogènes. Aujourd'hui, parmi les militants politiques et syndicaux, beaucoup s'imaginent aussi que les ouvriers de la Commune sont d'une autre nature que la classe ouvrière « typique », parce que les communards ne cadrent pas avec la représentation courante des prolétaires industriels. Pourtant les contemporains voyaient les choses autrement. Les analyses actuelles se réclamant du marxisme sont elles aussi souvent contaminées. Aussi ne semble-t-il pas inutile de rappeler ici la manière dont Marx signale le progrès du capitalisme moderne sous le couvert de l' « artisanat traditionnel » et de l' « industrie à domicile ».

Ainsi ce raccourci, tiré du *Capital,* qui situe et résume les tendances dénoncées par la délégation des orfèvres.

« A mesure que la grande industrie se développe et amène dans l'agriculture une révolution correspondante, on voit non seulement l'échelle de la production s'étendre dans toutes les autres branches d'industries, mais encore leur caractère se transformer. [...] Et cela ne s'applique pas seulement à la production combinée sur une grande échelle, qu'elle emploie ou non des machines, mais encore à la soi-disant industrie à domicile, qu'elle se pratique dans la demeure privée des ouvriers, ou dans de petits ateliers. Cette prétendue industrie domestique n'a rien de commun que le nom avec l'ancienne industrie domestique qui suppose le métier indépendant dans les villes, la petite agriculture indépendante dans les campagnes et, par-dessus tout, un foyer appartenant à la famille

---

16. Les conditions de travail du couple des Lorilleux sont décrites avec minutie dans le chapitre II de *L'Assommoir.*

ouvrière. Outre les ouvriers de fabrique, les ouvriers manufacturiers et les artisans qu'il concentre par grandes masses dans de vastes ateliers, où il les commande directement, *le capital possède une autre armée industrielle, disséminée dans les grandes villes et dans les campagnes, qu'il dirige au moyen de fils invisibles* [17]. »

Ces fils invisibles ont été analysés en détail par des centaines de textes collectifs ouvriers parisiens contemporains du *Capital*. Dans l'école de Le Play, Du Maroussem a également démonté les mécanismes de l'exploitation qui font que l' « artisanat » ou le « petit atelier » indépendants ne sont le plus souvent que pure façade. Il ne suffit pas de dire que l' « artisanat » est de plus en plus dépendant. Pour comprendre la dynamique des rapports sociaux, il est nécessaire de retrouver les unités et les systèmes réels de production, dont les pseudo-artisans ne sont que des parcelles.

Les cas les plus évidents sont ceux du « travail à façon », à domicile ou en petit atelier : des exécutants reçoivent la matière première d'un commanditaire, pour le compte duquel ils doivent effectuer telle ou telle opération, moyennant un « prix de façon ». Le prix de façon n'est souvent qu'un salaire aux pièces. Il va alors de soi que les travailleurs à façon appartiennent à des unités de production plus vastes. A Paris, le nombre des « ouvriers à domicile », dont la plus grande masse est composée de ces travailleurs à façon, s'accroît

---

17. MARX, *Le Capital*, Editions sociales, l. I, t. 2, p. 141. Le plus étonnant est qu'on a assisté à une régression intellectuelle dans la manière d'analyser les rapports de travail à Paris. Durant la seconde moitié du XIXᵉ siècle, et jusqu'en 1914, des outils intellectuels beaucoup plus satisfaisants avaient été ébauchés, qui semblent avoir été oubliés. Outre les analyses de Marx — appauvries à travers le prisme de la « révolution industrielle » —, l'analyse la plus intéressante est sans doute celle de l'école de Le Play. Celle-ci a précisé et affiné des études de cas, ce qui l'a amenée à définir un ensemble théorique autour de la notion de « fabrique collective ». Rejoignant sur ce point l'analyse de Marx, ces réformateurs d'inspiration catholique ont insisté sur le fait que, dans bien des grandes villes et des régions rurales, les unités réelles de production étaient de vastes ensembles commandés par de grands capitalistes. Des pseudo-artisans leur étaient soumis par de multiples liens d'exploitation et n'en constituaient en réalité que des ouvriers parcellaires, en postes dispersés.

de 1848 à la fin du siècle. Leur effectif recensé dans les industries de transformation, très sous-estimé, se monte, en chiffres ronds, à 80 000 en 1847-48 (23 % de la population ouvrière de ces industries) et à 164 000 en 1901 (25 % de la population ouvrière). L'accroissement est composé presque entièrement d'emplois féminins.

Mais souvent unités et systèmes de production sont beaucoup plus complexes et dissimulés. Ils combinent négoce national ou international, grands magasins, usines, petits ateliers et travail à domicile, répartis à Paris et en province. Du Maroussem a démêlé des unités de ce type dans la confection du vêtement, constituées entre les années 1860 et 1890. Quelquefois, plusieurs centaines de pseudo-artisans et plusieurs dizaines de petits ateliers ne sont que les antennes terminales de grosses unités de confection, de plusieurs milliers de personnes chacune, dirigées par des négociants, des industriels ou des grands magasins [18].

Tout comme l'artisanat isolé, le petit atelier lui-même peut être une simple figure trompeuse qui cache l'appartenance à tel ou tel type d'unité de production. On peut ramener sommairement à trois cas de figure le rattachement des « petits ateliers » à des unités réelles de production.

1. Certes, la petite entreprise réelle, limitée au petit atelier, se rencontre effectivement : on en a vu deux exemples dans la mécanique avec les deux entreprises successives de Poulot.

2. Un autre type de petite entreprise réelle est l'unité économique dirigée par un petit sous-traitant capitaliste, c'est-à-dire par un petit employeur, propriétaire de tous ses moyens de production, qui accumule un capital tout en dépendant d'une ou plusieurs entreprises commanditaires. Ce type d'établissement est particulièrement vulnérable au sublimisme. Il se rencontre couramment dans la mécanique, l'ébénisterie, le bronze, les métaux précieux, le vêtement. Nombre d'entreprises du bâtiment fonctionnent également sur des bases analogues.

---

18. Ministère du Commerce, de l'Industrie... Office du travail, *La Petite Industrie,* t. 2, *Le Vêtement à Paris,* par DU MAROUSSEM, Paris, Imprimerie nationale, 1896.

3. Mais une multitude d'ateliers relevaient de systèmes de production bien différents. Dans la vie quotidienne, ils pouvaient donner lieu à des rapports d'un genre qu'a suggéré Poulot en dessinant ses portraits de patrons sublimes. Des ateliers à durée de vie plus ou moins éphémère détenaient la propriété juridique d'un capital, mais leurs patrons n'en avaient pas une réelle maîtrise : ils ne pouvaient régler leurs moyens de production (impossibilité de financer des stocks de matière première ou de produits finis, capitaux insuffisants pour commander des cycles complets de production de marchandises). Ils ne procédaient à aucune accumulation interne. Leurs entreprises apparentes ne formaient en réalité que de petites unités collectives de travailleurs ; le patron n'était alors rien de plus qu'un ouvrier chef d'équipe, intermédiaire avec des commanditaires. De telles pseudo-entreprises se retrouvent dans toutes les branches industrielles parisiennes. Elles sont nombreuses dans l'ébénisterie, et pullulent dans le bâtiment et l'habillement. Il faut connaître ce type de structure pour comprendre la portée du chapitre de Poulot « Les Patrons sublimes ».

Ce sont souvent des ouvriers d'origine qui dirigent ce type de pseudo-entreprises. Ils se retrouvent fatalement en plus grand nombre dans les faillites. Beaucoup d'économistes et d'idéologues patronaux avaient construit, en montant en épingle cette singulière population d'entrepreneurs, d'imposants échafaudages philosophiques sur la facilité d'accès des ouvriers au patronat, et en avaient tiré des conséquences sur la « psychologie ouvrière » en France.

Une fois déduits tous les faux artisanats, toutes les fausses petites entreprises, il ne reste qu'un effectif minime d'artisans réels dans le Paris de la seconde moitié du XIX° siècle[19].

---

19. Par artisans réels, au sens strict, il faut entendre des petits producteurs vivant principalement de leur travail manuel, et « indépendants ». « Indépendant » signifie alors dépendant du marché, sans tomber pour autant dans l'orbite de commanditaires capitalistes. Par recoupements des recensements, des statistiques fiscales, et par extrapolation de monographies de branches, on peut parvenir à des approximations globales chiffrées. Il s'agit de simples plafonds, obtenus à partir des effectifs globaux de petits patrons apparents, en retranchant tous les sous-traitants intégrés, les travailleurs à façon et autres pseudo-artisans

Le sublimisme à l'atelier : une guerre contre l'expropriation du temps de vivre

En arrière plan des pratiques de résistance quotidienne se dessine ainsi tout autre chose que la défense d'un artisanat en perdition. C'est contre l'emprise même du capital sur la vie quotidienne, contre ses « fils invisibles », que se jouent les épreuves de force de tous les jours. Les enjeux découlent de la révolution industrielle capitaliste, et n'ont pas grand-chose de commun avec les anciens métiers corporatifs et artisanaux. Les ouvriers parisiens vivent un bouleversement permanent de leur activité. Les bases de la division du travail sont transformées. Elles ne sont plus calquées sur les découpages en métiers. Elles ne se moulent plus sur des savoir-faire transmissibles de famille à enfant, de maître à apprenti. Les centres d'organisation capitaliste, négoce international, grands magasins, industriels redistribuent constamment le travail, réaménagent les opérations pour en confier la plus grande partie possible à une main-d'œuvre sans qualification reconnue : manœuvres, femmes, jeunes et vieillards.

La course à la productivité, omniprésente, ne bouscule pas seulement les technologies. Elle déstabilise constamment les usages juridiques et les modalités de rémunération. Elle met en concurrence les différents genres d'établissements, à Paris et en province : usine, atelier, travail à domicile.

Dans ce contexte, il y a déjà longtemps que les ouvriers ne rêvent plus de reconquérir un paradis perdu artisanal. Seules des petites minorités peuvent encore partager la sensibilité proudhonienne. Pour les autres, les perspectives d'ensemble prolongent les pratiques collectives quotidiennes : contraints à une contre-pression permanente face à l'insatiable emprise capitaliste, ils s'orientent constamment, dans

---

identifiables. L'effectif réel peut être encore bien inférieur aux maxima. On obtient ainsi, parmi la population active industrielle (à l'exclusion des transports et du commerce) :

en 1847, un maximum de 5,1 % d'artisans réels
en 1860,   »   3 %   »
en 1901,   »   1,9 %   »

leurs assemblées et leurs textes communs, vers un contre-pouvoir collectif à substituer au capital.

Sur cet affrontement de tous les instants, on dispose d'un texte d'ouvrier mécanicien exceptionnel par sa limpidité. J.-P. Drevet, militant, ancien délégué de chez Cail (l'un des plus gros établissements de la capitale), explique dans les termes les plus simples comment s'est développé un désintérêt au travail. Mais, au lieu de l'imputer à on ne sait quel folklore parisien, il montre comment les pratiques de résistance à l'atelier découlent des pressions mêmes du capitalisme moderne. A ce titre, son texte constitue, dix-neuf ans à l'avance, une réponse ouvrière au livre de Poulot, ainsi que le soulignent A. Faure et J. Rancière, qui ont sorti ce texte de l'oubli [20]. En voici quelques extraits significatifs.

« Voulez-vous savoir ce qui éloigne les ouvriers du travail ? Ce n'est pas l'ouvrage en lui-même, c'est la longueur du temps auquel ils sont condamnés à rester captifs chaque jour. Tous aiment le travail ; mais toutes les fois que l'on condamnera l'homme et la femme à être prisonniers du travail ils se révolteront même contre le travail qu'ils aiment ; car l'homme ne veut pas perdre l'une de ses plus belles propriétés, qui est son indépendance, sans laquelle il n'est qu'une machine. En effet, les travailleurs qui sont enfermés depuis le moment où ils se lèvent jusqu'au moment où ils se couchent ne sont pas des hommes ou des femmes libres, mais de vrais esclaves, des machines qui ne peuvent exécuter d'autre mouvement que ceux nécessaires pour faire l'ouvrage du maître. [...]

« [...] Parlerons-nous des tailleurs, cordonniers, tisseurs en toile, en soie, des ouvrières en dentelles, etc., toutes ces industries [souvent à domicile] où l'on donne le travail à la pièce, à la tâche, là où, par la concurrence, les travailleurs se sont vus forcés de travailler dix-huit heures pour gagner de un franc cinquante à deux francs cinquante. Il ne faut pas oublier les femmes qui travaillent dix-huit à vingt heures pour gagner de soixante-quinze centimes à un franc.

---

20. *La Parole ouvrière...*, textes rassemblés par A. FAURE et J. RANCIÈRE, U.G.E., coll. 10/18, Paris, 1976, p. 396-426.

« Une telle organisation est un crime de lèse-humanité, car c'est condamner à l'abrutissement de la bête de somme ceux qui rendent le plus grand service à la société ; c'est nous condamner à disparaître à cinquante ans sans avoir connu le bonheur.

« Si nous ne produisons pas ce que nous pourrions produire, si nous ne conservons pas les matières premières, les instruments de travail comme nous pourrions le faire, c'est que nous n'avons aucun intérêt à la prospérité du maître ; il nous paie le moins qu'il peut, nous faisons du travail le moins que nous pouvons ; il nous dispute durant une heure le prix de notre salaire, à notre tour nous lui disputons notre travail durant toute la journée.

« Quand nous arrivons à l'atelier, ce n'est pas pour faire beaucoup d'ouvrage, c'est pour la somme que le patron est convenu de nous donner. Combien de fois dans la journée nous nous demandons : quelle heure est-ce ? Si l'heure de la sortie avait sonné, comme nous partirions de bon cœur ! Quelle pénitence ! Quelles galères ! Comme je m'ennuie ! Je n'ai plus de goût à la besogne ! Voilà le langage que nous nous tenons une partie de la journée. Si nous voyons un de nos camarades gâter ou perdre la matière première ou un instrument de travail, nous sommes indifférents, souvent même nous rions d'en voir un autre faire son travail tout de travers.

« [...] Si nous aidons à perfectionner ou à inventer une machine, aussitôt qu'elle est finie, le maître nous dit : " Il n'y a plus d'ouvrage pour vous. " En vain lui disons-nous : " Nos femmes, nos enfants vont souffrir de la faim [...] cette machine même qui nous remplace, qui nous prive de notre pain, c'est nous qui l'avons en grande partie inventée et construite. " [...]

« Toutes ces réclamations sont vaines et le maître y reste sourd ; il vous répond : " Je ne m'occupe pas de la fortune des autres ; le jour où une machine vous remplace, je ne vous connais plus. " »

La captivité au travail n'est pas due à une surveillance policière. Drevet met sur un même plan le travail à domicile (non surveillé) et le travail en usine. Si les grands établissements sont souvent traités de « bagnes », les travailleurs à domicile, en petit atelier ou sur chantiers se sentent tout autant entraînés dans une vie de bagnards. *En fait, tous sont ligotés par les mêmes « fils invisibles » : marchandages, salaires aux pièces et salaires au rendement. Au moyen de ces systèmes de paiement, l'emprise capitaliste se réalise à visage masqué, sans imposer la tyrannie d'une hiérarchie* [21].

En arrière-plan du texte de Drevet, comme en arrière-plan du livre de Poulot, se déroule en effet une bataille permanente entre les stimulants patronaux de productivité et les contre-offensives ouvrières de freinage. Drevet a vécu lui-même, aux usines Cail de Paris, les premières expériences de salaire au rendement contre lesquelles réagissent précisément maintes pratiques de sublimisme. Le système adopté chez Cail vers 1840, perfectionné au Creusot, puis généralisé dans la mécanique parisienne, est résumé en ces termes par J. Euverte, ingénieur, ancien directeur du Creusot [22] :

« Etant donné un appareil à construire, machine fixe, locomotive, chaudière, etc., le bureau de dessin fait une étude complète de l'ensemble et des détails.

« Quand l'ingénieur a donné la forme définitive à la machine, quand tous les détails en sont irrévocablement arrêtés, on établit une nomenclature générale de toutes les pièces devant entrer dans l'appareil à construire. Cette nomenclature, jointe aux dessins de détails, passe entre les mains des chefs d'ateliers, et devient la base des marchandages à faire aux ouvriers.

« Dans les ateliers bien organisés, toutes les pièces d'une machine, toutes sans exception, sont données à prix fait aux ouvriers.

---

21. La seule étude détaillée sur les systèmes de salaires actuellement disponible est le livre de B. MOTTEZ, *Systèmes de salaires et Politiques patronales,* C.N.R.S., Paris, 1966. Les indications qui suivent sont empruntées à ce livre, ainsi qu'à des recherches personnelles en cours sur la vie quotidienne dans les ateliers et en famille.

Quand il s'agit de désigner des modalités d'emprise sur les travailleurs, l'image de l' « enlacement » tient chez Poulot la même place que l'image des « fils invisibles » chez Marx.

22. J. EUVERTE, « De l'organisation de la main-d'œuvre dans la grande industrie » in *Journal des économistes,* sept. 1870, p. 363-364.

« Un ouvrier est généralement chargé des pièces semblables, ou de celles qui s'en rapprochent, de telle sorte que, faisant toujours un même travail, son habileté de main arrive au maximum possible. C'est là un des principes essentiels de la division du travail.

« Au moment où le marchandage est arrêté entre l'ouvrier et le chef d'atelier, on dresse un bulletin de marchandage indiquant que le nommé X..., ouvrier ajusteur ou tourneur, ou de toute autre profession, a commencé tel jour, à telle heure, le travail d'une pièce dont le dessin porte le n°..., destinée à telle machine, et qui lui sera payée tel prix. Ce bulletin est remis à l'ouvrier qui le rapporte au moment où sa pièce est finie, de telle sorte que, sur ce bulletin même, on puisse établir le décompte du marchandage. »

Plus tard, au Creusot, dans les années 1850, Euverte perfectionne le marchandage aux pièces des usines Cail [22 bis] :

« C'est alors que l'idée nous vint d'organiser la comptabilité de telle sorte que chaque jour les ouvriers pussent avoir connaissance du résultat de leur travail. De plus, il nous parut indispensable d'introduire dans le prix des tâches un principe " progressif " [prime pour les cadences rapides, baisse du tarif pour les cadences lentes] destiné à stimuler et à développer toutes les facultés des ouvriers, et aussi à rémunérer, d'une façon qui nous paraissait équitable, les efforts exceptionnels que nous demandions, efforts qui devaient, en définitive, tourner à l'avantage de l'industrie. »

L' « avantage de l'industrie » au Creusot est ensuite explicité par l'ingénieur : la cadence fut doublée, tandis que, dans une première période, les salaires augmentèrent de 50 à 60 %.

Cette forme de marchandage, avec salaires au rendement, tentait de surmonter la résistance ouvrière à des formes de marchandages plus simples. Il faut donc nous arrêter d'abord au marchandage simple et à la manière dont il fut plus ou moins déjoué. Les marchandeurs, véritables sous-entrepreneurs, se chargeaient de commandes de négociants ou d'industriels, en

---

22 bis. J. EUVERTE, *op. cit.*, p. 369.

se faisant une concurrence au rabais. Ils organisaient le travail, recrutaient et payaient la main-d'œuvre. Leur profit reposait avant tout sur une pression à la baisse des salaires, pour empocher la différence. La baisse des salaires à payer par le marchandeur pouvait être obtenue, éventuellement, par une réduction du temps de travail effectif par rapport au temps prévu. Ce marchandage simple s'était généralisé dans l'industrie parisienne dès les années 1820-30. C'était la forme la plus transparente de l' « exploitation de l'homme par l'homme » contre laquelle de multiples corps de métier s'insurgèrent en 1848 [23].

Le marchandage simple impliquait déjà une certaine course à la productivité, par le biais de la concurrence entre équipes de marchandage : il fallait toujours en faire plus, et plus vite, pour maintenir un certain niveau de salaire. Mais les contre-offensives ouvrières purent se généraliser sous de multiples formes. La forme la plus organisée était d'imposer des tarifs généraux de branches, pour éviter les surenchères aux rabais. Mais bien des formes moins élaborées collectivement, pratiquées par complicité tacite, avaient été mises au point. Elles appartiennent déjà au sublimisme dénoncé par Poulot. La plus efficace était probablement une contre-morale ouvrière de solidarité au sein des équipes de travail, pour éviter l'entre-exploitation : les ouvriers de différents niveaux d'habileté prohibaient la concurrence entre eux. Ils harmonisaient leurs allures et fixaient des règles plus ou moins égalitaires dans la répartition des bénéfices de marchandage. Bien souvent, les marchandeurs eux-mêmes jouaient le jeu. Parfois même, ils prenaient la tête d'un contre-marchandage ouvrier, sur des bases égalitaires. Dans le langage courant de l'époque, on appelait cela « pratiquer l'association [24] ».

23. Le marchandage simple est décrit ici d'une manière évidemment schématique. Sur le marchandage et les revendications ouvrières de 1848, voir le livre de B. Gossez, *Les Ouvriers de Paris,* livre I, 1848-1851, Paris, 1967.
24. Dans *Le Sublime,* Poulot fait plusieurs fois allusion à un exemple notoire qui le gêne, celui des charpentiers. Chez eux, à la fin du Second Empire, « la partie était libre », les marchandages étaient contre-carrés par un tarif corporatif à la journée et un contrôle collectif des cadences. Leurs pratiques ne cadraient pas avec les profils habituels

Une autre pratique de sublimisme se rencontrait fréquemment dans les industries « de luxe » les plus liées aux modes. Afin d'éviter les longs mois de chômage saisonnier, des ou-

---

dessinés dans *Le Sublime*. En effet, le haut niveau de résistance à l'entre-exploitation n'empêchait pas un fort moralisme dans l'exécution des sous-contrats et dans la vie familiale. Pour se moquer de cette bonne conduite, les sublimes mécaniciens les désignèrent les « bons josephs », en référence à la sainte famille catholique. (Cette expression est toujours employée aujourd'hui, en 1978, parmi les mécaniciens de la marine, pour désigner les charpentiers de navires.) Mais la « bonne conduite » morale des charpentiers, reconnue par le patronat à la fin du Second Empire, ne dura pas. Au lendemain de la Commune, avec le ralentissement durable de la construction, dans un marché de main-d'œuvre moins tendu, le patronat du bâtiment reprit l'initiative. L'entre-exploitation du marchandage se réinstalla. Le moralisme, qui tenait à l'efficacité défensive du compagnonnage, disparut avec le déclin des institutions compagnonniques. La résistance quotidienne des charpentiers prit alors à son tour les chemins classiques du sublimisme, tandis que la résistance organisée s'appuya sur le syndicalisme. Et les patrons passèrent à des systèmes de marchandage avec salaire au rendement.

Un autre exemple bien connu des ouvriers et des patrons était celui de l'imprimerie. L'arme du marchandage avait été complètement retournée contre les maîtres imprimeurs. Durant les années 1860, les typographes avaient imposé la « commandite », sorte de marchandage collectif contrôlé par les équipes d'ouvriers, soumis à un tarif, à des limitations de cadences et à des règles de répartition. Allemane, l'un des principaux animateurs de la puissante Fédération française des travailleurs du livre, explique comment la commandite peut amener une meilleure exécution des tâches, une meilleure productivité. Cependant, contrairement aux illusions de Poulot, ce genre d'association ouvrière ne conduisait ni à une course productiviste ni à une collaboration de classes. La surveillance mutuelle des équipes gardait les caractères d'un contrôle ouvrier.

« Dans une équipe, il faut relever le travail de chacun et vous avez en même temps la somme de production. Lorsqu'un homme a fini ce qu'il avait en main, il l'annonce à un camarade qui est commis à cette besogne et qui l'inscrit ; par conséquent, il n'y a pas de supercheries, il y a un contrôle ; autant de commanditaires, autant de commissaires de contrôle. Pendant ces neuf heures de travail, les ouvriers sont laissés complètement à leur initiative, le patron donne seulement le travail et n'a pas de surveillance à exercer, rien dans l'atelier ne se perd, chacun a intérêt à ce que chaque chose soit à sa place, à ce que l'outillage marche convenablement et, je le répète, il peut se passer de tout commissaire de contrôle, de toute inspection. Pourquoi les patrons, qui savent que, dans ces neuf heures, il y aura moins d'usure de l'outillage, puisque les hommes travaillent moins de temps, moins de luminaires, par conséquent, moins de dépenses, ne veulent-ils pas de la commandite ?

« Pour une raison bien simple [les patrons] veulent être maîtres de l'atelier, ils veulent entrer dans l'atelier, et si une figure ne leur plaît

76

vriers des articles de Paris coulaient systématiquement les commandes urgentes, afin d'étaler la production. Dans le même but, ils limitaient la semaine de travail à trois ou quatre jours, tout en gagnant de quoi vivre la semaine entière. Des observateurs bourgeois extérieurs aux métiers s'aperçurent de cette pratique. Mais, au lieu d'en comprendre la prévoyance anti-chômage, ils dessinèrent à partir de là des portraits plus ou moins pittoresques : tantôt un type folklorique d'ouvrier fêtard, tantôt un type déplorable d'ouvrier imprévoyant. Dès le milieu des années 1830, un praticien de l'aide sociale en donnait cette description, qui préfigure la lecture moraliste du *Sublime* :

« Jetés comme apprentis, dès leur première enfance, au milieu d'ouvriers plus âgés qui se font un barbare plaisir d'aigrir leur caractère et de corrompre leurs mœurs, ces hommes prennent dès lors un esprit d'audace et de dépravation qu'ils ne peuvent plus perdre. Adroits, intelligents, exerçant pour la plupart des métiers lucratifs, en temps de prospérité trois ou quatre jours leur suffisent pour gagner de quoi en passer plusieurs autres dans la débauche et l'oisiveté, et alors, quelque besoin qu'on ait de leurs bras, il est impossible d'en obtenir aucun travail [25]. »

Pour venir à bout de la résistance aux marchandages simples, les patrons parisiens de nombreuses branches eurent recours à de véritables salaires au rendement [26]. Le pouvoir des mar-

---

pas, s'ils entendent, dans une conversation, une parole qui les irrite, ils veulent pouvoir chasser l'homme qui a cette figure désagréable ou qui a tenu les propos irritants, tandis que, dans la commandite, tout le monde fait son devoir, mais chacun a le droit d'exprimer son opinion quand il veut l'exposer. [Les patrons ne veulent pas] de cette république dans l'atelier, pas plus que de la grande république dans l'Etat. » (Déposition d'Allemane devant la commission d'enquête parlementaire sur la situation des ouvriers de l'industrie, 1884, procès-verbaux, p. 146.)

25. H. VÉE, *Bureaux de bienfaisance et Secours à domicile,* brochure sans date (vers 1834-35), imprimerie de Crapelet, 110 p.

26. Avec un langage plus confus, Poulot préconise le même système de salaire qu'Euverte, dans son chapitre « Les Associations ». Mais, plus progressiste que le directeur du Creusot, il admet très bien l'établissement de tarifs syndicaux ouvriers, tant qu'ils ne gênent pas les paiements différentiels aux pièces. Pour un patron prospère, les tarifs syndicaux permettent au contraire d'éliminer les canards boiteux qui pratiquent

chandeurs est alors réduit, au profit du contrôle du patron ou des chefs d'atelier. Le marchandeur n'a plus que la surveillance de l'exécution des tâches. De leur côté, les patrons et chefs d'atelier établissent une cotation de chaque opération (« prix fait », au lieu de « prix débattu »). Ils tiennent les comptes du travail fait, sur livres ou sur fiches, et déterminent leur règlement. Des variantes de ces salaires au rendement s'appliquent aussi bien aux grands établissements qu'aux petits ateliers, aux ouvriers à domicile et aux ouvriers sur chantiers.

Dans son principe, le changement est simple : au lieu d'être payés dans une proportion exacte à la quantité produite, les ouvriers ne touchent plus qu'une prime pour les tâches supplémentaires exécutées dans un même temps, tandis que les tâches exécutées moins vite que la norme font l'objet d'une pénalité par rapport au salaire normal. C'est le principe même du « tarif différentiel », prêché un demi-siècle plus tard par Taylor : prime à l'accélération du travail, sanction à tous ceux qui n'arrivent pas à suivre. Du point de vue patronal, la rémunération devient un stimulant matériel. Du point de vue ouvrier, c'est une tricherie instituée : une baisse de salaire est rendue automatique en cas de ralentissement de la production ; cette baisse est en proportion beaucoup plus forte que la baisse de production. Le système pousse à un cycle infernal : accroissement du rythme de travail → baisse du tarif de base → nouvelle hausse des cadences, etc. Le système conduirait nécessairement à tuer tout

---

un dumping sur la main-d'œuvre grâce au marchandage simple. Plus tard, au Conseil supérieur du travail, Poulot défendra avec plus de netteté encore les principes du salaire aux pièces avec primes et tarifs différentiels.

Les systèmes de salaires sont souvent très mal compris dans l'historiographie, car la terminologie est demeurée confuse. Cela tient à ce que les systèmes d'exploitation ont partout évolué très vite, empiriquement, secteur par secteur, sans changer toujours de vocabulaire. Ainsi le système d'Euverte fut simplement désigné « salaire aux pièces ». Or les distinctions « salaires aux pièces » / « salaires au temps » utilisées dans des débats de juristes et d'économistes n'ont en elles-mêmes aucune signification précise. Il est nécessaire de vérifier à chaque emploi des termes quels rapports concrets ils recouvrent. En particulier lorsque des secteurs abandonnaient les salaires simplement proportionnels à la quantité de travail, pour adopter des salaires-stimulants au rendement, le changement a pu s'opérer aussi bien sous des étiquettes de « salaires au temps » que des étiquettes de « salaires aux pièces ».

le monde à la tâche, s'il ne provoquait pas, de par sa nature même, une réaction de freinage ouvrier [27].

Contre les salaires au rendement, les pratiques plus anciennes de résistance au marchandage simple restaient utiles, mais insuffisantes. Il devenait difficile de ne pas entrer dans la course au rendement. Il fallait payer très cher la possibilité de régler seul ou en petite équipe son rythme et sa quantité de journées de travail. Contre une dépendance accrue, et sans limite, tous les ouvriers sont dès lors contraints de réagir plus à fond d'une façon ou d'une autre.

A l'atelier, les réactions peuvent garder une dimension individuelle. Par exemple, refus de tenir son propre compte de marchandage, contestation et désorganisation des fiches et livres du patron [28]. Dans les pratiques collectives d'atelier, les coulages

---

27. Dès le début des années 1870, le patronat se targuait d'un succès des salaires au rendement, surtout à Paris. Dans la capitale, beaucoup de syndicats patronaux estimaient, tout comme Poulot, que les cadences de travail et la productivité s'étaient amplifiées et étaient beaucoup plus fortes à Paris qu'en province. Il y a là un paradoxe, entre l'autosatisfaction d'une haute productivité et leur ton catastrophé pour se plaindre des freinages ouvriers. Mais ce n'est qu'un paradoxe apparent, qui se retrouve souvent aujourd'hui. En pratique, il peut très bien se développer simultanément une très forte pression patronale aux cadences et une intense contre-pression ouvrière, à un haut niveau de productivité. Du côté ouvrier, la délégation des mécaniciens à l'Exposition universelle de Vienne de 1873 constatait l'extension du salaire au rendement sous le terme de « salaire aux pièces », et en dénonçait le mécanisme :

« A part quelques rares exceptions, le travail aux pièces remplaçant le travail à l'heure n'a pas amélioré la situation des ouvriers, car les industriels seuls ont profité de cette substitution. [...] Les prix de ces travaux sont presque partout établis par les patrons seuls et de telle façon qu'il faut ordinairement le double du produit pour obtenir un cinquième, un quart ou un tiers de plus-value sur le prix de la journée ordinaire. Cette plus-value est obtenue, nous en savons tous quelque chose, au prix d'une grande dépense de force, et surtout d'intelligence. [...] Les moyens d'abréviation [réductions des normes de temps] employés dans ces derniers temps sont l'œuvre des travailleurs aux pièces qui les inventent, les perfectionnent. [...] Aussitôt qu'une nouvelle abréviation est connue, et que son résultat se traduit par une augmentation de la plus-value citée plus haut, vite une nouvelle baisse des prix [de l'unité à fournir dans un temps donné] vient réduire à néant les efforts du travailleur. »

28. Poulot fait une allusion indirecte à ces pratiques, lorsqu'il insiste sur le fait que l'ouvrier vrai tient régulièrement ses comptes de marchandage.

deviennent une manière de régler les allures et de prendre le contre-pied exact du système patronal des primes. Mais surtout les groupes d'ouvriers doivent s'imposer entre eux des contre-disciplines collectives très strictes, pour garder l'initiative face aux pièges des salaires au rendement. A partir de ce moment, les règlements d'atelier sur les heures d'entrées, les possibilités de parler, de circuler et de se concerter deviennent un enjeu important, source de conflits larvés ou ouverts [29].

Pour faire respecter les contre-disciplines collectives, le coup de poing et les violences sont parfois appelés à la rescousse. Chaque atelier doit empêcher qu'un ouvrier, en faisant du zèle, ne raccourcisse la norme de temps de fabrication d'une pièce et ne provoque une baisse du tarif de référence.

Les syndicats patronaux de Paris, dans des enquêtes de 1872 et 1875, dénoncent en grand nombre toutes ces pratiques de résistance à l'atelier, établissent un lien avec le non-conformisme familial, et signalent leur généralisation récente. Mais ils préfèrent s'en prendre à une « immoralité », une « imprévoyance » et une « paresse » de leur main-d'œuvre, plutôt que de reconnaître la contre-offensive ouvrière face à la course productiviste. La Chambre de commerce de Paris résumait de nombreux rapports des syndicats patronaux en envoyant ces lignes au ministre du Commerce :

« Les ouvriers de Paris attendent tout de l'association : ils rêvent moins de travail et une rétribution plus élevée ; ils regardent le patron comme l'adversaire naturel de l'ouvrier. Le contremaître leur est suspect ; les ouvriers font la police dans l'atelier ; si l'un d'eux se fait remarquer par une habileté ou une activité trop grande à leurs yeux, il est signalé au comité

---

29. Il faut avoir ce contexte en tête pour comprendre le chapitre de Poulot sur les prud'hommes. Les prud'hommes, en jugeant les conflits individuels, se basaient sur les usages des métiers, quand il n'y avait pas de règlements écrits d'ateliers. Or les usages étaient plus favorables aux ouvriers que les nouveaux règlements. Ils admettaient des tarifs de référence au temps de travail, en l'absence de spécifications écrites contraires. Dès lors, Poulot préconise des modèles de règlements d'atelier beaucoup plus sévères, à faire sanctionner par les prud'hommes. Ils devaient favoriser le contrôle patronal sur la vitesse de travail, permettre le règlement des comptes de marchandage au rendement, etc.

comme gâte-métier, et une pression occulte s'exerce autour de lui jusqu'à ce qu'il sorte ou se soumette aux règles qui lui sont imposées. Les ouvriers prétendent régner dans l'atelier, faire la loi au patron [30]. »

Vie familiale et voyeurisme bourgeois

La majorité des syndicats patronaux parisiens s'en prenait ainsi, sans vouloir le reconnaître, aux mêmes pratiques de résistance que celles dénoncées par *Le Sublime*. Il ne fait guère de doute que le sublimisme sur les lieux de travail était très répandu à Paris en 1870. Il n'avait rien d'une survivance folklorique [31]. Bien au contraire, il s'inventait au contact des dispositifs les plus modernes d'exploitation. S'il fallait généraliser la notion de sublimisme au travail, en la débarrassant de ses éléments moralistes, celle-ci se définirait avant tout comme une dynamique. En bref, le sublimisme est une course-poursuite entre, d'une part, les dispositifs modernes d'exploitation, d'autre part les ruses ouvrières mises au point pour résister à chaque système d'emprise.

La pression pour l'accélération des cadences met en cause la totalité de la vie de tous les jours, à l'atelier et hors de l'atelier. Ici réside l'un des secrets de la cohérence des différents profils ouvriers. Face à cette pression, le milieu des travailleurs est obligé de réagir, d'une façon ou d'une autre. La résistance

---

30. « Lettre adressée à M. le ministre de l'Agriculture et du Commerce par la Chambre de commerce de Paris le 12 mars 1872 », reproduite notamment dans *Enquête sur les conditions de travail en France pendant l'année 1872*, Chambre de commerce, Paris, 1875.

31. Il n'empêche que le sublimisme reprenait parfois de vieilles traditions. Mais il ne s'agissait pas alors de simples survivances en régression, comme des icebergs en train de fondre. Les vieilles habitudes étaient récupérées dans les épreuves de force du jour, ce qui en changeait la signification. Par exemple, la saint-lundi était assez courante au XVIIIe siècle. Mais elle s'intégrait alors à des stratégies de contrôle compagnonnique des marchés du travail, tandis qu'à l'heure des salaires au rendement elle devient une façon pratique et symbolique de reprendre un certain contrôle des rythmes de vie.

doit jeter dans la balance, bon gré mal gré, tous les aspects de la vie quotidienne.

Mais la cohérence de la vie quotidienne est encore plus difficile à déchiffrer que la seule vie au travail. En effet, tandis que la résistance dans le travail oppose les ouvriers à des pressions convergentes, la lutte pour maîtriser l'ensemble des rythmes de vie s'oppose à des pressions en ordre dispersé, et souvent contradictoires.

Prenons le cas des politiques familiales à Paris, au temps de Poulot. On a évoqué plus haut, en décryptant les profils de sublimes, la stratégie patronale d'alliance avec les « bourgeoises » de leurs ouvriers. Cette stratégie implique une pression en faveur du mariage légitime et en faveur de la procréation. Mais ce n'est qu'un exemple, qui ne doit pas faire illusion. Les employeurs sont ici dans la position de pompiers incendiaires. En fait, ils contribuent largement à provoquer le célibat et le concubinage, alors qu'ils prétendent les combattre par ailleurs.

La politique de la main-d'œuvre et les techniques nouvelles d'exploitation comportaient en effet des dimensions antifamiliales. La plus évidente est la politique d'immigration et de mobilité de main-d'œuvre, mais bien d'autres aspects de l'emploi avaient des effets analogues et ne faisaient que s'amplifier.

C'est pourquoi, à la fin du Second Empire, les ouvriers devaient se battre sur deux fronts : revendiquer l'accès à une vie familiale que leur refusait le nouveau marché du travail et combattre les techniques d'emprise capitaliste qui se développaient derrière la promotion du « lien » familial. S'il fallait résumer les multiples discussions sur la « question familiale » au sein des assemblées ouvrières, de la fin du Second Empire aux débuts de la III⁰ République, on pourrait reprendre et inverser les termes que Drevet applique au travail : « Nous aimons la famille contre laquelle nous nous révoltons. »

Les aspects antifamiliaux ont souvent été oubliés dans les histoires récentes de la politique familiale. Or, sans ces dimensions, les comportements du milieu ouvrier que décrit Poulot risquent d'être incompris ou compris de travers. Il serait tentant de ne relever dans les pratiques de sublimisme qu'une réaction contre les servitudes familiales, en écho aux idéologies contemporaines. Mais il se trouve que la réalité n'est pas aussi simpliste. Pour mettre en garde contre ces oublis, on se bornera à signaler ici un fait, qui invite par lui-même à se poser bien des questions. Curieusement, il n'avait pas retenu l'attention de la plupart des observateurs : *au terme du XIXe siècle, en France, la majorité des ouvrières et des ouvriers n'est pas mariée* [32]. Comment dès lors des études récentes ont-elles pu prétendre sans sourciller que les pouvoirs publics et le patronat ont déployé, tout au long du XIXe siècle, une « stratégie de familialisation » ? A supposer même que cette stratégie convergente ait effectivement fonctionné, une question dominerait toutes les autres : pourquoi la « stratégie de familialisation » a-t-elle si mal marché ?

Par-delà les questions de politique familiale, le décryptage

_____

32. Il est vrai que le phénomène n'avait guère retenu l'attention des statisticiens et démographes de l'époque. Les résultats des recensements de 1896 et 1901, qui permettent les premiers de constater le fait, ne comportaient pas de présentation susceptible de mettre le phénomène en évidence. Pour avoir une vision d'ensemble, il faut procéder à quelques additions et calculs de pourcentages. A partir du recensement de 1901, on aboutit aux résultats suivants (calculés d'après le tableau XVI, p. 704-719, t. IV des *Résultats statistiques du recensement général 1901*) :

PROPORTION DE MARIÉS CHEZ LES OUVRIERS EN FRANCE EN 1901

	Ensemble, ouvrières et ouvriers	*Ouvriers*	*Ouvrières*
Ensemble des ouvriers de tous les secteurs (y compris les ouvriers agricoles)	35 %	39 %	25 %
Ouvriers de l'industrie, des transports et services publics	45	50	30
Ouvriers de l'industrie (mines et industries de transformation)	42	48	26

(N.B. Ne sont pas compris les employés, ni les « travailleurs isolés ». Cette dernière catégorie mélange les isolés petits patrons, commerçants, artisans, agriculteurs et ouvriers à domicile. S'il était possible d'ajouter ci-dessus les ouvriers à domicile, la proportion de mariés monterait de 1 à 3 points.)

Pour Paris, on ne dispose pas de chiffres homologues concernant la seule population ouvrière. Mais, d'après les recoupements comparatifs, la proportion de mariés, à âge égal, doit être beaucoup plus restreinte encore.

du *Sublime* nous laisse entrevoir une vie affective et familiale très éloignée des connaissances accessibles aujourd'hui. La poursuite d'un débat sur les questions soulevées nous ferait déborder le cadre de cette introduction. Mais il importe d'en souligner quelques exigences. Car à travers le déchiffrage du *Sublime* est en cause la compréhension même des existences ouvrières, à partir de leurs « mémoires » et de leurs transcriptions plus ou moins « bourgeoises ».

Dans leurs témoignages écrits, les ouvriers de l'époque sont en général d'une grande discrétion sur leur vie dite « privée ». Aussi les connaissances actuelles reposent le plus souvent sur des témoignages extérieurs : grandes enquêtes « sociales » sur la vie ouvrière, menées par des médecins, des économistes, des moralistes et des philanthropes ; enquêtes et procès judiciaires ; études officielles de parlementaires ou de démographes de l'administration ; témoignages de journalistes et de romanciers. Or toutes ces observations peuvent être très convergentes et néanmoins conduire systématiquement aux mêmes erreurs. Souvent elles sont inconsciemment hantées par les problèmes de la vie « privée » bourgeoise.

Zola nous en a fourni un exemple de premier choix, dans sa manière d'utiliser l'ouvrage de Poulot pour écrire *L'Assommoir*[33]. Il avait probablement lu *Le Sublime* en 1870, dès sa première édition. Peut-être s'en est-il inspiré quand lui vint l'idée de décrire un ménage à trois et d'en faire le symbole d'une dégradation supposée des mœurs populaires parisiennes. Dès sa première ébauche de *L'Assommoir* en septembre 1875, il avait inscrit clairement les intentions de son roman :

« Montrer le milieu peuple et expliquer par ce milieu les

---

33. Henri Mitterand a montré le rôle qu'a joué la lecture du *Sublime* dans l'élaboration du roman (Etude sur *L'Assommoir*, dans *Les Rougon-Macquart*, réédition par Gallimard, Bibliothèque de la Pléiade, t. II). Il s'appuie notamment sur les manuscrits préparatoires à *L'Assommoir*, conservés à la Bibliothèque nationale. Parmi eux, douze feuillets sont remplis de notes de lecture du *Sublime*, relevées avec l'intention explicite de replacer les observations de Poulot dans le roman. Les emprunts de détail sont innombrables, à commencer par le titre du roman. Mais l'inspiration va bien au-delà : le roman tout entier semble avoir pris corps à partir de la lecture du *Sublime*.

mœurs peuple ; comme quoi, à Paris, la soûlerie, la débandade de la famille, les coups, l'acceptation de toutes les hontes et de toutes les misères viennent des conditions mêmes de l'existence ouvrière, des travaux durs, des promiscuités, des laisser-aller, etc. En un mot, un tableau très exact de la vie du peuple avec ses ordures, sa vie lâchée, son langage grossier, etc. Un effroyable tableau qui portera sa morale en soi [34]. »

Dans cet esprit, il relut *Le Sublime* et procéda à un tri révélateur. Ses notes manuscrites de lecture ignorent d'emblée les pratiques de résistance à l'atelier. Seules sont relevées des indications sur le degré de « paresse » des différents types. Dans le roman, si un ouvrier quitte le travail, ce sera par manque de courage. Dès lors, la cohérence des profils du *Sublime* est cassée. Plus de lien entre la vie d'atelier et la vie hors travail, si ce n'est le degré de conformité aux besoins des employeurs. Zola ne semble pas soupçonner que les différents types d'ouvriers suggérés par Poulot réagissent à leur destin, organisent tous un certain art de vivre [35].

L'appauvrissement est à son comble dans la conception des personnages féminins. Gervaise, le personnage central, va cumuler les traits d'une « oie blanche » bourgeoise et de la martyre du prolétaire. Elle sera d'autant plus émouvante qu'elle est incapable de se défendre vis-à-vis des hommes. Double regard d'homme bourgeois sur « la femme » et sur « l'ouvrière » [36].

---

34. Cité par Henri MITTERAND, *op. cit.*, p. 1544.
35. Les personnages masculins de *L'Assommoir* ont ainsi été revêtus des profils moraux du *Sublime,* mais les pratiques réelles des différents types ont été épurées, pour ne plus représenter que le bien et le mal. Coupeau descend l'échelle morale, depuis l'ouvrier jusqu'au sublime flétri. Goujet est doté de la moralité de l'ouvrier vrai, et Lantier figure l'immoralité d'un fils de Dieu. Certaines des notations les plus explicites de Poulot sont elles-mêmes ignorées quand elles ne cadrent pas avec la morale qui décide de la composition du roman. Fait particulièrement révélateur : les sublimes, chez Zola, perdent l'habileté au travail qu'ils possèdent chez Poulot, tandis que l'ouvrier vrai retrouve dans *L'Assommoir* une supériorité de qualification qui lui manque dans *Le Sublime.* Or le patronat parisien avait maintes fois déploré, tout comme Poulot, que l'habileté au travail allait de pair avec l'insoumission.
36. Jacques Dubois, autre commentateur de *L'Assommoir,* note à juste titre que Gervaise est, par bien des côtés, la transposition d'un personnage de bourgeoise déplacée dans des conditions populaires. Ses ressorts

Une logique commande inconsciemment la sélection des croquis, tableaux et situations dans l'enquête documentaire du romancier sur les mœurs populaires : Zola est fasciné par les transgressions apparentes qui semblent réaliser en « milieu peuple » les interdits de la vie familiale bourgeoise. Par exemple, la cohabitation ouvrière fréquente de ménages et de célibataires, dans un même logement, ne peut être perçue que comme une « promiscuité ». Or il s'agit souvent d'une solidarité. Cette nuance marque à elle seule la non-communication de deux mondes. Les perceptions de Zola et Poulot sont ici cloîtrées dans les mêmes polarisations qu'une multitude d'enquêtes sanitaires, sociales, architecturales sur l'habitat ouvrier. Parce que la vie bourgeoise cloisonne l'espace de son intimité, les regards des enquêteurs sociaux ne savent plus voir, dans les habitats ouvriers, que l'absence de leurs propres cloisons morales. Absences fascinantes pour des frustrés, absences effrayantes pour des moralistes et des travailleurs sociaux. A partir de là, ils « imaginent des choses »... Mais ils oublient de se demander s'il n'existe pas d'autres règles de cohabitation, d'autres règles de résidence, propres au milieu ouvrier. La prohibition de l'inceste n'a pourtant pas attendu des normes de « logement social » pour faire respecter ses tabous !

La critique littéraire a souvent salué l'art « pictural » ou « photographique » de *L'Assommoir*. Mais alors il faut pousser l'image jusqu'au bout, et se demander par quels processus Zola se laisse *impressionner,* pour ensuite *impressionner* son public.

En fait, la lecture du *Sublime* par Zola est caractéristique d'un *voyeurisme bourgeois,* déjà latent chez Poulot, et qui se retrouve chez de nombreux observateurs sociaux [37]. Soumises incons-

_____

psychologiques demeurent fondamentalement bourgeois. (Introduction à l'édition de *L'Assommoir* chez Garnier-Flammarion, 1969.)

37. Zola a réduit l'argot du *Sublime* à un ingrédient de pittoresque apte à impressionner le bourgeois. Il a relevé une liste de termes « savoureux » par leurs écarts, comme on remplit une salière pour ensuite saupoudrer les plats. Dans cette opération, il est passé à côté d'une dimension essentielle : le langage ouvrier que note Poulot est toujours mis en situation. Il donne souvent des clés pour comprendre de l'intérieur comment des ouvriers se situent par rapport aux événements, à leur entourage, à leur destin. Si les deux auteurs partagent le

ciemment à ce voyeurisme, la plupart des grandes enquêtes sociales sur les mœurs populaires sont emmurées dans le monde des représentations de leurs auteurs. En regardant par le trou des serrures, les enquêteurs n'observent que leurs propres fantasmes.

Le voyeurisme bourgeois est une façon courante de représenter les mœurs populaires. Mais il n'est qu'une façon parmi d'autres, et appartient à un mécanisme plus général : formuler toute observation d'après l'écart qu'elle repère avec les règles sociales dominantes. Ne voir qu'une immoralité quand se pratique une morale différente. Ne voir qu'une criminalité quand jouent les règles d'un milieu parallèle. Ne voir qu'une pathologie sociale quand on s'accroche à un modèle de société « saine ». Ne voir qu'une marginalité quand des styles de vie sont décentrés par rapport aux références familières. Ne voir qu'un « illégalisme » quand se pratique une discipline insoupçonnée. Ne voir que du « traditionnel » quand on est prisonnier d'une certaine idée du progrès. Ne voir que des « sauvages » quand se manifestent des mœurs inintelligibles par la « civilisation ». La liste est interminable.

La transcription des pratiques ouvrières a été submergée par tous ces mécanismes. Sa situation est comparable à la perception des « sauvages » par l'Occident colonisateur. Dans l'étude ethnologique des peuples non occidentaux, ce phénomène a été élucidé et dénoncé depuis longtemps, sous le terme d' « ethnocentrisme ». De la même manière, décrypter les pratiques ouvrières d'après des témoignages de la culture dominante exige d'élucider et de déjouer l'*ethnocentrisme bourgeois*.

---

même voyeurisme, *Le Sublime* nous fournit, ici encore, les moyens de prendre des distances et de deviner le point de vue ouvrier.

« Entendons-nous et exploitons-nous nous-mêmes. » Un projet de collectivisme capitaliste, contre les pratiques collectives ouvrières

Aujourd'hui la formule de Poulot « exploitons-nous nous-mêmes » peut sembler définir avec une cruelle ironie les contours flous de l' « autogestion ». L'ironie était absente en 1870, mais les mêmes ambiguïtés se retrouvaient : abolition ou autoadministration de l'exploitation ?

Au travers de ses propositions de réformes, le manufacturier dessine avec une grande rigueur les bases d'un régime démocratique dans une société capitaliste développée et prospère sur le marché mondial. Pour remplacer une domination cynique, coûteuse et de moins en moins efficace sur la classe ouvrière, il propose une nouvelle dynamique des rapports de pouvoir, à tous les niveaux de la société. Sa théorie est illustrée par une image du métier :

« La question sociale peut se comparer à un moteur composé d'un générateur et d'une machine ; les aspirations des travailleurs représentent la vapeur, il faut la distribuer dans la machine pour donner une force, un résultat, un produit. Mais si vous vous arrêtez (en politique, s'arrêter c'est reculer) [...] la vapeur sortira par les soupapes ; comme ce bruit vous dérangera, pour avoir la paix vous prendrez deux poids de quarante et vous les réduirez au silence ; comme cela, plus de tapage. Un beau jour [...] une immense explosion viendra vous surprendre. Il ne sera plus temps de mettre la machine en route, il sera trop tard. Les caleurs de soupapes sont des imprudents et des maladroits. Il faut que la machine fonctionne toujours. Quand elle aura tous les perfectionnements, les soupapes ne gueuleront plus [38]. »

---

38. Chapitre XX, « Réflexions politiques ». Corbon, ex-militant ouvrier devenu très proche de Poulot, utilisait, à la même époque, des images hydrauliques pour dénoncer le « refoulement » des ouvriers. Il proposait, lui aussi, avec une théorie de la « dérivation », une institutionnalisation du mouvement ouvrier de façon à domestiquer son énergie. Il

Au lieu de refouler les aspirations des travailleurs et de risquer une explosion sociale, les différentes instances de pouvoir devaient apprendre à laisser se développer le mouvement ouvrier, pour récupérer son énergie ou la dévier savamment, sans jamais la bloquer de front. L'appui d'un nombre important de capitalistes aux revendications de liberté ouvrière prend ici tout son sens.

Conformément au nouveau régime prêché par Poulot, plusieurs grands dispositifs de canalisation ont effectivement fonctionné, au lendemain de l'explosion de 1871. Avant tout, la séparation et le couplage de deux déversoirs de luttes, le « politique » d'un côté, l' « économique » de l'autre. Les deux terrains, avec leurs rythmes déphasés, devenaient facilement neutralisables l'un par l'autre, voire opposables. A la fin du Second Empire, le régime politique commençait seulement à pousser à cette dualité, tandis qu'au sein du mouvement ouvrier les luttes revendicatives et la constitution d'un pouvoir ouvrier formaient encore un tout indissociable.

A l'échelle des épreuves de force quotidiennes, le régime de dérivation a également fonctionné, mais de façon beaucoup moins satisfaisante pour le patronat. On sait que le syndicalisme ouvrier s'est refusé longtemps à jouer le jeu de la séparation des deux terrains. Ce refus ne touchait pas seulement les hiérarchies syndicales. Quelles que soient les formulations doctrinales, le refus exprimait en fait les modalités de résistance ouvrière de tous les jours.

Le projet politique de Poulot ne se limitait pas à la démocratie effectivement mise en œuvre par la IIIe République. Il comportait une utopie combinée de collectivisme et de capitalisme, qui peut sembler étrange aujourd'hui. L'utopie se comprend dans le contexte des années 1868-70. Le mouvement ouvrier parisien semble alors d'un dynamisme irrésistible. Poulot ne veut pas compter sur la province pour le réprimer, à la différence du « parti de l'ordre ». Pour prévenir une explosion sociale que beaucoup sentaient venir, il restait la solution paci-

---

plaçait son analyse sur un plan à la fois individuel et collectif, pour préconiser ce que le langage freudien appela ensuite, en psychologie, la « sublimation ».

fique la plus radicale pour un capitaliste : proposer de passer à un système de collectivisme capitaliste.

Les propositions du dernier tiers du livre montrent que l'expression « exploitons-nous nous-mêmes » n'est pas une simple formule paradoxale. Le patron suggérait l'accès à la propriété collective du capital pour tous les travailleurs, en donnant aux associations ouvrières de production les moyens d'y parvenir [39]. Il escomptait que l'essentiel du capitalisme serait maintenu. Pour lui, au terme de la collectivisation, le capital ne changerait pas de nature. Seule la gestion de l'accumulation se trouverait en réalité transformée, tandis que le capital ne subirait qu'un changement juridique.

La démocratie de tous les producteurs élirait des gestionnaires mieux placés que les « aristocraties d'argent » pour faire travailler les ouvriers et mater les sublimes. Dans cette perspective, par exemple, les livrets ouvriers seraient maintenus. Leur surveillance serait retirée de la compétence de la police, pour être confiée à des syndicats officiels. Par ailleurs, le machinisme généralisé, les salaires aux pièces et au rendement briseraient les freinages de cadences et achèveraient de désarmer le sublimisme. En langage marxiste, le projet du patron sauvegardait la production des classes dominantes capitalistes par le jeu même de la représentation élective au sein d'une démocratie ouvrière « formelle ».

Pour démontrer le bien-fondé de ses propositions, le patron invoquait l'expérience des associations ouvrières de production à la fin du Second Empire. Souvent, les dirigeants ouvriers élus se comportaient effectivement en collectifs patronaux. Poulot cite à l'appui des règlements d'associations ouvrières si sévères qu'aucun atelier patronal n'aurait pu les édicter sans risquer d'être mis à l'index. De fait, au sein de chaque métier, à la fin des années 1860, nombreuses avaient été les expériences lancées avec espoir par des collectifs ouvriers et dénoncées quelques

---

39. Poulot abandonna toutes ses propositions de collectivisme capitaliste après la Commune, lorsque s'éloigna la menace contre l'ordre dominant, et retourna ainsi à un radicalisme politique plus classique. L'expérience de la Caisse centrale populaire n'a jamais eu les mêmes ambitions, puisqu'elle ne cherchait qu'à écrémer et utiliser une élite ouvrière et artisanale, en facilitant la création de petites entreprises.

mois ou quelques années plus tard comme des « associations patrons ». Aux yeux de Poulot, une démocratie ouvrière pourrait très bien généraliser l'expérience : placer les gérants du travail collectif en position de classe dominante, dépositaires et garants de l'accumulation capitaliste, au nom du peuple des producteurs. Par surcroît, la discipline ouvrière serait assurée d'une façon beaucoup plus serrée qu'avec l'ancien système.

Face au mouvement ouvrier parisien, la réaction du manufacturier traduisait à la fois une connaissance détaillée des pratiques et un refus de comprendre jusqu'au bout leurs ressorts profonds. Pour croire en la généralisation d'associations-patrons, par exemple, il fallait supposer que le caractère capitaliste de la gestion était fatal, tant en période de transition qu'au terme d'une collectivisation de la possession.

Certes, une telle pente était observable, et, avec le recul du temps, on ne peut s'empêcher d'établir des rapprochements avec les tentatives de socialisme en pays de l'Est. Mais, chez les ouvriers parisiens, à la veille de la Commune, les pratiques d'organisation pouvaient aussi instaurer une tout autre logique. Dans la plupart des métiers, on était conscient du danger de l'autoexploitation. Les multiples discussions autour des statuts, d'apparence byzantine, tentaient précisément de subvertir les règles du jeu de l'accumulation et de la gestion du capital. Lors de la constitution des « sociétés ouvrières » (secours mutuels, caisses de résistance, associations de production, chambres syndicales), les collectifs ouvriers faisaient appel à des règles du jeu différentes. Ils ne cherchaient pas une compatibilité avec le système social, mais au contraire promouvaient des règles opposées à la société dominante (sans exclure pour autant les compromis, au fur et à mesure des consolidations de la force collective) [40].

------

40. Les débats sur l' « association » ont souvent été obscurcis par l'historiographie du mouvement ouvrier, en réduisant le problème à une alternative idéologique : pour ou contre l'association de production ? Or l'association de production avait des significations multiples — on a déjà eu l'occasion d'en souligner quelques exemples. S'il fallait résumer les difficultés et les affrontements de la pratique, l'alternative serait plutôt : associations d'autoexploitation, ou bien associations instruments de résistance et de contestation, à opposer aux principes d'exploitation capitaliste ? Bien des associations étaient des ateliers destinés à appuyer

Les pratiques au sein des organisations les plus élaborées élargissaient les ruses et les capacités d'invention collective développées au cours des épreuves de force quotidiennes. Les six années précédant la publication du *Sublime* avaient donné lieu à une dynamique extraordinaire, dont la force surprenait aussi bien les travailleurs eux-mêmes que les patrons les plus perspicaces. Profitant des ouvertures libérales du régime impérial, les collectifs ouvriers avaient accepté les offres institutionnelles mises en avant pour endiguer le mouvement (tolérance des grèves, réforme des sociétés de secours mutuels, tolérance des associations de production, des assemblées générales de métier et des associations syndicales, autorisation des réunions publiques). Mais chaque fois ils en avaient déjoué les pièges et débordé les règles de fonctionnement.

La tolérance légale des grèves, à partir de 1864, avait donné le signal de l'escalade. Pour ses promoteurs, la mesure devait faciliter les conciliations amiables de conflits dans chaque établissement. Mais, dès janvier 1865, un rapport de police, tirant un premier bilan, exprimait son effarement devant des pratiques sociales inattendues, d'un type inédit, sans commune mesure avec le fonctionnement des groupes habituellement surveillés [41] : recherche de l'unité dans chaque métier ; réduc-

les grèves partielles et tournantes, en donnant aux grévistes des moyens de vivre en travaillant. Il suffisait souvent de conclure quelques marchandages collectifs en respectant les revendications syndicales ; on court-circuitait les hiérarchies de sous-traitance en allant trouver directement quelque commanditaire aux abois. Il y eut des associations de production à valeur « prophétique » : elles manifestaient dans leur fonctionnement l'exigence d'un changement complet de société et tournaient le dos aux exigences de profit, en ne craignant pas de disparaître. Elles étaient souvent fondées par des fils de Dieu, membres de commissions exécutives de grèves exclus des ateliers par les syndicats patronaux. Même chez les charpentiers, si chers à Denis Poulot, les associations conformes aux rapports d'exploitation furent vite contestées et doublées par des associations d'une inspiration opposée.

41. Le caractère inédit porte ici sur la période du Second Empire. Des pratiques collectives du même genre s'étaient développées au printemps de 1848. R. Gossez a souligné l'étonnement des couches dirigeantes et cadres politiques du moment. Le terme même « le mouvement » désignait quelque chose d'insaisissable dans les compartiments politiques et intellectuels de l'époque. (R. GOSSEZ, *Les Ouvriers de Paris*, livre I, *L'Organisation, 1848-1851*, Paris, 1967, Société d'histoire de la révolution de 1848.)

tion des oppositions d'intérêt au fur et à mesure des succès ; absence de carriérisme et de rivalités bavardes chez les animateurs des « coalitions ». La cohésion était tellement incompréhensible, jusque dans les détails tactiques, que la Préfecture de police supposait une dictature occulte. Analysant les soixante-neuf premières grèves parisiennes tolérées qui eurent lieu en huit mois, le rapport note que pas une seule des commissions ouvrières mises en place pour coordonner chaque mouvement n'avait été désavouée par des ouvriers de leur profession. Pas même les commissions qui se sont constituées clandestinement, par accord tacite, sans désignation régulière :

« Quelques-unes des coalitions ont été organisées par des meneurs qui, sans avoir consulté leurs camarades, se sont constitués en commission et leur ont imposé leur volonté. Mais tels sont l'esprit de solidarité qui existe entre les ouvriers et la crainte qu'ils ont des meneurs qu'ils se sont mis en grève et ont agi comme s'ils étaient pleinement consentants [42]. »

L'intelligence des policiers se heurtait ici à une dimension fondamentale du mouvement ouvrier, sur laquelle viennent également buter toutes les catégories de « bon sens » produites par la culture dominante : *les pratiques collectives ouvrières* ne peuvent pas être réduites à la dynamique des groupes de la société bourgeoise. L'ethnocentrisme bourgeois retrouve ici le même aveuglement que lorsqu'il décrit l' « immoralité » familiale, il ne sait repérer que les écarts à ses propres règles de fonctionnement, sans admettre que puissent s'instaurer des règles différentes.

Le dernier tiers du *Sublime* représente une tentative de ramener ces pratiques dans la « bonne » voie. Tout décryptage de cette partie du livre passe par une compréhension de la dynamique interne du mouvement ouvrier.

---

42. La Préfecture de police, opposée à l'autorisation des assemblées générales de métiers, tirait de cette analyse la conclusion suivante : les ouvriers n'avaient pas besoin de réunions générales de métiers, puisque soixante corps de métiers avaient déjà réussi, dans la clandestinité, la performance de se mettre d'accord : accord sur des cahiers de revendications, accord sur des cotisations et sacrifices d'argent, accord sur des tactiques communes et des risques à prendre.

Quelques années auparavant, Corbon avait déjà insisté avec beaucoup de netteté sur la présence déconcertante de pratiques collectives ouvrières irréductibles aux catégories habituelles de la pensée dominante. Dans l'introduction à son livre *Le Secret du peuple de Paris,* il met en garde à la fois contre l'aveuglement des moralistes et économistes bourgeois, contre les témoignages individuels d'ouvriers savants (ceux qui s'en sont sortis... trop bien) et contre le populisme de « la vérité au sein du peuple » :

« On s'exposerait à de graves méprises si, négligeant d'étudier le peuple dans son ensemble, on croyait pouvoir trouver son secret dans l'étude de quelques individualités. Bien que l'ouvrier de Paris soit fort expansif et laisse voir facilement dans son âme, j'ai bien des raisons de croire qu'on ne trouverait pas, dans des observations sur des individus, le secret de la personne collective. Il est des phénomènes, d'une importance extrême, qui ne se produisent qu'au sein des masses, qui ne sont saisissables qu'au sein des masses, dont les individus n'ont pas la pleine conscience, et dont ils ne gardent, par conséquent, qu'une impression plus ou moins affaiblie. [...]

« [...] Parfois, et pour le besoin passager d'une thèse à soutenir, quelques publicistes répètent bien le vieil adage : " La voix du peuple est la voix de Dieu ", mais la plupart ne le prennent pas au sérieux. Règle générale, les publicistes qui traitent des sciences sociales ne demandent jamais leur inspiration au sentiment populaire : et c'est pourquoi le peuple est encore, à tant d'égards, un mystère.

« Je dis donc que les ouvriers qui ont pu s'approprier quelques connaissances générales, et qui se complaisent à les propager dans le milieu où ils vivent, sont entraînés à partager le préjugé du monde savant, et que, par conséquent, ils ne sont pas dans la disposition d'esprit nécessaire pour fournir des révélations sur les tendances instinctives de la masse populaire [...].

« [...] J'insiste sur ce point : c'est surtout la personne collective qui doit être étudiée dans son ensemble, et à distance. J'ajoute qu'on aura encore grand-peine à voir clair dans l'âme du peuple, si l'on ne remplit une condition essentielle, celle d'avoir été intimement et longtemps mêlé aux agitations de la foule, afin de pouvoir, en se retournant sur soi-même, retrouver, dans les impressions et les souvenirs personnels, de nombreux points de repères [43]. »

Ces « phénomènes, d'une importance extrême, qui ne sont saisissables qu'au sein des masses » peuvent toucher l'élaboration même des idées en milieu ouvrier. Dans ce domaine, une expérience étonnante, encore mal comprise aujourd'hui, était en train de secouer la vie parisienne au moment même où Poulot rédigeait *Le Sublime*. Pendant deux ans, des dizaines de milliers d'ouvriers ont discuté régulièrement de la « question sociale » en réunions publiques [44].

933 réunions publiques tenues de juin 1868 à mai 1870 ; 15 000 à 25 000 participants aux réunions d'une même soirée, pendant les périodes de plus grande affluence. Les premières réunions avaient été organisées comme des sortes d'universités populaires. Des conférenciers économistes, libéraux, catholiques, réformateurs sociaux tentaient pédagogiquement d'éclairer le peuple en lui apportant leur savoir. Mais, très vite, la plupart des réunions avaient changé de caractère. Les ouvriers y avaient imposé leur propre pratique de discussion. Dès lors, plus de doctrines, plus de pédagogues ni de savantes individualités. Les réunions avaient pris le caractère d'une « école mutuelle » ouvrière. Les idées sur la société, son histoire et ses perspectives, testées à la tribune, recevaient la sanction immédiate de l'assistance, par des applaudissements ou des huées.

---

43. CORBON, *op. cit.*, p. 11-13. Le livre demeure malheureusement obscurci par un langage moraliste. Ses analyses les plus intéressantes n'ont pas souvent la transparence du texte cité ici. Si les allusions aux situations et débats de son temps pouvaient être décryptées, le livre de Corbon compléterait *Le Sublime*.

44. Il est possible de redécouvrir l'importance des réunions publiques de 1868-70 grâce au livre qui leur est consacré par A. DALOTEL, A. FAURE et J.-C. FREIERMUTH, *Aux origines de la Commune. Les Réunions publiques à Paris, 1868-1870*, Maspero, Paris, 1980. Le livre constitue la première véritable étude d'ensemble, très documentée grâce notamment, à la découverte de nouvelles sources. Les renseignements qui suivent sont empruntés au manuscrit et utilisent les sources que les auteurs ont mis obligeamment à ma disposition. Leur contribution devrait inciter à reconsidérer les vues trop sommaires sur la prétendue spontanéité de la Commune.

Les sanctions étaient déroutantes pour les observateurs bourgeois. Les assemblées ne s'intéressaient pas à la paternité des idées, et encore moins à l'éloquence de style. Elles traitaient les thèses défendues de la même manière qu'on élaborait une perspective commune, dans les conciliabules des métiers : dépasser les oppositions internes, progresser en expulsant les formulations jusqu'à ce qu'un accord réel se fasse sur l'appréciation de la situation et les moyens d'obtenir un changement. Dans ce but, exprimer aussi longtemps qu'il le fallait son approbation ou sa désapprobation. Passés au crible de ces exigences, les orateurs subissaient en permanence une sorte d'examen, et les salles, composées de plusieurs centaines ou plusieurs milliers d'ouvriers, tenaient chaque fois le rôle du jury.

L'évolution avait été rapide et stupéfiante pour tout le monde. Pour un militant aussi averti et prudent que Varlin, ce fut une surprise réjouissante. Dans un article de mars 1869 envoyé au bureau de l'Association internationale des travailleurs, Varlin écrivait :

« Les huit mois de discussions publiques ont fait découvrir ce fait étrange que la majorité des ouvriers activement réformateurs est communiste. [...]

« [...] La question sociale a surgi tout à coup, troublant la digestion de ceux qui gouvernent et de ceux qui jouissent. [...] le système communiste, très indéfini encore d'ailleurs, est de plus en plus en faveur parmi ceux qui s'exténuent dans les ateliers et qui, pour prix de leurs fatigues, sont en lutte avec la faim [45]. »

Le livre entier de Poulot est une protestation passionnée contre cette évolution. Il jauge politiquement ses différents types d'ouvriers d'après leur mode de participation aux réunions publiques. Ses modèles de sublimes des sublimes sont pris parmi les orateurs plébiscités au cours de ces assemblées. Le patron avait noté, à son grand regret, le recul des idées proudhoniennes

---

45. Lettre du 30 mars 1869, citée dans Eugène VARLIN, *Pratique militante et Ecrits d'un ouvrier communard*, Petite Collection Maspero, 1977, p. 66-68.

et l'avancée, sur d'autres bases, de la perspectice d'une « commune sociale [46] ».

La présentation caricaturale des réunions publiques que nous donne *Le Sublime* doit donc, là encore, être décryptée. Les grandes phrases théâtrales, dont se moque Poulot, relevaient d'un jeu d'ensemble entre orateurs et assemblées. Le terrorisme apparent des auditeurs contre les orateurs obéissait à une logique bien précise. Les assemblées exprimaient leur insatisfaction à l'égard de tous les savoirs institués et soulignaient les carences des idéologies disponibles. Si quelque chose était terrifiant, c'était leur niveau d'exigence [47].

Pour décrypter jusqu'au bout les différentes propositions réformatrices de Poulot, il faudrait reconstituer, suivant la même voie, toutes les pratiques concrètes développées dans les institutions « ouvrières », de 1864 à 1870, au sortir d'une phase de clandestinité. En s'engouffrant dans chaque ouverture libérale, le mouvement est parvenu à déjouer les pièges de la récupération. Au lieu de s'amortir, il a défié la pesanteur de chaque institution, comme en un trajet de tremplin à trem-

---

46. La perspective d'une « commune sociale » avait surgi et s'était imposée au cours des réunions publiques comme cadre d'organisation d'une révolution socialiste. Poulot semble avoir suivi de très près sa progression. Ses chapitres politiques répondent point par point à des articles socialistes de Millière publiés en décembre 1869 dans *La Marseillaise* sous le titre « Notre programme ». Un mois plus tard, Millière résumait et approfondissait les conclusions d'une série de réunions publiques dans une suite d'articles intitulée « Question sociale, la commune ». Millière y analyse avec beaucoup de réalisme les problèmes qui se poseraient aux « communes sociales » dans l'hypothèse d'une révolution socialiste. Il discute, entre autres, les redoutables obstacles économiques à surmonter pour aboutir à une alliance ouvriers/paysans. Poulot a peut-être paraphrasé volontairement le titre de ces articles en intitulant son livre *Question sociale. Le Sublime*. Mais le ton de Millière n'a pas grand-chose de commun avec les caricatures qu'en donne Poulot. Le second article, « La Commune », s'adresse aux lecteurs en ces termes : « Qu'on ne se fasse pas d'illusions, nous ne transformerons pas les communes actuelles en quelques jours, par la vertu d'un décret. »

47. Les intellectuels malmenés accréditèrent l'idée d'un obscurantisme brouillon et démagogique au sein des réunions ouvrières. En fait, les réunions mettaient plutôt en cause l'ignorance des intellectuels consacrés. Les salles revendiquaient les conditions de réels savoirs sur la société, comme en témoignent les votes fréquents d'enquêtes sociales lorsque les discussions s'enlisaient sur des questions de fait (par exemple, enquêtes sur le travail des femmes).

plin. L'institution syndicale elle-même ne fut pas, à proprement parler, une conquête ouvrière. Ce qui fut conquis, c'est son détournement au profit du mouvement [48].

La continuité entre vie quotidienne et mouvement ouvrier

L'auteur du *Sublime,* avec ses intuitions, ses contradictions et ses indignations, nous incite à renouer ailleurs les fils d'une cohérence cachée : les ruses ouvrières, la dérision des pouvoirs patronaux comportent une logique propre, qui s'applique aussi bien à la vie de tous les jours qu'aux institutions les plus formalisées. Il s'établirait ainsi une continuité entre la vie quotidienne ouvrière et le mouvement ouvrier.

Cette logique peut se résumer en termes très simples, réduite à sa dimension la plus commune : elle procède d'une dynamique de libération. Mais, dans les situations sociales concrètes, ses cheminements complexes, couplés avec des réactions contradictoires, sont presque toujours effacés par les habitudes dominantes de pensée.

L'exemple des réunions publiques illustre bien les réflexes obscurantistes d'une société, face à une telle dynamique. Les mémoires en avaient surtout retenu, tout comme Poulot, un prétendu terrorisme anti-intellectuel, un style pittoresque et grand-guignol, déclamatoire et creux. Après coup, les débats ont été interprétés comme des préfigurations du ton grandiloquent et confus de nombreuses séances tenues à l'Hôtel de Ville par les délégués de la Commune. Mais les témoignages et souvenirs n'avaient pas pu saisir tout ce qui en avait fait une

---

48. L'institution syndicale fut d'abord une conquête du patronat parisien. Les chambres patronales étaient déjà plus d'une soixantaine lorsque des « sociétés ouvrières » se multiplièrent, en reprenant à leur compte le terme de chambres syndicales, durant les années 1867-70. Poulot représentait un courant patronal important quand il préconisait l'élection de syndics ouvriers afin de fournir aux syndics patronaux des interlocuteurs investis d'une autorité incontestable par l'ensemble des ouvriers. Des patrons parisiens espéraient ainsi permettre un arbitrage des conflits, une régularisation des tarifs de salaires, la création paritaire d'un certain nombre d'institutions d'aide sociale.

expérience extraordinaire, ressentie comme très constructive [49].

Il avait pourtant fallu autre chose que le spectacle de discussions confuses pour pousser des dizaines de milliers d'ouvriers à se déplacer régulièrement le dimanche après-midi, ou le soir après le travail, durant deux années consécutives, afin de participer à des réunions-débats sur la société. Les notations du *Sublime* nous suggèrent une clé pour comprendre les racines d'un tel effet mobilisateur. Poulot nous décrit de multiples usages qui permettent de discuter collectivement en petits groupes, à l'atelier et hors de l'atelier. Entre autres indications, il s'indigne de la façon dont se déroule la lecture collective des journaux chez le marchand de vin. Il ne faut pas creuser beaucoup pour se rendre compte qu'il s'en prend avant tout à l'habitude d'une critique collective de la presse, y compris de la presse démocratique radicale.

Dès lors, le dynamisme des réunions publiques s'explique plus facilement. Ces réunions font déboucher sur un plan général l'exigence d'une autre appréciation des rapports sociaux, entretenue tous les jours dans les ateliers et chez les marchands de vin. En retour, ces grandes assemblées encourageaient les analyses en groupes restreints et facilitaient la communication dans chaque discussion de rencontre. Avec de tels prolongements, il n'est pas étonnant qu'un certain courant de jubilation ait traversé les salles ouvrières les plus assidues. Dans ces sortes de théâtres où tout le monde avait son rôle, des orateurs et des publics ouvriers finissaient par communiquer avec une complicité triomphante, manifestée par la grande fréquence des rires et des gestes de dérision à l'égard des pouvoirs publics.

La presse républicaine de l'époque ne s'y trompait guère, en se joignant au concert de dénigrement ou de mépris contre les réunions à public ouvrier. Si elle ne criait pas sus à la canaille, elle n'en récusait pas moins la façon de s'exprimer instaurée par les travailleurs de la capitale. Les mass media

---

49. Une exception importante est à signaler cependant : le récit vivant et clair de Lefrançais dans ses *Souvenirs d'un révolutionnaire* (réédité en 1972 aux éditions La Tête de feuilles). L'un des principaux orateurs y donne une description plus exacte de l'ambiance des salles. Son récit est confirmé par l'étude déjà citée : *Aux origines de la Commune*.

se voyaient doublées progressivement par des circuits d'information et de réinterprétation directement dirigés contre leur emprise et leur façon de présenter la vie sociale et politique.

Poulot avait tenté de formuler la continuité entre la vie quotidienne et le mouvement ouvrier en parlant du sublimisme comme d'une maladie unique et contagieuse, à la source de toutes les manifestations de résistance. Quels que soient la maladresse et le moralisme de la formulation, le manufacturier viole ainsi une frontière toujours présente aujourd'hui dans les habitudes intellectuelles. Pour lui, le mouvement ouvrier n'était pas une « émergence » au-dessus d'une certaine ligne de flottaison, au-dessus d'une certaine apathie quotidienne. Il ne séparait pas l'organisé d'un côté et le soi-disant « spontané », « non-structuré », de l'autre.

L'ouvrage de Poulot transgresse de même un cloisonnement symétrique : sa démarche n'isole pas une « vie populaire » ordinaire, qui se déroulerait tranquillement, loin des résistances à l'ordre social dominant. Pour l'homme d'action, il est évident que les comportements ouvriers ne se laissent pas enfermer dans un folklore de traditions populaires. Un tel folklore n'est captivant que pour le voyeurisme bourgeois.

Les intuitions de Poulot dépassent également le cadre des portraits types qu'il a lui-même tracés. Le milieu décrit ne se résume pas à des caractères, des psychologies ou des « mentalités » juxtaposés, fixés une fois pour toutes. En décryptant quelques aspects de la typologie, on a souligné plus haut comment chaque type prenait son sens par rapport à un ensemble. Derrière la galerie de portraits, se dessinait une vision beaucoup plus dynamique : chaque profil de ménage représentait une certaine manière d'organiser sa vie et de réagir à un destin social. L'ensemble nous suggérait comment peuvent s'enchaîner et se diversifier différentes étapes de la vie. Pour décrypter les profils jusqu'au bout, il reste un pas à franchir, en considérant les pratiques collectives dans leur ensemble.

La typologie recouvre en fait une diversification des rôles et des fonctions à un moment donné. Mais les individus peuvent changer de position. Ils ne sont pas attachés irrémédiablement à l'itinéraire que leur trace un système de domination. Poulot le sait très bien, en parlant du sublimisme comme d'une maladie éminemment contagieuse. Les pratiques collectives ouvrières prennent précisément d'autant plus de force qu'elles permettent à chacun de sortir des ornières où le retenait le statu quo. La dynamique de libération crée souvent des surprises : elle peut multiplier et redistribuer les possibilités au sein d'un groupe ouvrier donné.

Poulot a laissé transparaître ce côté dynamique en suggérant comment chaque type se comporterait, dans l'hypothèse d'une révolution sociale. « Les sublimes en masse produiraient des héros aussi bien que des vandales. » Les ouvriers et les ouvriers mixtes lâcheraient leurs chefs et suivraient les sublimes. « Il y a de l'étoffe du martyr dans le fils de Dieu [50]. »

Ses prédictions prenaient appui sur les épreuves de force qu'il pouvait observer tous les jours. Héros et vandales, les sublimes l'étaient sans arrêt contre l'exploitation de leur vie quotidienne. Ils détruisaient de façon « prophétique » les rendements, l'épargne de l'argent et l'épargne du temps. Leurs gestes étaient compris de la quasi-totalité du milieu ouvrier.

Le plus insupportable, pour les patrons démocrates, était peut-être la dérision de la répression, qui se profilait derrière la dérision du pouvoir. Les sublimes de Dieu n'étaient pas des casse-cou ni des aventuristes, ils l'avaient prouvé depuis des années dans leur aptitude aux ruses tactiques, face aux provocations. Néanmoins, l'ensemble du milieu ouvrier parisien se montrait déterminé à des risques de plus en plus lourds, au fur et à mesure que son contre-pouvoir traçait la perspective d'une autre société.

Face aux menaces de répression, le mouvement contrôlait de mieux en mieux l'usage de la violence. La dérision du pouvoir relevait d'une démarche à l'opposé de la provocation. Loin de

---

50. Les fils de Dieu révélaient une « étoffe de martyrs » qui n'avait pas grand-chose de commun avec la mystique catholique de l'époque. Ils combattaient l'autopunition comme ils combattaient l'auto-exploitation. S'ils « sacrifiaient » beaucoup de choses, ils n'acceptaient pas de laisser les autres se reposer sur eux. Indépendamment de tout sentiment, c'était une question d'efficacité. Le contre-pouvoir ouvrier se développait d'autant plus que les ouvriers s'imposaient collectivement d'en payer le prix, sans s'en remettre à de bonnes âmes.

précipiter la violence, les défis prophétiques du mouvement renforçaient et rendaient manifeste une connivence populaire. Ils développaient massivement l'art de ruser avec l'appareil policier, l'art de se dérober pour reprendre l'initiative sur des terrains inattendus.

Des gestes quotidiens aux manifestations massives de rue, les travailleurs parisiens semblaient se moquer des chantages à la répression, déployés par l'appareil d'Etat. Chaque défi semblait dire : nous évitons de nous faire tuer, mais nous n'épargnerons pas notre vie pour le compte du capital. L'argot lui-même, mis en situation par Poulot, se jouait, au niveau des mots, des fatalités du destin. Chez les ouvriers parisiens, durant les années précédant la Commune, la dérision du pouvoir était sœur de la dérision de la mort.

Alain COTTEREAU
C.N.R.S.
Centre d'étude des
mouvements sociaux
Septembre 1978

Ecrits de Denis Poulot

1862, *Notice sur le taraudage,* imprimerie Trenel, 18 p., Saint-Nicolas, et Annuaire de 1862 de la Société des anciens élèves des écoles impériales d'arts et métiers.

1863, *Différents Types de machines à tarauder,* même éditeur, et Annuaire 1863 de la même société.

1870 (21 avril), sortie de la première édition de *Question sociale. Le Sublime ou le travailleur comme il est en 1870 et ce qu'il peut être,* signé des initiales D. P., librairie A. Lacroix, Verboeckhoven et Cie, Paris, 1870.

1871, D. POULOT et H. FONTAINE, *Travail des métaux. Etudes pratiques sur les machines-outils servant aux constructions mécaniques. Machines à fabriquer les rivets,* J. Baudry, Paris. La brochure reprend une série d'articles parus dans la *Revue industrielle* à partir de septembre 1871.

1871, *Manifeste d'un bourgeois démocrate, octobre 1871,* Bagès, Paris, signé des initiales D.P.

1872, seconde édition de *Question sociale. Le Sublime...,* chez le même éditeur, augmentée en préalable de « Une explication », et, en postface, d'une reproduction de quinze articles de presse commentant l'ouvrage, entre avril et juin 1870. L'auteur signe toujours de ses seules initiales.

1887, troisième édition du *Sublime...,* C. Marpon et E. Flammarion, Bibliothèque socialiste, précédée d'une nouvelle préface de l'auteur, Paris.

1889, *Méthode d'enseignement manuel pour former un apprenti mécanicien... Mécanique, partie élémentaire,* Monrocq frères, Paris.

1891, *Enseignement technique. Réflexions sur les écoles d'apprentissage industrielles, commerciales, agricoles et le travail manuel éducatif en France,* imprimerie Pigelet, Paris.

Préface à la troisième édition (1887)

Dix-huit ans après

La troisième édition du *Sublime* va paraître. Il n'est guère possible de lui faire subir des changements. On ne retouche pas les vieilles photographies.

L'intérêt qu'il peut y avoir pour le lecteur, c'est l'opinion de l'auteur, après un aussi long temps, et surtout après les événements extraordinaires qui se sont passés depuis son apparition. Nous allons la donner le plus brièvement possible.

Les années rendent prudents ceux qui pensent ; l'expérience est un professeur qui émousse la foi. A part quelques nuances, et quelques illusions sur le cosmopolitisme, nous maintenons l'intégrité du *Sublime*.

Le Sublime nous a valu l'honneur d'être appelé par le premier président républicain, M. Jules Grévy, à diriger la mairie du XIe arrondissement.

Ce généreux et laborieux arrondissement, que nous avons administré pendant plus de trois années, comprend deux cent dix mille habitants, dont les sept-huitièmes des électeurs sont des travailleurs manuels.

Nos observations y ont été nombreuses et donnent quelque valeur à nos appréciations. Pour ceux qui connaissent Paris, ils seront de notre avis que l'observatoire était bien choisi.

Ecrit en 1869, *Le Sublime* n'a paru que dans le commencement de 1870. Sedan tombe sur la France comme un coup de foudre, le 4 Septembre vomit l'empire, et le peuple proclame la IIIe République qui subit la guerre, le siège, la Commune, l'Assemblée nationale réactionnaire. Enfin, l'avènement de la République, *de fait,* par la nomination à la présidence de M. Jules Grévy.

C'est après cette période douloureuse d'une part, et consolante de l'autre, que nous allons, en 1887, examiner la situation du travailleur.

En 1869, nous signalions la marche ascendante du *sublimisme.* Maintenant, non seulement elle est enrayée, mais elle décroît. Oui, voilà le fait heureux que notre expérience et nos observations nous ont permis de constater.

Toutes les écoles créées depuis la fameuse loi sur l'enseignement ont amené un changement considérable. Dans le XIe arrondissement, c'est ainsi qu'en 1870 sept mille enfants fréquentaient les écoles, tandis qu'aujourd'hui il y en a plus de vingt mille. Malgré ce chiffre, beaucoup d'enfants attendent encore leur admission. Les places sont insuffisantes.

Le nombre de conscrits illettrés a diminué de quatorze pour cent depuis 1870.

Pour le travailleur, il y a eu du changement. Toute la famille lit. Aussi le matin, en revenant des provisions, la femme étale le journal sur le pain de quatre livres : pour le corps et pour l'esprit, ce qui fait notre joie, car nous sommes convaincu que c'est par l'instruction que l'on établira l'équilibre dans les cerveaux.

Le peuple aujourd'hui lit beaucoup. Nous devons ce fait heureux à l'école, à la petite et à la grande presses, à tous ces cours si suivis aujourd'hui ; nous pouvons dire que « les vêpres républicaines sont fondées ». L'élan est donné, les résultats sont déjà tangibles. Nous sommes à la veille de constater les effets de la bonne lumière que le gouvernement de la République répand à pleines mains, à l'avidité des citoyens.

Il y a vingt ans, où allaient, que faisaient les travailleurs ? Où étaient ceux qui remplissent les cours de la polytechnique, de la philotechnique de la jeunesse française (il y a plus de quarante cours au XIe arrondissement), où étaient ceux qui assistent au cours du soir, ou qui bondent les salles de conférences ? Presque toujours ils allaient s'intoxiquer devant le comptoir des assommoirs.

Aujourd'hui, constatons avec plaisir le grand mouvement

des bibliothèques municipales et populaires. La légion des travailleurs qui les fréquentent est une preuve qu'il y a du nouveau dans les mœurs populaires. Oui, la vraie révolution se fait.

L'ouvrier se grise moins qu'il y a vingt ans. Par contre, il s'empoisonne et se tue plus vite. Le marchand de vin se laisse remplacer par le distillateur, ce chimiste populaire. L'absinthe a le pas sur la mixture qu'il décore du nom de vin. Le travailleur glisse sur cette pente fatale, sans faire le moindre effort pour s'en affranchir. Cependant l'expérience est faite.

Les sociétés de consommation prouvent que les moyens en sont faciles et économiques.

Les laboratoires municipaux seront impuissants devant les trucs des rapaces de l'alimentation populaire.

L'ouvrier parisien de 1887 a une certaine recherche dans sa tenue qu'il n'avait pas, il y a une vingtaine d'années. Il pratique davantage l'hygiène du corps. Il y a un changement considérable. Lors du tirage au sort du XIe arrondissement, nous avions mille quatre cents conscrits dont pas un n'était ivre ; et cinq ou six, au plus, avaient des blouses. Cette tenue si digne nous avait frappé.

Le livre *Le Sublime* a été de quelque utilité pour la création d'écoles professionnelles, en province et à Paris [1]. Il a été aussi consulté par plusieurs de nos maîtres en littérature [2].

L'installation de la IIIe République a été laborieuse. Aussi a-t-on négligé la réorganisation des conseils de prud'hommes ; d'autre part, les travailleurs sont encore à l'école primaire. Après l'école secondaire et supérieure, ils marcheront rapidement dans la création des sociétés coopératives de production, et dans la prévoyance, en pratiquant l'assurance de l'avenir, en constituant Les Invalides du travail. Constatons cependant qu'un certain nombre de sociétés coopératives sont en pleine voie de prospérité ainsi que plusieurs banques populaires.

Seuls les syndicats ont bien marché. On peut dire qu'à

---

1. Lire le rapport de M. le conseiller municipal Beudant sur la création de l'école d'apprentissage de la Villette (école Diderot).
2. M. Emile Zola dans son *Assommoir,* par exemple.

Paris presque toutes les parties industrielles sont syndiquées ; de plus, un groupe de syndicats, environ une centaine, en parfaite communion d'idées, se sont organisés sous le titre de Chambres syndicales ouvrières de France ; ils possèdent un journal : *Le Moniteur des syndicats ouvriers,* dans lequel, sans abdiquer aucune des revendications légitimes du travailleur, ils élucident avec une clarté et un bon sens qui leur fait honneur les questions qui intéressent la classe laborieuse.

Les syndicats sont à la fois la forteresse pour résister aux exploiteurs et l'école d'où sortiront les initiateurs des sociétés coopératives de consommation et de production.

Si les syndicats avaient existé depuis longtemps, et pour toutes les parties, est-ce que nous aurions eu l'agitation des garçons marchands de vin ? Est-ce que ce n'est pas par leur propre syndicat que les placements devraient se faire ?

Demandez à un patron (lisez exploiteur) d'une partie syndiquée s'il oserait se permettre de toucher à un règlement ou à un tarif librement consentis. Il vous répondra non. La grève et la solide union aidant, il faudrait capituler.

Ce sont les syndicats qui tueront les grèves ; ce sont eux surtout qui éclaireront les travailleurs sur la solidarité étrangère, toujours intéressée. Demandez, à ce sujet, des renseignements aux ouvriers de Limoges, aux chapeliers de Paris, etc.

Nous le répétons : les syndicats sont la puissance qui doit trancher le nœud gordien social. Nous félicitons les courageux citoyens qui travaillent hardiment à leur développement.

La république a de rudes adversaires à combattre, à surveiller et à maintenir : *les noirs et les rouges.*

Les noirs sont de beaucoup les plus nombreux et les plus dangereux. Ils voient le pouvoir leur échapper. Ils se défendent comme des désespérés. Contrairement aux rouges, ils travaillent dans l'ombre. Au lieu de prêcher la socialisation, ils veulent la soumission. Ils sont riches et puissants, et c'est une armée admirablement disciplinée. Beaucoup de meneurs occupent les plus hautes fonctions de l'Etat et une grande partie des places administratives du gouvernement républicain. Leurs agissements sont secrets. Ils soutiennent de leurs ressources les écoles congréganistes ; ils enrôlent des travailleurs pour leurs conférences et cercles catholiques. Ils fondent des banques populaires et d'épargne. Ils organisent des écoles supérieures pour remplir les fonctions supérieures de l'Etat. Ils ont le bras long, comme dit le peuple. Nous pensons qu'il serait bientôt temps de le leur raccourcir. Ils ont de puissants moyens d'enrôlement. Les sociétés de Saint-Vincent de Paul, de Régis, etc., travaillent activement la classe laborieuse. Ils protègent et soutiennent leurs adhérents en échange de leur soumission.

Il avait été question de créer une cinquantaine de lavoirs catholiques avec pouponnières dirigées par des sœurs. Nous ne savons où en est ce projet. Mais, ce que nous comprenons, c'est le grappin posé sur la femme du travailleur. L'embrigadement se fait sur une grande échelle dans le reste de la France. Les indépendants de ce grand parti ne se gênent pas de dire *qu'ils feraient une pâtée des républicains pour donner à leurs chiens* et que le jour où ils pourront tordre le cou à la Gueuse (lisez république) ils ne se gêneront pas.

Soyez persuadés que, si leurs prédictions se réalisaient, ils ne laisseraient aucun républicain occuper une place, fût-elle la plus minime. Certes, la république est au-dessus de leurs atteintes. Mais nous trouvons qu'elle est trop bonne fille pour ses adversaires.

Les rouges sont à peine quelques milliers, mais ils se remuent comme dix mille. Il n'y a rien de secret pour eux. Ils font marcher de front la discussion et le *coup de tampon*. Plus ils font parler d'eux, plus ils sont contents : le bec, la plume et le poing, voilà leurs instruments de travail.

« Les rouges sont ceux qui, avant d'être Français, sont socialistes et citoyens du monde, dont le devoir est de sonner le tocsin révolutionnaire qui appelle les serfs de la féodalité capitaliste à la conquête de l'égalité sociale [3]. »

Contrairement aux noirs, ils se sont divisés en plusieurs sectes, et chacune d'elles a un mouvement perpétuel différent à soumettre au peuple pour faire son bonheur.

Voici la liste des différentes sectes qui s'intitulent l'avantgarde de la république :

1. Les collectivistes possibilistes, « qui veulent que la

---

3. *Répertoire des réunions publiques.*

production se fasse en commun — les nécessités économiques le veulent ainsi —, mais les jouissances resteront personnelles, pour sauvegarder la liberté individuelle » (François Vidal).

Les possibilistes, pour réaliser leur rêve, veulent utiliser les lois actuelles, ne demandant rien à la force brutale.

2. Les collectivistes révolutionnaires (même programme que ci-dessus), mais réclament la révolution : la solution par le fer et le feu.

3. Les communistes, qui veulent « que la production soit faite en commun, et la répartition par parts égales ».

Parmi eux, il y a encore deux nuances : les autoritaires et les libertaires. La solution par la violence aurait la majorité.

4. Les anarchistes ; ceux-ci ne veulent pas de lois, pas de chefs et, dans les réunions, pas de président. Tous, cependant, accepteraient la puissance de l'Etat pour mettre en mouvement leur système.

5. Les anarchistes incandescents, genre de la Panthère des Batignolles. On s'empare du bien d'autrui, torche et couteau à la main, et l'on porte sur son livre de crédit « restitution ». On appelle ce dernier genre « la propagande par le fait ».

Nous comprenons les émotions légitimes du public devant la propagande par le fait. C'est un cas exceptionnel qui a été glorifié par la secte.

La répression des crimes de droit commun est assurée, ainsi que l'ordre dans la rue. Nous n'en appelons pas moins la vigilance de l'Etat sur les deux adversaires car, à côté des convaincus rouges, qu'ils le reconnaissent ou le nient, il se glisse des individus qui sont alimentés soit par la bourse allemande, la bourse cléricale, la bourse bonapartiste, la bourse des alpagas (lire d'Orléans) et autres.

La tactique des révolutionnaires est connue : agitation permanente ; tous les moyens sont bons : grèves, élections, cours d'assises, prêcher la haine du patron, etc. Malgré tout, les prosélytes n'accourent pas.

Nous tenons à citer un fait pris parmi beaucoup d'autres. Il montrera la sérieuse évolution des ouvriers et la valeur des théories collectivistes, révolutionnaires ou non.

Les syndicats des métallurgistes de Nouzon, des métallurgistes et des brossiers de Charleville, des ardoisiers de Fumay adressent au *Petit Ardennais* la protestation suivante :

« Considérant que, si les citoyens J.-B. Clément, Allemane et leurs comparses, ainsi que le prétend *Le Courrier des Ardennes,* sont venus nous prêcher des idées de groupement, de solidarité, que nous nous sommes empressés de mettre à profit, nous n'avons jamais entendu les suivre sur le terrain de l'anarchie et de la violence.

« Nous, soussignés, agissant au nom des chambres syndicales plus haut désignées, protestons énergiquement contre les insinuations du *Courrier des Ardennes* qui voudrait nous rendre responsables des faits qui se sont récemment passés à Nouzon.

« Les chambres syndicales n'ont, en effet, qu'un seul but : c'est d'user des moyens que leur donne la loi pour se grouper, s'unir, défendre leurs intérêts, et nous protestons encore et protesterons toujours contre les moyens sauvages qui consistent à employer la violence et se terminent par l'effusion du sang.

« Encore une fois, de tout cœur, de toute notre énergie, nous répudions ces moyens [4]. »

Il n'y a pas de commentaire à faire.

A Paris, le nombre des travailleurs prêts à signer cette protestation est énorme. C'est cette masse qui, réunie au petit boutiquier, au petit industriel, au petit commerçant, à l'ouvrier en chambre, aux employés intelligents, que nous désignons sous le nom de *rez-de-chaussée,* parce qu'ils habitent généralement le rez-de-chaussée des maisons, c'est cette masse qui forme la majorité électorale de Paris. Majorité républicaine, ardente, prête à soutenir toutes les réformes sérieuses.

Les progrès que nous avons faits depuis 1870, c'est le rez-de-chaussée qui les a conquis, c'est lui qui s'est jeté résolument en travers du 16 mai. Devant son attitude énergique, on a dû se soumettre le vote à la main. Il a reconquis, par son

---

4. Extrait du *Ralliement* du 1ᵉʳ février 1887.

admirable discipline, la république compromise et menacée. C'est lui qui assure l'avenir de la république et la tranquillité. Il n'y a rien de possible sans lui, parce qu'il est la colonne vertébrale de l'opinion publique. Donner satisfaction au rez-de-chaussée, c'est montrer que l'on sait gouverner.

Voici l'un des arguments de nos novateurs socialistes paraphrasant Sieyès. Ils disent : « Le Quatrième état n'est rien, il doit être tout. Le Prussien Lassalle inventa, il y a une trentaine d'années, le Quatrième état, comme représentant le peuple. Il aurait pu ajouter le Cinquième état représentant les sublimes. »

La comparaison n'est malheureusement pas juste. Si le tiers-état, qui n'était rien, voulait être tout, c'est qu'en se substituant à la monarchie il a montré qu'il était de taille à organiser la grande révolution sur les principes indiqués dans les cahiers de 89.

Nous attendons les cahiers de l'organisation de la production en commun et de la distribution par parts égales ou individuelles.

Voulez-vous que nous vous disions où il faut envoyer le quatrième état, en compagnie du cinquième ?

Eh bien, il faut l'envoyer *à l'école* !

C'est la première besogne que les républicains ont faite.

Avec la grande loi sur l'enseignement, ils ont soustrait l'enfant à la rue, cette pernicieuse et détestable école, à l'ignorance et à la rapacité de certains parents par la gratuité et par l'obligation, et aux ministres des différents cultes par la laïcisation.

Ceci est la première étape. L'organisation de l'enseignement primaire doit être suivie de l'organisation de l'enseignement secondaire et supérieur.

Il y a en France environ 10 millions d'électeurs, comprenant ceux qui produisent et ceux qui consomment. En admettant le quart livré à la haute culture intellectuelle, le reste doit être classé parmi la production et l'écoulement des produits. Par conséquent, les trois quarts doivent passer par les écoles professionnelles et de commerce.

Les expériences ont été largement faites.

Il faut s'occuper de faire, pour l'industrie et le commerce, ce que l'on a si bien fait pour les lettres, les sciences et les arts. Il faut créer des FACULTÉS DU TRAVAIL.

Il faut continuer la création d'écoles professionnelles. Nous donnons quelques indications faciles à compléter.

Un élève de l'école Diderot revient à la Ville de Paris à 250 francs par an [5].

Croyez-vous que nous aurions eu le phylloxéra si, depuis une cinquantaine d'années, nous avions eu une école de TONNELIERS-VIGNERONS, de chambertin (à Genevey), de aï, de cognac, de vouvray, de médoc, de montpellier, etc., où chaque élève, en outre de son métier de tonnelier, aurait appris à soigner et à analyser les vins, à traiter la culture de la vigne et ses engrais ?

Nous pensons que le fléau ne nous aurait pas envahis.

L'école professionnelle, voilà la véritable voie, car nous sommes convaincu que le baccalauréat est insuffisant pour faire de bons producteurs.

Pour clore cette longue préface, nous dirons aux Chambres et au gouvernement qui les représente ce que l'on a crié à l'industrie, qui se plaignait de la concurrence : « Changez votre outillage contre un plus perfectionné ; diminuez vos frais généraux et votre main-d'œuvre. »

Il y a des changements radicaux à opérer dans certaines branches ; l'impôt, l'octroi, la justice, l'administration, par exemple.

Il serait banal et fastidieux de citer les réformes nécessaires. Opérez celles sur lesquelles vous serez d'accord, puisque le peuple souverain vous les a commandées toutes à la fois. Commencez par un bout, mais, de grâce, marchez !

Piétiner sur place, en politique, c'est reculer.

Denis POULOT
Manufacturier

Paris, février 1887.

---

5. 100 élèves par an, durée de l'apprentissage trois ans, soit 300 élèves, coûtant 75 000 francs par école et par année. Avis aux conseillers généraux des départements vignobles.

Préface à la deuxième édition (1870)

Une explication

Emettre ses idées dans un livre, quand on le peut, c'est faire acte de civisme ; pour qu'il soit méritoire et digne, il ne faut laisser déformer sa pensée ni par la haine ni par la peur, et encore moins par l'esprit de parti ; il est urgent de laisser parler son cœur et de suivre les déductions de son esprit, sans se préoccuper du reste.

Telle est la marche que nous avons suivie pour écrire *Le Sublime* ; on lui trouvera des défauts, c'est juste, il en a beaucoup, mais il a une qualité, que nous défendrons énergiquement, c'est qu'il a été conçu et fait avec la plus franche sincérité.

Ecrit plus spécialement pour les mécaniciens de Paris, avec lesquels nous sommes en relations depuis plus de vingt ans, notre étonnement a été grand quand nous avons vu la presse et le public accueillir avec un intérêt aussi vif un travail qui ne comptait pas sur un aussi grand succès.

De nombreux encouragements et aussi beaucoup de critiques nous ont été faites. Nous ne nous en plaignons pas, au contraire, nous en profiterons.

Puisque nous devons faire une deuxième édition, nous pensons que l'examen de quelques-unes de ces objections sera utile pour nos nouveaux lecteurs. Pour compléter même notre pensée, une explication est nécessaire.

Quand on lit votre ouvrage, nous ont dit beaucoup de personnes, on éprouve un sentiment pénible ; ces tableaux trop vrais, souvent tristes et quelquefois ignobles vous font une

114

impression décourageante qui laisserait croire plutôt à un réquisitoire qu'à une analyse. On se demande s'il était bien nécessaire de détailler tous ces vices avec autant de développements. Pour atteindre le but, l'auteur n'a-t-il pas écouté et suivi les mauvaises inspirations que dictent souvent de légitimes ressentiments ; ou, pour être plus catégorique, la haine n'a-t-elle pas pris la place de sa raison ?

Nous avons fouillé, ouvert à plein couteau toutes les plaies, les pustules de ce corps qui se décompose, nous vous l'avons présenté tel qu'il est, rien de plus. Vous ne le croyiez pas aussi avancé, vous pensiez qu'il était moins atteint. Quand vous le regardez il vous fait peur. Ah ! tant mieux s'il vous épouvante. Oh ! prenez garde, c'est épidémique et très contagieux, le sublimisme : réfléchissez qu'il vous touche, vous aide et vous sert tous les jours ; il n'y a pas de temps à perdre, courez à la pharmacie, il faut à tout prix le guérir pour vous préserver vous et les vôtres. Ce n'est pas une question de fraternité, c'est une question de sécurité, impossible de l'isoler, ni de le fuir, il faut vivre avec lui, il vous suivra partout.

Si notre travail vous produit cet effet, nous sommes bien récompensé et la moitié de notre but est atteint. Car le jour où tous diront : « Il faut le guérir, on le guérira », devant un pareil résultat, nous n'avons rien à regretter.

Vous croyez donc que cette repoussante impression nous ne l'avons pas éprouvée ? Oh ! si ! la main tremblait, le cœur souffrait, tenaillé par ce hideux réalisme. Mais la raison, ce grand et puissant régulateur, nous disait : quand on ose passer devant les grandes assises de l'opinion et qu'il faut soumettre à son sévère jury une partie du dossier nécessaire pour juger l'immense cause, nous devons la vérité, toute la vérité, mais rien que la vérité. Plus de sous-entendu, plus de huis-clos, ni faveur ni privilège, la pierre infernale sur toutes les plaies. Grande souffrance, c'est possible, mais qui sera bienfaisante ; le scalpel et l'acide phénique sur tout ce qui nous ronge ; peu importe les cris et les grincements de dents, la santé est au bout.

Oui, voilà le grand levier qui nous a fait marcher, nous vous l'affirmons ; si vous ne voulez pas nous croire, c'est que nous l'avons mal dit, voilà tout.

Vous dites que la première partie de notre ouvrage est un acte d'accusation, sans vous occuper de la défense.

Nous vous répondrons : accuserez-vous donc le fiévreux des marais Pontins parce qu'il est débile, étiolé ? Blâmerez-vous aussi le voyageur qui, dans ses récits, vous le montrera dépérissant, ruiné, par ces miasmes délétères qui tuent son corps et son âme ? Non, c'est impossible, ce qu'il faut c'est drainer ces eaux croupies, seules causes du mal ; il a besoin, ce malade, de cette nourriture saine qui rend fort, et, au lieu de récriminer sur le misérable état du sujet qu'on ne doit ni dissimuler, ni cacher, et dont il est impérieux de s'occuper résolument, il faut reporter son indignation sur la cause et non sur l'effet.

Non, vous n'êtes pas justes si vous ne voulez considérer que la première partie sans tenir compte de la seconde, où la revendication de la grande place que doit prendre le travailleur dans le siècle des solutions est plaidée avec une énergie et un courage qui justifient les parties écœurantes du commencement. Ni petits, ni grands, ni faibles, ni forts, sus à tout ce qui nous empêche de marcher ; les gens de cœur sont avec vous, comme nous l'écrivait un de nos braves amis, qui lutte vaillamment dans l'administration contre ce scandaleux népotisme qui ne tend à rien moins qu'à éteindre toutes les intelligences et à décourager toutes les activités.

Notre conscience nous le dictait : on obéit toujours à cette souveraine quand on possède la parfaite indépendance. Vous pensez que nous avons mis dans les mains de la bourgeoisie satisfaite et implacable une arme contre les travailleurs ! Mais elle ne peut y toucher sans se blesser. Tranquillisez-vous, le jour où elle voudrait s'en servir, elle se mutilerait. Si elle veut frapper quelque chose, qu'elle frappe sa poitrine et qu'elle dise *mea culpa* ; voilà mon œuvre. Car on est responsable du mal qu'on peut empêcher.

Alors, pourquoi ne pas avoir consacré un certain nombre de chapitres à cet autre sublimisme : LA VENTROCRATIE ? Le mal de l'un ne guérit pas le mal de l'autre, des développements trop considérables nous auraient poussé au-delà des limites que nous nous étions tracées. Un pareil sujet nécessiterait une étude spéciale.

Examinons les critiques faites sur la deuxième partie qui est la plus difficile et la plus discutable.

Nous devons auparavant noter une observation qui a bien sa valeur. Ainsi nous avons remarqué que toutes les personnes étrangères aux travailleurs ont été plus frappées par les tableaux et les révélations de la première partie que par les moyens et les conclusions de la seconde ; certaines même, surtout les savants dans la science sociale, ont laissé de côté nos considérations et ont porté toute leur attention sur le mal. Par contre, les travailleurs n'ont voulu voir que la seconde, qui, certes, est la plus intéressante pour eux. Les ouvriers trouvent la première vraie, mais inutile, les sublimes en rient et renchérissent sur les faits. A ceux qui pourraient mettre en doute la vérité de nos récits, nous dirons que nous avons aujourd'hui des anecdotes plus repoussantes et en si grand nombre qu'un volume ne suffirait pas pour les classer, et toutes affirmées et racontées par les sublimes. Un de nos amis, industriel parisien, réunit un dimanche les travailleurs, leur lut une dizaine de chapitres du *Sublime*. Après chaque fait, il revenait quatre ou cinq anecdotes du genre de celles qu'il venait de lire. Il les a mises à notre disposition. Elles pourront nous servir pour répondre à ces esprits chagrins et de parti pris qui taxent notre analyse d'absurde et fausse. D'autres, soi-disant amis du peuple, mais moins exclusifs, nous disent que toute vérité n'est pas bonne à dire. Nous pensons que celle-là, plus que toute autre, doit se dire. Devons-nous faire comme l'autruche qui cache sa tête derrière un arbre pour se dissimuler le danger ? Non, il faut le regarder hardiment en face, le colleter et faire tous ses efforts pour le terrasser.

Nous avons reçu de graves reproches pour nos réflexions politiques. Il faudrait supprimer ce chapitre, nous disait-on, le lecteur ne doit pas connaître l'opinion de l'auteur. Comme nous n'avons jamais été à l'école de la dissimulation, nous nous sommes contenté de sourire.

Les critiques et les dénégations ne nous ont pas manqué au sujet des syndicats, des prud'hommes, des assurances et surtout sur les associations. Quant au chapitre « L'Avenir », c'est une utopie, dit-on. Mais tous ont été d'accord sur celui des « Apprentis », ce point capital, culminant de notre travail ;

oui, sur ce sujet, les approbations ont été nombreuses et sans restrictions.

Certes, on peut trouver d'autres solutions peut-être meilleures et plus applicables que les nôtres, c'est possible ; mais devant cet axiome social : PLUS D'APPRENTISSAGE DANS LES ATELIERS, il faut l'appliquer puisque nous sommes tous d'accord. Nous nous y cramponnons comme après une corde de sauvetage ; nous avons plus que notre profonde conviction, nous avons des preuves indiscutables pour prouver son efficacité.

Pour résoudre le problème social, il est nécessaire, comme disaient nos orateurs des réunions publiques, d'avoir des UNITÉS SOCIALES, c'est-à-dire des hommes possédant : le *savoir,* la *moralité* et les *aptitudes,* ou, en d'autres termes, instruction, éducation et application des devoirs et droits du citoyen. Nous vous démontrons que vous pouvez les former à l'école professionnelle, mais... il n'y a pas de mais possible devant les résultats.

La lecture de notre travail vous démontre victorieusement que cette inquiétante démoralisation, que ces insuccès dans les solutions proviennent de ce manque d'*unités sociales.* Pour nous servir d'une métaphore sublimiste qui dit que la société actuelle est un triangle isocèle dont la base est bien petite et représentée par le travail, les deux trop grands côtés, l'un par les privilèges et l'autre par le capital, nous dirons que, pour développer cette base, il ne faut plus faire d'apprentissage dans les ateliers.

Tenez, prouvez-nous, par exemple, que le compagnonnage, débarrassé de ses rivalités insensées et étendu à tous les travailleurs, peut remplacer les syndicats ; montrez-nous une meilleure institution que les prud'hommes, où les travailleurs seront jugés plus directement par leurs pairs ; démontrez-nous que les solutions sociales par la participation des travailleurs dans les bénéfices, comme dans le système inauguré par M. Leclair, ou par celui mis en pratique par la maison Borchert de Berlin, moyens qui, à un moment donné, rendront le travailleur professeur, valent mieux que les associations ; donnez-nous les statuts d'une grande assurance qui mettra le travailleur à l'abri de tout à la fois, des maladies, des accidents, et assurera ses invalides avec une cotisation possible et une administration à bon marché ; prouvez-nous que ce que vous nous proposerez est préférable à ce que nous avons préconisé, et nous nous rangerons de votre avis, et nous nous ferons les défenseurs et les propagateurs de vos moyens.

Mais devant l'*apprentissage dans les ateliers* nous sommes implacables, nous n'en voulons à aucun prix, nous avons une montagne de preuves pour vous écraser.

Est-il besoin de parler des invectives, même des insultes qui nous ont été faites par quelques *fils de Dieu* exaspérés et des menaces de certains *sublimes des sublimes* trop bien photographiés ? Non, quand on a trente-neuf printemps sur la physionomie et qu'on connaît les individus, on passe l'éponge de la tolérance sur ce fiel, car, dans une aussi grave question, il faut discuter et non disputer.

A vous, lecteurs, de juger ; vous avez le dossier en main, ayez le courage de le lire jusqu'au bout pour en bien connaître toutes les pièces.

Dans une pareille question, les idées sont tout, les hommes rien, c'est pourquoi nous sommes toujours.

D. P.

1er juillet 1870.

119

Préambule

Fils de Dieu, *créateur de la terre,*
Accomplissons chacun notre métier.
Le gai travail est la sainte prière.
Ce qui plaît à Dieu, c'est le sublime *ouvrier.*

Refrain modifié et chanté par les sublimes.

Nous avons écrit en tête de ce travail l'énigme posée par la nécessité au XIXᵉ siècle : QUESTION SOCIALE. Le terrible sphinx qu'on nomme le peuple en attend patiemment la solution du génie humain.

Un grand problème difficile, peut-être redoutable, est à l'ordre du jour, il est impérieux, pressant et posé aujourd'hui d'une façon qui demande une solution non pas violente, instantanée, mais étudiée et réfléchie.

C'est la question du travail et des travailleurs.

Immense question, question majeure de ce siècle démocratique dans lequel elle prend sa grande place.

Il n'est donné à personne d'éviter, d'ajourner, de tourner cette difficulté.

Quels sont les moyens, nous en signalerons d'urgents, de possibles et d'efficaces.

Quelle en est l'entrave principale ? *Le sublimisme* [1].

C'est donc dans le travail qu'est la base de la solution du formidable problème. Il peut se diviser en deux genres, le travail agricole et le travail industriel. Nous ne nous occuperons que de ce dernier que nous connaissons, convaincu qu'à quelques variantes près ce que nous en dirons peut s'appliquer à l'autre.

-----

1. Quelques pages plus loin, on sera édifié sur la valeur de ce mot.

Depuis quelque temps la difficile question est de nouveau mise à l'étude d'une manière très active ; des esprits éclairés et très instruits, soit dans les livres, soit dans les journaux et aux tribunes publiques, recherchent les moyens de résoudre cette grave difficulté.

Toutes ces brillantes théories, toutes ces sérieuses définitions ne sont certes pas inutiles, mais elles sont beaucoup trop platoniques pour donner les résultats palpables, moraux et matériels qui sont impérieusement réclamés, et qu'il faut obtenir en respectant l'équité.

Il faut quitter ces conversations avec les sommets élevés [2], pour entrer dans celles de la pratique.

Les philosophes, les économistes, les écrivains parlent du travail avec imagination et sentiment, quelquefois avec justice, généralement avec esprit, nous ajoutons : rarement avec une sérieuse connaissance du sujet.

L'activité, la passion même apportée dans l'examen de ce grave problème : LE TRAVAIL, ont frappé l'imagination et appelé les profondes réflexions de certains esprits ardents qui s'intéressent à sa solution et qui vivent depuis longtemps dans le travail manuel ; en un mot, les travailleurs dans l'acception élémentaire du mot.

Nous sommes un de ces travailleurs-là.

Nos idées, notre manière d'envisager la grave question pour laquelle nous nous croyons particulièrement compétent ne peuvent être suspectées ni d'orgueil, ni d'aspirations malhonnêtes. D'abord parce que nous conservons l'anonyme et que notre personnalité importe peu, ensuite parce que nous vivons depuis plus de vingt ans dans le travail, comme ouvrier, contremaître et patron, et que, si nous nous sommes assuré l'avenir, nous le devons au travail et rien qu'au travail. Quand un homme se croit heureux, cette persuasion ne peut lui être suggérée que par des sentiments honnêtes, loyaux et sincères.

Oui, nous nous sommes senti assez osé pour aborder, par le livre, un aussi grave sujet, pour donner notre avis sur la plus formidable question du siècle ; nous qui n'avons pas reçu l'instruction nécessaire pour exposer nos idées dans le langage

---

2. Expression de M. Edgar Quinet dans *La Création*.

correct des écrivains, nous nous sommes senti raffermi et encouragé par cette pensée que, si les écrivains de profession possèdent le style et la manœuvre de la phrase, ils n'ont pas, dans une question aussi capitale, la principale condition pour la bien discuter, l'EXPÉRIENCE. Car combien peu d'écrivains ont vécu dans les ateliers, combien peu sont descendus dans les milieux dégradants où le mal s'élabore, où les mœurs se forment, où les travailleurs se corrompent !

Notre travail n'est donc que la conséquence d'une longue pratique, pendant laquelle nous avons recueilli les documents nécessaires pour cet ouvrage ; et nous tenons à les exposer pour éclairer ceux qui apportent leur concours à la solution désirée par tous.

Les moyens que nous réclamons n'ont rien d'absolu, ils sont le résultat de sérieuses observations des faits et des choses pratiques ; nous les avons signalés, parce que nous y avons la foi la plus profonde et que nous croyons sincèrement à leur efficacité.

Ce n'est donc pas un système que nous proposons, mais un ensemble de mesures que nos législateurs doivent prendre et les travailleurs adopter pour arriver à la régénération, motif de l'agitation qui remue la France depuis longtemps, et qui pourrait se compliquer d'une façon terrible si, au lieu de chercher par tous les moyens possibles à en faciliter la solution, on pensait que le dernier mot serait dit en l'étouffant.

Lamartine, donnant un conseil à un débutant dans les lettres, lui disait : « Ecris avec ton cœur. » Bon conseil que nous suivrons.

Mais, pour élucider une pareille question, il faut autre chose que du cœur et même de l'imagination, il faut, avant tout, de l'expérience.

Le médecin est souvent forcé, pour amener la guérison, de sonder des plaies hideuses. Dans cet examen, nous serons, nous aussi, obligé de dire et d'exposer des choses d'un goût problématique ; nous le devons pour la vérité, ensuite pour conserver le cachet spécial qui caractérise sans ambages les faits et les gestes de nos sujets.

Si ce langage est moins que fleuri, il est énergique ; nous le donnerons dans sa crudité, car la langue académique n'a pas d'expression pour traduire cette espèce de langue verte ; nous pensons qu'on nous en saura gré, car il y a un certain courage à dire et à écrire certaines choses.

Le langage du milieu dans lequel nous vivons depuis si longtemps a même déteint sur nous ; aussi prions-nous les personnes qui auront le courage d'examiner ce travail de vouloir atténuer les duretés, les brutalités même du style, et de ne considérer que les faits et les idées qui sont émises.

Pendant plus de vingt ans, nous avons collaboré avec dix mille travailleurs comme compagnon [3] et comme chef. Ce long stage nous a permis d'étudier la question sociale.

Malgré tout ce qu'il peut y avoir de pénible à retracer des scènes d'un réalisme honteux, dégoûtant, on se dit : il le faut. Quand une question comme celle du travail est à l'ordre du jour, il faut étudier avec soin le mal qui pourrait la faire échouer.

La première condition, pour guérir un malade, c'est de bien connaître son tempérament, les causes, les ravages, les progrès de la maladie. Eh bien, pour combattre et guérir la lèpre qui afflige le corps des travailleurs, il faut la connaître à fond.

Tel sera le sujet de la première partie de ce travail, qu'un mot que nous trouvons dans le dictionnaire résume parfaitement : DIAGNOSTIC PATHOLOGIQUE [4]. Ainsi, elle aura pour but la photographie, l'exposition exacte de l'état morbide actuel de la classe laborieuse.

On peut discuter, repousser tel ou tel remède, douter de l'efficacité de telle ou telle mesure, mais, en présence du mal, il faut se rendre à l'évidence, il faut s'incliner devant la vérité.

Notre deuxième partie s'occupera du traitement. Ces expressions de médecine, appliquées à la question sociale, pourront nous amener, de la part des *loustics gaulois,* le titre d'*empirique*

---

3. Ne pas prendre ce mot dans le sens qu'il a dans le compagnonnage. Dans un atelier on dit d'un travailleur quelconque : c'est un compagnon.
4. On nous excusera si nous nous servons d'un aussi gros mot. Nous n'avons pas l'habitude de l'employer, mais il exprime trop bien notre pensée pour que nous refusions de l'emprunter à la langue médicale.

social, nous l'accepterons, parce que tout ce que nous avancerons est fondé sur l'expérience.

Nous n'avons aucune prétention, nous avons approfondi les institutions actuelles, nous avons jugé les résultats, nous en avons tiré les conséquences moralisantes et matérielles qu'on peut en obtenir, en les développant et en les modifiant.

La première pensée qui viendra au lecteur, en lisant le titre, est celle-ci : pourquoi *sublime* ? Que signifie ce refrain du *Travail plaît à Dieu* modifié ?

Le voici : nous dirigions un établissement à Belleville (ce centre *sublimiste* par excellence) ; deux *vrais sublimes,* anciennes *grosses culottes,* fatigués du comptoir, se mirent en quête de travaux ; après trois ou quatre *tournées de vitriol* [5], pour se donner de l'aplomb, ils vinrent nous trouver.

L'un nous dit :

« C'est vous qu'êtes le *contre-coup de la boîte* [6] ?

— Oui, citoyen.

— Embauche-t-on là-dedans ?

— Pour le moment, nous n'avons besoin de personne. »

L'autre, d'un air familier, nous dit :

« Voulez-vous prendre un *canon* [7] ?

— Merci, nous ne prenons rien entre nos repas.

— Arrivez donc, ce sera un *canon* de la bouteille [8].

— Nous n'avons pas soif, c'est inutile. »

Le premier, vexé, lui cria :

« Offre-z-y donc un gloria, imbécile !

— Nous vous répétons que nous ne prenons rien, et si nous avions cette envie, ça ne sera pas avec des hommes soûls. »

Cette réponse provoqua une explosion d'injures :

---

5. Tournée d'eau-de-vie.
6. Le contremaître de l'atelier.
7. Verre de vin.
8. Il y a du vin au litre et du vin à la bouteille ; ce dernier est meilleur.

« T'es t'un *mufe,* c'est pas toi qu'a ch... levé la colonne, espèce d'*aristo, bon à rien,* va donc, *rapointi de ferraille* [9], tu ne sais pas, *triple muselé,* que ce qui plaît à Dieu c'est le SUBLIME ouvrier ? »

Ce ton et ces gestes dramatiques nous firent pousser un immense éclat de rire qui termina la discussion et nous répétâmes : voilà bien le SUBLIME ouvrier.

Le mot était trouvé, instinctivement. Quand un ivrogne venait nous demander des travaux, nous nous disions : bon, voici encore un *sublime.* Nous en prîmes tellement l'habitude que le mot fut admis, et nous l'avons pris pour titre de notre travail. On ne dit plus en parlant d'un travailleur d'ordre, de conduite, c'est un bon ouvrier, et du paresseux, violent et ivrogne, c'est un mauvais ouvrier, on dit de l'un c'est un *ouvrier,* de l'autre c'est un *sublime.*

De là *sublimisme,* lèpre capitale qui ronge la classe laborieuse ; nous ajoutons : la terrible maladie atteint bien un peu toute la société.

Le poète, dans son admirable refrain, dit que « le travail est la sainte prière qui plaît à Dieu, ce sublime ouvrier [10] » : c'est une erreur ; pour un certain nombre de travailleurs, c'est le SUBLIME ouvrier qui plaît à Dieu, consolation qu'ils se donnent gratuitement. Nous voilà donc bien fixés sur l'origine du mot et sur sa valeur.

Pour bien approfondir et bien juger une aussi grave question, nous avons dû diviser les travailleurs en huit types différents qui sont :

1. l'ouvrier vrai

2. l'ouvrier

3. l'ouvrier mixte

4. le sublime simple

5. le sublime flétri et descendu

---

9. Le *rapointi* est une broche faite avec le déchet de fer ; les apprentis forgerons commencent par faire des rapointis.
Mufe : voir note 3 du chapitre 1, p. 137 (*N.d.E.* — 1980).
10. Dans le chapitre « Le Chansonnier des sublimes », nous donnons *Le travail plaît à Dieu,* de Tisserand.

6. le vrai sublime

7. le fils de Dieu

8. le sublime des sublimes.

Les trois premiers types constituent les ouvriers en général. On sait ce que nous voulons dire, par ce qui est écrit plus haut.

Les trois suivants, le *sublimisme* sale, dégoûtant, brutal, grossier, ignorant, instinctif et bestial.

Les deux derniers, le *sublimisme,* avec une certaine dose d'instruction, même d'éducation ; l'intelligence au service de théories souvent absurdes, toujours autoritaires ; une activité, une énergie employées à la démolition et non à la création ; par-dessus tout, une conduite qui est la négation des libres, fraternelles et égalitaires formules de ces violents apôtres.

On pourra toujours ramener un travailleur à l'un de ces types, ce qui nous permettra d'éviter la confusion.

Une fois nos types classés, nous les suivrons dans l'atelier, chez le marchand de vin, dans leur intérieur ; en un mot, nous vous les montrerons dans leur vie privée et dans leur vie extérieure.

La photographie du « Patron sublime » exposera les tristes conséquences obtenues par cet auxiliaire du *sublimisme.*

Le chapitre des « Grosses Culottes » et son complément nécessaire, « Les Célébrités de la mécanique », nous démontreront les merveilleux effets de la gloire.

Dans celui du « Marchand de vin et du marchand de sommeil », vous pourrez juger des résultats moraux et physiques que le travailleur puise dans ces milieux.

« Une séance au Sénat » et « Une visite à la mine à poivre » compléteront les concluants arguments propres à fixer votre jugement.

Nous suivrons le travailleur dans son intérieur, et le chapitre « La Femme du travailleur » n'est pas le moins émotionnant.

« Les Ficelles » employées par les *sublimes,* « Le Chansonnier des sublimes » et « Le Chômage » termineront la première partie, qui sera suivie d'un « Tableau comparatif » des types et des spécialités qui composent l'ensemble que nous avons examiné.

Nous ne nous sommes occupé que d'une partie, la mécanique ; que d'un travailleur, le travailleur parisien ; pour la
raison capitale que nous la connaissons mieux que les autres.
Nous pensons que juger une partie qui représente environ le
septième [11] de la population laborieuse de Paris c'est juger
l'ensemble.

La marche ascensionnelle du sublimisme depuis vingt ans,
que nous donnons dans ce tableau, provoquera de la part
des hommes sérieux un attentif examen.

Dans ce travail, la première partie sans la seconde n'a aucune signification.

La question politique et la question sociale sont solidaires,
les intelligentes mesures de l'une doivent faciliter et amener la
solution de l'autre.

Dans la deuxième partie nous donnerons, sous le titre de
« Réflexions politiques », quelques développements au sujet
d'institutions qui sont des entraves à la question sociale ; nous
donnerons notre manière de voir sur ce qui concerne la politique en général, nous exposerons ensuite les quelques devoirs
sociaux que le gouvernement doit remplir le plus promptement
possible : le devoir social, capital, pressant, urgent qu'il faut
remplir, non pas demain, mais aujourd'hui, c'est qu'il ne faut
plus faire d'apprentis dans les ateliers : vous verrez pourquoi.
Nous avons traité cette question dans le chapitre intitulé « Les
Apprentis ». Voilà le moyen décisif, sérieux, pour arrêter,
diminuer et détruire l'épidémie qui grandit et que nous
nommons le *sublimisme*.

Plus d'apprentis *sublimes,* mais des apprentis ouvriers. Nous
vous donnerons des preuves indéniables, et l'on sera surpris des
résultats obtenus par les trois écoles professionnelles d'Arts
et Métiers [12] qui existent, dont peu de personnes connaissent
l'importance et dont la grande majorité ne soupçonne même
pas l'existence. En présence de chiffres irrécusables, de noms

---

11. Il faut comprendre toutes les parties qui se rattachent à la mécanique.
12. Nous savons parfaitement qu'il en existe d'autres, nous ne voulons nous occuper que de celles des arts et métiers de Châlons, Angers
et Aix.

par milliers au besoin, et des merveilleux résultats obtenus pendant plus de soixante années de pratique, les peureux, les indécis, les immobiles, qui président aux décisions gouvernementales, ne pourront pas repousser de pareils projets, en les taxant d'utopies, de moyens impossibles.

Nous dirons mieux, nous portons un défi à qui que ce soit de faire une objection d'une valeur réelle aux propositions que nous soumettons au jugement des hommes sérieux, dans notre chapitre des apprentis.

Nous avons à notre disposition plus de dix mille exemples pour les convaincre.

Oui, voilà la cheville ouvrière de la question sociale pour la génération qui nous suit.

Quant aux travailleurs faits qui ne peuvent jouir des salutaires bienfaits de l'école professionnelle, mais que pourront suivre leurs fils, ils trouveront dans « Les Syndicats » la solidarité nécessaire pour l'organisation du travail, la force et la lumière nécessaires pour amener le respect du droit. Ce bienfait leur sera assuré par leur union et par le développement de cette bonne et juste institution : le tribunal par excellence du travail et du travailleur, « Les Prud'hommes ».

Ainsi préparés, ils seront aptes à multiplier les *associations,* cette solution, ce moyen pour atteindre le but, lentement, il est vrai, mais sûrement.

Le travailleur possesseur, voilà la solution.

L'association en est le moyen.

Les préliminaires pour la constituer sont l'union, la solidarité par les syndicats.

Démocratiquement parlant, il est humiliant de dire : ce qu'on donne au travailleur, il aime à le gagner.

Il faut dire : ce qu'on lui doit, il a su le gagner.

Quel en sera le résultat ? Moralité et bien-être.

La devise de tous les travailleurs sera honnêteté et travail.

Car, sans honnêteté, pas de société possible.

Sans travail, pas de bien-être.

Non seulement la possession est l'aspiration légitime de tous les travailleurs, mais elle est la base de cette éducation morale qui fait tant défaut aujourd'hui dans la classe laborieuse.

Il n'y a que des âmes d'élite pour rester droites sous les étreintes effrayantes de cette aranéide monstrueuse qu'on nomme la misère, qui vous suce jusqu'à la dernière goutte de dignité, si elle ne vous pousse au crime.

Les moyens pour arriver à la possession ne sont pas uniques, loin de là, ils sont multiples, infinis ; l'individualisme, le collectivisme, soit de capitaux, soit d'aptitudes, de talents, d'intelligences, tous les moyens, toutes les formes, sont bonnes du moment que le droit et la justice sont respectés et que le but est atteint.

Nous nous inclinerons devant toutes les réussites ; si nous préconisons les associations, c'est que nous croyons que c'est le moyen le plus prompt et le plus certain pour faire arriver le plus grand nombre ; nous le développerons avec d'autant plus de conviction que l'expérience les a sanctionnées par plusieurs succès [13].

Dans notre chapitre, « Les Assurances », nous montrerons les bienfaits, les avantages que le travailleur peut tirer de la solidarité contre les fléaux qui le frappent : la maladie, les accidents et la vieillesse.

Notre dernier chapitre, « L'Avenir », vous dira suffisamment ce que le siècle prochain nous promet du concours du génie humain qui, par ses conceptions, procurera le complément des puissants engins indispensables à la production, et les conséquences morales que ces créations produiront contre la lèpre sociale, le *sublimisme*. Notre programme ainsi posé, nous pourrions commencer nos études. Mais, avant d'entrer dans notre sujet, nous devons poser quelques définitions qui nous seront utiles dans le cours de notre examen.

La *question sociale* est un problème ainsi posé : étant donné le travail, déterminer la plus grande somme possible de bien-être à tous, en respectant le droit et la justice.

Tout individu qui s'occupe de la question sociale, c'est-à-dire du bien-être de ses semblables, est un SOCIALISTE [14]. Les

---

13. Celle des maçons tailleurs de pierre a donné de tels résultats qu'ils paraissent erronés.
14. Le monde se compose de deux espèces d'individus : 1) les égoïstes ; 2) les socialistes.

socialistes de 1870 peuvent se diviser en deux groupes bien distincts. Dans la classe laborieuse :

1. ceux qui veulent que l'Etat soit tout, au détriment de l'initiative individuelle ;

2. ceux qui veulent que les individus soient tout, et que l'Etat soit serviteur.

Dans le premier groupe, on peut placer : 1) les communistes exclusifs, avec leur système de gouvernement, grand moteur transmettant le mouvement à toutes les multiples transmissions, autour desquelles graviteront les individus qui recevront la vie du mouvement providentiel. A la tête, à tout concevoir, tout prévoir, tout procurer. Tout en commun, voire même la femme ; 2) les communistes moins exclusifs, qui font une certaine part à l'initiative individuelle, mais qui font toujours du gouvernement le pivot de toute distribution ; 3) enfin les hébertistes, qui s'intitulent crânement les partisans du gouvernement de la canaille [15].

Le second groupe comprend : 1) les démocrates, qui demandent aux questions politiques l'amélioration des lois, pour faciliter l'épanouissement de tous les systèmes, garantis par la liberté ; 2) les démocrates progressistes [16], les plus nombreux dans la classe laborieuse intelligente, qui demandent la suppression des entraves qui les gênent pour prendre les mesures nécessaires pour s'unir, s'entendre, se grouper, pour arriver par eux-mêmes à la solution de leurs aspirations.

Placez à côté de ces activités cette grosse masse de travailleurs qui ne sait ce qu'elle est, sinon qu'elle souffre. Vous aurez l'ensemble des travailleurs parisiens.

Examinons-les en détail et commençons par l'ouvrier vrai.

---

15. Affirmation fanfaronne pour répondre aux invectives des journalistes de haute et basse domesticité.

16. Ce sont eux principalement qui ont organisé les coopérations d'approvisionnement, de résistance, les syndicats, etc.

Note de l'éditeur (1887) : nous prions le lecteur de ne pas oublier que ce livre a été écrit sous l'Empire.

I

1. L'ouvrier vrai

Généralement quand on parle d'un travailleur, on dit : c'est un ouvrier ; noble titre dans ce siècle où le travail commence à être honoré et considéré.

Mais, malheureusement, les bons étant confondus avec les mauvais, ils portent et partagent une partie de la déconsidération que se sont justement attirée ces derniers.

Il s'agit donc de bien spécifier ce qu'il faut être et faire pour mériter ce titre d'ouvrier.

Trois types nous ont paru nécessaires pour montrer les mérites différents qui caractérisent les bons.

L'ouvrier vrai est le type par excellence, il est le type d'honneur ; voyons ce qui le constitue d'élite.

Le véritable ouvrier est le travailleur qui fait au moins trois cents jours de travail par année.

Qui ne fait jamais de dettes.

Qui a toujours une avance, soit chez lui, à la Caisse d'épargne ou en valeur de bourse.

Qui aime et respecte sa femme et ses enfants, leur consacre tout le temps libre que lui laisse le travail : pas de plaisirs sans sa famille.

Qui, s'il a chez lui soit ses vieux parents, soit ceux de sa femme, les entoure de respect et d'attentions.

Qui concourt autant que son intelligence le lui permet à l'éducation de ses enfants.

Qui cherche à développer son intelligence par de bonnes et saines lectures que son bon sens lui dicte de choisir.

Qui, si un livre coûte trop cher, l'achète par souscription : cela paraît moins dur, et puis il a une montre ou une pendule en plus.

133

Qui ne s'enivre jamais ; se repose le dimanche et travaille le lundi ; si vous ne lui demandez pas à travailler le dimanche, jamais il ne vous le demandera, c'est la fête de la famille.

Si un sublime dit que son patron est un exploiteur, il lui demande : « Si tu étais à sa place, comment ferais-tu ? Si la maison ne te convient pas, va autre part. »

Il a du raisonnement et du bon sens ; il voudrait gagner davantage, mais il sait que la position est la même partout, que, du reste, il a plus de bénéfice à s'attacher à un patron consciencieux qui finira par l'apprécier et lui donnera sa confiance.

Dans le cas d'un travail pressé ou d'une réparation, l'ouvrier vrai travaillera la nuit ou le dimanche aussi consciencieusement que sous la surveillance de ses chefs.

Il ne fronde jamais, débat ses intérêts, accepte ou refuse sans se poser en tribun cherchant l'approbation de ses camarades.

Il se tient très propre, d'une façon même recherchée.

Il raisonne et discute généralement bien, émet dans une discussion de bonnes et justes idées.

Si un malheur le frappe — une blessure ou une maladie —, que ses économies ou ses avances aient disparu malgré les secours de la société, il ne se laisse pas abattre ; c'est dans le travail qu'il trouve une consolation à l'amertume que sa situation a fait naître ; ce n'est pas lui qui viendra faire étalage de son malheur ; mais, si vous connaissez sa situation, vous remarquez sa tristesse, et il vous passe un profond serrement de cœur.

Il ne prendra jamais l'initiative d'une cabale ; si la démarche est juste, il en sera ; mais, s'il reconnaît la demande absurde, il se retire.

Il est toujours poli et ne prononce jamais de paroles obscènes. Sa machine, sa place, ses outils sont toujours en ordre, propres et en bon état.

Il change de cotte et de bourgeron tous les huit ou quinze jours au plus ; s'il fait un travail sale, il retire sa chemise et prend une cotte de rechange.

Ces détails ne sont pas superflus, sur cinquante ouvriers dans un atelier, examinez-les le soir au départ, s'il y en a dix de proprement mis, vous pouvez être certain que ce sont dix ouvriers vrais.

L'ouvrier vrai tient ses comptes de marchandage ou de journées très régulièrement ; s'il y a une erreur, il ne crie pas, ne tempête pas à la paie, il vous dit : « Ce n'est pas mon compte, nous vérifierons lundi », et il est très rare que l'erreur soit de son fait.

Si le patron a un travail au-dehors qui réclame un homme de confiance, il s'adressera à l'ouvrier vrai et en aura toute satisfaction ; cette confiance de son patron le touche sincèrement ; il se gardera bien de l'exploiter près des autres par une pose d'homme capable dont la protection a une certaine valeur.

S'il est dans une équipe, il fait les vilains travaux sans se plaindre, ne flatte pas son chef pour avoir telle ou telle pièce qui pose, il laisse cela aux *épateurs*.

Il est consciencieux dans son travail, il ne travaille pas par saccades, ce qu'on appelle des *coups de massage,* pour tirer une *loupe* après.

S'il n'est pas aussi capable que tel ou tel sublime (cas rare), il aura fait plus de besogne au bout de la journée ; s'il vous dit que tel travail sera fini à un temps donné, comptez sur lui, il réfléchira pour vous fixer ; mais il tiendra sa parole.

Si c'est un travail de nuit, une réparation, rien ne le retient : ni camarades, ni parents, ni amis ; ils vous a promis, il est homme de parole ; si un cas grave le forçait de s'absenter, il vous ferait prévenir.

Très soucieux de ses droits de citoyen, il demandera une demi-journée pour aller se faire inscrire ou vérifier son inscription sur la liste électorale ou des prud'hommes.

S'il ne prend pas chez lui son repas du matin, il demande ou cherche chez le marchand de vin le journal et le lit attentivement, il suit la politique régulièrement, ses sympathies sont pour les hommes de la démocratie.

Il a chez lui *L'Histoire de la Grande Révolution, L'Histoire de dix ans, Les Girondins* de Lamartine, *L'Histoire du 2-Décembre* ; on peut dire que l'histoire est sa lecture favorite.

Les questions d'épargne l'intéressent beaucoup, il achète ou demande les statuts ; il lit les comptes rendus des associations, il connaît *Le Voyage en Icarie,* et dit la chose impossible.

S'il entre dans une association, il ne veut pas avec lui de tel ou tel *sublime* : « C'est un propre-à-rien, un fainéant, il faudrait travailler pour le nourrir. »

Si la discussion s'engage avec un fils de Dieu et qu'il demande où les réformateurs des réunions puisent les ressources nécessaires à leur existence, il est apostrophé d'importance : « Espèce de *roussin*[1], propre-à-rien, ce n'est pas toi qui les paies. »

Dans ce cas, il ne continue pas la discussion, car les *sublimes de Dieu*[2] ne sont pas parlementaires, nous vous les montrerons en leur temps.

Il ne discute généralement que les questions qu'il connaît bien, il n'admet pas la violence, elle ne prouve rien ; si son contradicteur répond à ses arguments par des invectives sur la personnalité de l'écrivain en discussion, il répond que ce qu'il dit est juste et que cela lui suffit.

Dans la mécanique, laissant de côté les indifférents, il y a au plus deux pour cent d'individus qui ne sont pas démocrates.

L'ouvrier vrai est le républicain par excellence, il prêche par l'exemple, l'esprit de parti ne l'aveugle pas, il raisonne ses opinions, il ricane quand il voit l'empereur déguisé en costume Louis XV sur un journal illustré, ou qu'il lit que l'impératrice a présidé le Conseil des ministres, ou encore que le prince impérial a visité l'Ecole polytechnique et a manifesté son contentement aux élèves ; suivant attentivement la Chambre, il sourit amèrement en voyant la majorité tout approuver, il l'appelle dédaigneusement « la machine à voter ».

L'ouvrier vrai est le citoyen dans la bonne acception du mot, il étudie, lit, s'instruit, et par-dessus tout raisonne juste.

Les questions les plus élevées, il les connaît, et nous avons souvent été surpris d'entendre traiter par des ouvriers vrais des questions sur lesquelles ils étaient très au courant et nous

---

1. *Mouchard* : homme de police secrète.
2. *Sublimes de Dieu* est une expression que nous employons pour désigner les deux derniers types de notre classification.

avons souvent puisé dans leur raisonnement une lumière qui nous manquait.

La vie politique tient une large part dans ses préoccupations ; soyez persuadé que son vote sera réfléchi et que ce n'est pas tel ou tel tribun qui le fera changer par ses grandes phrases et ses grands gestes.

Les trois mots flamboyants : Liberté Egalité, Fraternité, il ne les prend pas à la lettre, il les discute.

La liberté, il la veut pleine et entière, elle finit quand on nuit aux autres ; le vandalisme des jours d'effervescence est flagellé par lui : commettre mille injustices pour en redresser une est pour lui la pire des erreurs.

L'égalité appliquée aux hommes est un mot creux : égalité des droits, voilà tout ; passée cette limite, c'est le mensonge.

Comment, lui qui fait six jours par semaine, vit sobrement, économiquement, lui, l'égal du sublime qui fait trois jours et se grise les trois autres ! Lui qui consacre tous ses moments à sa femme, à l'éducation et à l'instruction de ses enfants, l'égal de ce sublime qui laisse sa famille dans la misère, s'il ne prostitue pas ses filles ! Jamais, non jamais. Tous les hommes sont égaux en droits, oui ; autrement, non.

La fraternité, c'est un beau rêve, mais en présence de l'égoïsme des hommes ce n'est qu'un rêve ; chaque individu a dans l'âme une part de ce grand sentiment, mais dans l'état actuel ce qu'il faut c'est justice.

Il n'enfourche pas des dadas à effet, il ne prend pas un mot pour une vérité ; l'ouvrier vrai est avant tout pratique.

Si un fils de Dieu proclame la fraternité des ouvriers, il lui répondra souvent par un exemple : « Comment se fait-il que tu avais entrepris un marchandage avec deux de tes camarades, et quand vous avez réglé les coups de poing ont marché ? Tes deux associés prétendent que c'est toi qui les as coulés. » Le fraternel sublime répond : « Ce sont des *mufes* [3] ; la fraternité ne se proclame pas, citoyen, elle se pratique. »

---

3. *Mufe* : modification de mufle, expression très employée dans la classe laborieuse. Elle se prend surtout pour crétin, lâche et *pignouf*. En sublimisme, dans les discussions politiques, celui qui n'est pas de votre avis est un *mufe* ou un *roussin*.

S'il y a un ouvrier malade, qu'on fasse une souscription, il sera le premier à y mettre ; il n'accompagnera pas son don d'une formule quelconque ; comme le sublime qui dira : « Les ouvriers doivent se soutenir » afin que l'on remarque bien qu'il donne.

Le lendemain d'une élection, un lundi, le sublime chez le marchand de vin le voit passer, l'arrête, cause de l'emploi de son dimanche ; l'ouvrier vrai lui dit qu'il est allé voter : « On t'a donc inscrit, toi, t'as de la chance ; c'est pas possible, t'es de la rousse [4] alors ! » Quant à lui, il n'est pas inscrit parce qu'il est ouvrier.

L'ouvrier vrai lui explique qu'il est allé se faire inscrire dans les délais légaux, qu'il se rappelle même lui avoir dit d'en faire autant : « Tu m'as même répondu : " Pas plan, je suis du quand est-ce [5] de la Truffe qui a été embauché hier dans mon équipe. Ta, ta, ta, tu manigances quelque chose avec la rue de Jérusalem " [6]. » Pour les sublimes, tout ouvrier qui leur est supérieur en conduite ou en tenue et qui ne suit pas leurs habitudes, du moment qu'il ne comprend pas qu'avec l'ordre on peut arriver à ce résultat, pour eux, l'individu de cette condition est un roussin.

Si vous êtes bien mis : roussin.

Si vous avez toujours de l'argent : roussin.

Si vous n'êtes pas de leur avis : roussin.

Si c'est pour une question d'atelier : peloteur.

Si vous ne passez pas vos jours de repos chez le marchand de vin : *mufe, aristo* qui se croit plus que les autres.

S'ils vous racontent chaudement un fait politique et que vous ne répondiez pas, soit que vous trouviez le fait insignifiant, soit que vous soyez d'un avis contraire : roussin par excellence, vous méditez la formule que vous emploierez pour

---

4. *Rousse* : police secrète.
5. Quand est-ce payes-tu ta bienvenue, ton embauchage ? s'est résumé par *quand est-ce ?* Depuis quelque temps on crie quand il y a un nouvel embauché : dix-neuf pour ne pas dire vingt (pour vin).
6. Bureau de police à la Préfecture, entrée par la rue de Jérusalem.

les dénoncer. Aussi l'ouvrier vrai fréquente rarement ses collègues d'atelier, il a peu d'amis, se lie difficilement, et surtout n'introduit dans sa famille que ses intimes.

Il n'aime pas à demeurer près de l'atelier, il préfère en être éloigné ; soyez persuadé qu'il sera plus tôt à l'heure que ceux qui demeurent à la porte. Nous en avons connu plusieurs de ces derniers qui se levaient à la cloche et profitaient des cinq minutes de grâce pour arriver à moitié habillés : la propreté faisait souche.

Le dimanche, il va se promener avec sa femme et ses enfants dans les promenades publiques, visite les musées, les expositions ; l'été, plus spécialement, va à la campagne dans les environs de Paris ; à dix heures il est rentré.

S'il ne porte pas un de ses enfants, il donne le bras à sa femme ; cela peut paraître puéril ; pour nous ce détail a une certaine valeur, car nous n'avons jamais vu un sublime donner le bras à sa femme.

Quelquefois, pas autant qu'il le voudrait, le samedi ou le dimanche de paie, il conduit sa femme et ses enfants au théâtre, il choisit le drame de préférence ; devant une scène pathétique et bien rendue, il pleure comme tous les siens.

S'il est célibataire, il va au Conservatoire des arts et métiers, au Français, aux cafés chantants, quelquefois au bal ; mais le plus souvent, les soirées des jours de semaine, il lit chez lui, dessine ou *bibelotte* une invention qui souvent réussit.

Le dimanche, il passe son après-midi chez les parents de sa *connaissance* [7] ; s'il fait beau, ils vont se promener ensemble ; sous peu, il la demandera en mariage.

Il est excessivement rare de voir un ouvrier vrai *s'acoquiner* [8]. Il sait qu'il n'est pas à la hauteur, mais il ne voudrait pas débaucher une jeune fille sage. Si un sublime des sublimes lui dit :

« Farceur, si ce n'est pas toi, ça sera un autre, profites-en donc.

---

7. Expression que le travailleur emploie pour désigner sa fiancée ou sa maîtresse.
8. Vivre en concubinage. Les sublimes disent d'un individu dans cette position : il est collé.

— Non, j'aime mieux que ça soit un autre.

— Saint Antoine en personne ! ricane le sublime des sublimes ; j'oubliais que tu étais Abélard.

— Pas plus que toi, mon cher, les *ambulantes* [9] sont là qui ne demandent pas mieux, et puis on n'a pas de remords.

— Entendu, monsieur le puritain, ne troublez pas votre conscience. »

Voilà un envieux et méchant de plus qui ne manquera pas de saisir la moindre faiblesse pour la lui renvoyer en pleine figure à un moment donné.

Il a quelques outils chez lui, il montre les premières notions à son fils. Quand il sera grand, son fils sera son ami ; il serait désolé que son métier ne lui convînt pas, parce qu'au moins il pourrait le suivre ; il s'est chamaillé avec sa bourgeoise. « Ne voudrait-elle pas en faire un saute-ruisseau, parce que dans la mécanique on est noir ! »

« Tu sais, lui a-t-il dit, je tiens compte de tes observations ; franchement, tu n'es pas raisonnable, tu veux donc, quand il sera grand, qu'il crève la faim ; mais *chieur d'encre,* c'est le métier le plus misérable ; il faut un métier manuel, avec ça, on a toujours du pain au bout des bras. Mais, ah çà, tu ne m'as jamais dit que tu me trouvais trop noir ; hein, voyons, parlons-en voir ! Et dire qu'il y a des individus qui prétendent que la femme a autant de jugement que l'homme. Tiens, tu es une bonne femme, mais là-dessus tu n'y connais rien ; Henri sera mécanicien, que le diable me brûle si jamais il devient une marionnette à paperasses. »

Il y a beaucoup d'ouvriers vrais qui s'établissent, et nous pouvons citer, à notre connaissance, une vingtaine d'ouvriers vrais devenus contremaîtres dans une grande maison, où nous l'avons été nous-même, qui se sont établis et ont fondé de bons et même de grands ateliers dans un délai de quinze années au plus. L'individualisme a donc quelque chose de bon. Dans beaucoup d'industries où la mécanique n'a pas encore com-

---

9. Malheureuses servant de pâture aux passions des hommes.

plètement opéré ses transformations économiques, le patron,
qui généralement est plus négociant que praticien, confie la
direction de ses machines à un ouvrier intelligent, appelé mécanicien ; s'il rencontre un ouvrier vrai, il est rare que beaucoup
de solutions ne soient acquises ; mais, s'il tombe sur un sublime, grand Dieu ! la caisse seule peut donner le résultat, et
le patron doit souvent faire bonne mine contre son indignation.

Remarquez qu'à côté des habitudes d'ordre, d'une conduite d'honnête homme, du travailleur consciencieux, intelligent, droit, l'homme politique est toujours debout ; le citoyen
n'abdique pas ses droits, il suit les discussions, il est ferme, convaincu, démocrate, républicain ; ce n'est pas l'homme d'action, c'est l'homme de raison. Il n'est pas homme de parti, il
est homme de justice, d'entente, de lumière. Il veut bien
quitter son logement où il est serré, étouffé, pour en reprendre
un autre où il sera plus à l'aise ; mais il veut auparavant, pour
ne pas se trouver sur le pavé, être sûr de l'avoir à sa conve-
nance : il veut étudier, s'éclairer avant tout. Il se méfie des
promesses, il veut des faits, des preuves ; il veut toucher, pal-
per ; il veut du certain. Une association qui prospère le convainc
bien davantage que cinquante mille volumes rédigés pour en
démontrer les bienfaits.

Il a l'aspiration juste, légitime, de tous les travailleurs : la
possession.

Il la veut non à coups de décrets, mais par le groupement
des deux forces indispensables à toute production : capital et
travail [10].

S'il y a des apprentis dans l'atelier et qu'ils soient placés
à côté d'ouvriers vrais, soyez persuadés (à moins de tomber
sur ces natures rebelles à tout bien) qu'ils deviendront de bons
ouvriers, matériellement et moralement.

A notre sortie d'une école professionnelle, nous fûmes
placé dans un grand atelier de construction entre un Rouennais et un Limousin, hommes consciencieux et très habiles.
Nous pouvons dire que, grâce à ces deux dignes ouvriers vrais,

---

10. Dans notre chapitre 5, « Les associations », cette question est
examinée.

nous sommes devenu ouvrier matériellement et homme moralement. Nous leur étions spécialement recommandé, et ne croyez pas que nous fussions gourmandé, non ; à nos gamineries, ils répondaient par ce qu'on appelle dans les ateliers la *blague*. Au bout de quelque temps, le Rouennais nous prit en affection. Quel homme de bon sens et de cœur [11], quel jugement, quel esprit naturel ! Fils d'ouvrier, ouvrier depuis l'âge de treize ans, il avait lu Voltaire, Rousseau ; il savait Corneille en entier : il nous en citait et commentait les plus beaux passages ; il connaissait tous les hommes politiques de l'époque, et quand nous nous remémorons ses jugements nous sommes frappé du bon sens, de la perspicacité de ce brave compagnon dans les questions politico-socialistes du moment. Nous nous rappelons cette appréciation : « L'association des mécaniciens, nous disait-il, a reçu vingt-cinq mille francs du Gouvernement provisoire. Elle ne prospérera pas. Pourquoi ? Parce qu'il y a trop de *fripouille* à côté de quelques bons ouvriers. » Il connaissait le *sublimisme* à fond, il reprenait : « Avant six mois ils *se mangeront le nez*. »

Nous promenant, le 2 décembre 1851, il nous disait : « Voilà où nous a conduits la *fripouille*. » Son silence nous disait assez la peine qu'il éprouvait.

Ce bon début nous préserva d'entraînements irréfléchis auxquels la jeunesse est assez facilement entraînée. Nous passâmes dans l'équipe d'un *fils de Dieu*. A part quelques inconséquences, les bonnes bases acquises ne nous firent pas défaut.

Il est assez difficile de donner un portrait comprenant tous les types différents d'ouvriers vrais ; ce que nous tenions à mettre en évidence, ce sont les qualités essentielles qui le constituent d'élite et en font le travailleur le plus sensé et le plus honorable.

---

11. Il est mort, il y a quelques années.

2. L'ouvrier

Il résulte de notre examen de l'ouvrier vrai qu'il possède les qualités essentielles du travailleur et du citoyen. Malheureusement le nombre en est assez restreint, les types dominants sont ceux que nous désignons sous le titre d'ouvrier et d'ouvrier mixte.

L'ouvrier fait, comme l'ouvrier vrai, au moins trois cents jours de travail.

Il fait quelquefois des dettes, mais paie régulièrement ce qu'il a promis.

Assez souvent il se voit à la tête de trois ou quatre cents francs, mais il a rarement des sommes placées ; s'il fait un dépôt à la Caisse d'épargne, il n'est pas de longue durée.

Il aime et respecte sa femme et ses enfants, mais n'apporte pas à l'éducation des siens les soins que réclame une pareille mission.

Il lit souvent ; comme généralement il a du bon sens, il vous dira qu'il a commencé un roman à grand orchestre que publie une *feuille de chou* à un sou, mais qu'il ne veut pas le continuer, parce qu'il ne parle que de bagne, de crime, de police ; ça l'ennuie, ça n'est pas même spirituel, il aime autant *La Gazette des tribunaux,* au moins c'est vrai.

Il préfère lire *La Science pour tous.* Il a lu l'autre jour que la pomme de terre nourrissait beaucoup moins que le pain, qu'à boire de l'absinthe on devenait fou ; ce qu'il y a de plus fort, c'est qu'il a lu dans le dernier numéro que les brasseurs mettaient de la noix vomique dans la bière ; les empoisonneurs !

Il a trouvé sur les quais une occasion, il a acheté *Le Juif errant* pour dix sous : « Comme c'est ça, c't Agricol et la

Mayeux ; malgré sa bosse, on l'aimerait c'te petite-là. » Sa femme l'a lu aussi en veillant sa petite qu'était malade ; elle dit que c't escogriffe de Rodin a un pavé dans l'estomac.

Quand il fait beau le dimanche, à une heure, tout le monde en route, à Saint-Ouen, Joinville, Romainville ou Bondy ; on dîne au *Lapin Vengeur*[1]. On rentre chargé de lilas ou de muguet, même de simples fleurs des champs ; à onze heures tout le monde dort. La dernière fois il a pris un pichet de trop, Madeleine lui a fait la moue ; il n'y comprend rien non plus, sa *pompe avait donné deux coups de trop*[2].

Sa mise est toujours propre, mais sans recherche ; il chante très souvent pendant le travail, on voit qu'il aime la besogne. Il tient régulièrement ses comptes de temps et de marchandage comme l'ouvrier vrai ; il paie chez le marchand de vin au fur et à mesure de ses dépenses. Vous pouvez être assuré que tout ouvrier qui ne fait pas de compte chez les débitants est un travailleur d'ordre.

Il est allé à l'enterrement d'un ouvrier de l'atelier ; en sortant du Père-Lachaise, on a mangé le pain et le fromage d'ordonnance[3], ils étaient quatorze, on a chanté et pas mal bu ; le Petit Zéphir a chanté une *Noce à Montreuil*, *Tapez-moi là-dessus*. « Nous en avons eu pour chacun cinquante-huit sous ; nous n'étions que trois qui avions de l'argent, les autres nous rembourseront à la paie. » Ce qui l'a le plus surpris, c'est de voir le Moule à Pastilles[4], gros grêlé, qui n'avait pas seulement dix sous dans sa poche, commander dix litres à la fois et faire le malin ; son refrain était : « Qu'on monte la feuillette[5]. » Ça ne lui arrivera plus à la prochaine occasion, il se déguisera en cerf[6], ça ne sera pas long.

---

1. Restaurant à la porte de Belleville. L'enseigne représente un lapin tuant d'un coup de pistolet un cuisinier.
2. Dans une chaudière, on introduit l'eau au moyen d'une pompe.
3. A Paris, il est dans les habitudes, après un enterrement, de manger le pain et le fromage.
4. Dans le temps on fabriquait les pastilles dans des plaques de métal formées d'une infinité de petites cavités. La figure d'une personne qui a été atteinte de la petite vérole représente un moule à pastilles.
5. Dans notre chapitre 17, « Le chansonnier des sublimes », on aura l'explication de ces mots dans le chant national des sublimes.
6. Se sauver.

Il sait bien qu'il aura des difficultés pour se faire rembourser ; il en a assez, de cette vie-là ; puis, avec ça, pendant qu'il dormait, sa femme a regardé dans son porte-monnaie, elle a vu qu'il en manquait à l'appel, elle s'est mise à pleurer, il en avait le cœur gros, elle était découragée. « Elle m'a dit : " Tu sais cependant bien que nous devons acheter des effets pour les enfants ; cela ne te fait donc rien de les voir déguenillés ? " La voilà qui se trouve malheureuse à présent. Y a pas à blaguer, quand on a cinq ou six mioches, il faut aller à la chasse avec un fusil de toile [7] et du zinc [8] pour le charger [9]. »

Quand le torchon brûle [10] il est comme désorienté.

Ainsi, la quinzaine dernière, il est allé à la noce de Paul, son ami ; dame ! il est si beau garçon ; et puis il n'aurait plus fallu que ça qu'il *fasse sa Sophie* [11] ; il ne sait pas comment ça se fait, mais quand il est rentré à trois heures du matin ses soupapes commençaient à *gueuler* ; ce qu'il sait, c'est qu'arrivé chez lui il s'est mis à chanter. Son maître [12] n'entend pas de cette oreille-là. Pendant huit jours la voie était fermée ; il avait beau siffler au disque [13], rien. « Va donc, soûlard, va donc avec tes pochards. Ah ! tu pouvais bien dire que tu les méprisais, les sacs à vin, tu es pareil. » Il avait beau dire : « Mais tu sais bien que ça ne m'arrive pas souvent. » Rien ; toute la figure en colère. Il arrive à l'atelier, il ne savait plus ce qu'il faisait, il monte un support trois centimètres trop haut, l'*abattage* a marché. Le *singe* [14] lui a dit : « Comment, c'est vous, Auguste, qui faites un *lou* [15] aussi grossier ? Je vous croyais sérieux. » Quand il est rentré, il a tout raconté à sa femme ; elle s'est mise à pleurer en l'embrassant ; elle lui a dit : « J'ai

---

7. Sac.
8. Argent.
9. De pain.
10. *Quand le torchon brûle,* il y a brouille dans le ménage.
11. Faire sa tête.
12. Sa femme.
13. Terme de chemin de fer. Un mécanicien siffle au disque pour demander l'ouverture de la voie.
14. Le patron.
15. *Lou* : du verbe sublime *louter,* tuer une pièce, la rendre impropre pour sa destination.

peur que tu ne deviennes ivrogne. — Sois tranquille, on ne m'y repincera plus avec ces *cheulards*-là [16]. »

Il parle l'argot d'atelier ; du reste tous les travailleurs le parlent. Il est regrettable que ce langage vert prenne un si grand développement ; il est vrai que nos écrivains, nos dramaturges donnent l'exemple ; les masses copient.

L'argent du terme est le premier mis de côté, il s'y prépare d'avance ; s'il fallait le prendre sur une seule paie, quel coup de massue ! Quelle brèche !

Le loyer pour le travailleur est souvent la cause du désordre dans le ménage, surtout avec l'élévation exorbitante de ces derniers temps. L'impossibilité de trouver un logement d'un prix possible, la rapacité et les prétentions de certains propriétaires, sont la cause souvent, très souvent, de découragements incroyables, de haines implacables, et la base de misères effrayantes et d'avilissements honteux. Pour avoir son terme, l'ouvrière se prostitue, la femme mariée trompe son mari, la mère de famille se déshonore, le mari descend au sublimisme, découragé de ne savoir où le trouver, le chômage et la maladie l'ayant mis dans l'impossibilité d'y faire face.

Le terme est l'épée de Damoclès du travailleur, le fil menace de se rompre tous les trois mois.

Combien n'avons-nous pas entendu des pères de famille nous dire : « Si mon logement m'était seulement assuré, je serais sûr du reste » ; d'autres nous dire : « J'ai un terme de côté, me voilà tranquille pour six mois. »

On peut dire que le loyer prend au salaire du travailleur trente pour cent. L'ouvrier qui fait trois cents jours en moyenne à quatre francs, soit mille deux cents francs, pour peu qu'il ait un ou deux enfants, ne sera guère à l'aise dans les logements de trois à quatre cents francs. Le logement du travailleur ne devrait pas varier entre dix et douze pour cent de la moyenne du salaire ci-dessus. Si le fardeau se trouvait ainsi diminué, nous trouverions qu'il serait encore assez lourd.

La vie est très chère à Paris : les aliments, le vin, etc., sont souvent, par leurs prix élevés, une cause de gêne ; mais le

_____

16. Ivrognes, soûlards, soiffards, gourmands.

travailleur trouve encore le moyen de s'arranger : il prend les bas morceaux, de la viande de cheval, il use de mille moyens ; mais le terme ! il est là inexorable, il sonne avec une régularité mathématique : payer la quittance, ou le congé. Si la famille a l'appétit de manger 4 livres de pain, elle n'en mangera que 3, pour le terme. On ne peut pas cependant se serrer le ventre.

Assainir une grande ville comme Paris, la doter de grandes et larges voies, c'est une chose utile. Le faire rapidement, c'est une faute ; car forcément vous amenez la spéculation sur les terrains. Toutes les fois que la spéculation s'attellera à une affaire, la valeur de cette affaire sera surfaite et faussée. C'est ce qui est arrivé pour les terrains. On peut en citer qui valaient cinquante francs le mètre, et qu'on vous fait quatre ou cinq cents francs. Puis vous voulez construire des logements à bon marché ? C'est impossible. Vous ne pouvez faire que des logements somptueux.

Quelles sont les conséquences logiques ? Il est difficile au travailleur de se loger, tout augmente, il ne peut pas vivre, il veut de l'augmentation, la question sociale lui sort impérieuse par tous les pores ; voilà une première conséquence. La deuxième, c'est que les spéculateurs y perdront, l'équilibre se fera, ce qui est gonflé se nivellera naturellement : désastres. S'il n'y avait que les spéculateurs d'atteints, le mal ne serait pas grand ; mais avec eux ils entraîneront les économies des confiants, le travail des entrepreneurs et les matériaux des fournisseurs.

L'élévation du prix des loyers a augmenté le malaise des travailleurs non compensée par l'augmentation des salaires.

Quand l'ouvrier sort le soir, il va flâner sur les boulevards devant les magasins ; s'il y a une réunion publique, il s'y rend ; comme il n'a pas étudié les questions qu'on y traite, il ne comprend pas bien les développements donnés par les orateurs ; mais, quand il entend dire que l'épargne est un vice social, il bondit, il quitte la salle ; « du reste, la claque qui se tient près de la tribune l'assomme ». Une autrefois il y est allé, il en a applaudi un qui disait que le travail à lui seul, sans capital, ne peut produire quoi que ce soit. Il a manqué de s'attraper, on l'a appelé mouchard, les *aboyeurs* ont empêché l'orateur de

147

continuer. « Ce n'est cependant pas malin : supposez qu'il s'établisse sans le sou, il sera bientôt toisé. »

L'ouvrier vrai va rarement aux réunions publiques, il n'aime pas les utopies [17] ; il écoute attentivement ; les phrases pompeuses et à effet ne l'enlèvent pas ; calme, il réfléchit ; quelquefois les trépignements de l'escorte l'indignent.

L'ouvrier s'y rend assez souvent ; si l'orateur est tribun, il lâche facilement un applaudissement.

L'ouvrier mixte en manque rarement ; devant les évolutions dramatiques et les grands coups de voix du tribun, les bravos marchent.

Le sublime simple y va quelquefois ; il se place à côté d'un de ses amis, fils de Dieu, un qui s'y connaît en politique.

« Chaud là ! En triomphe l'orateur ! *C'est-y envoyé, ça ! Hein, si le gros tourneur qu'est de la Saint-Vincent de Paul était là, serait-il esbrouffé ! Comment que tu l'appelles, ce lapin-là ?*

— *C'est chose, un des chouettes, qu'a été à Genève, en Belgique.*

— *Quel grelot* [18] *!*

— Ecoute donc. »

Le vrai sublime n'y va jamais, ce n'est pas son affaire, il n'y a ni *jaune ni blanche* [19]. Les sublimes descendus et les sublimes de Dieu, voilà les vrais abonnés ; mais n'anticipons pas.

L'ouvrier rentre de bonne heure, il ne veut pas donner des inquiétudes à sa femme, puis s'il mangeait la consigne, elle le sermonnerait. Elle ne dort pas tant qu'il n'est pas rentré, elle a besoin de repos, elle a bien assez de mal avec ses gamins ; lui aussi en a besoin, il a à cogner le lendemain. S'il est avec des sublimes, il se lève pour rentrer ; un malin lui

17. Dans les premières réunions publiques, les idées communistes ont été beaucoup discutées.
18. Les sublimes disent d'un travailleur parlant bien : « A-t-il un bon grelot ? » Ou « Quel mirliton ! » Et encore : « Il n'y a pas moyen de lui fermer sa boîte » (sa bouche).
19. Eau-de-vie jaune et eau-de-vie blanche.

dit : « Il n'est que neuf heures et demie. — Ça ne fait rien. — Ah ! je n'y étais plus, tu boutonnes ton paletot avec des épingles [20]. »

L'épigramme ne le touche pas, il part.

Il aime le théâtre, le drame surtout ; le cirque a de l'attrait pour lui, on rentre de bonne heure, c'est un plaisir qu'il se paie rarement, les finances ne sont pas toujours à flot.

Si sa fille est en apprentissage, il va la chercher le soir, il craint qu'elle ne rencontre des mauvais sujets.

Si on lui confie un apprenti, il lui montrera à travailler consciencieusement, il le gourmande s'il l'entend dire des saletés.

S'il est célibataire et qu'il tombe sur une bonne fille qui sache le prendre, il s'acoquinera ; il donne facilement dans la blanchisseuse, la femme de chambre ou le *tablier blanc* [21]. Un beau jour il lâche tout et se marie dans son pays.

Il y a beaucoup d'ouvriers vrais et d'ouvriers qui établissent leur femme crémière, épicière, marchande de vin, blanchisseuse. Beaucoup, presque tous, réussissent. La paie du compagnon vivifie le commerce, tandis que dans le cas du sublime son parasitisme le mine.

L'ouvrier est très laborieux ; il fait toujours quelque autre chose à côté de son état, afin d'augmenter son gain.

Il y en a qui sont concierges, la femme tient la loge ; lui fait le gros ouvrage et toutes les choses qu'il peut faire avant ou après son travail.

Paris est la ville du monde où l'on travaille le plus ; mais aussi, à de très rares exceptions près, ceux qui avec un peu d'intelligence et d'ordre piochent beaucoup, arrivent à percer.

Quand un travailleur de province arrive à Paris, il ne peut pas toujours y rester, il y a trop à *masser* [22] pour y arriver. Nous entendions un garçon de ferme se plaindre des travaux des champs : « Ah ! disait-il, si vos Parisiens étaient obligés de tenir les cornes de la charrue pendant cinq heures par jour, il n'y en aurait pas pour longtemps. » Ignorant ! Il ne savait

20. Ou encore : « Sa femme porte la culotte, elle a retourné le Code civil. »
21. La bonne d'enfants.
22. Travailler. Un masseur est un ouvrier laborieux.

pas qu'à Paris, dans certains métiers où le travail se fait aux pièces, au bout de vingt ans, le travailleur est déformé, usé, s'il n'est pas tué[23].

Comme on le voit, l'ouvrier est un honnête homme, avec un peu plus de négligence et moins d'intelligence que l'ouvrier vrai.

_____

23. A part l'époque des semailles et des récoltes, le travailleur de l'agriculture a beaucoup de bon temps, que n'a jamais le travailleur de l'industrie.

3. L'ouvrier mixte

Plus nous avançons dans l'examen de nos différents types, plus les bonnes qualités disparaissent.

Dans les deux premiers types, nous trouvons un grand désir de faire face à ses affaires, de plus, beaucoup de cœur, ce bon point d'appui ; ce n'est pas que le type dont nous nous occupons en manque, loin de là, seulement, il n'a pas la clairvoyance, la fermeté des deux premiers ; il a plus de faiblesse, les autres l'entraînent avec trop de facilité.

Il fait trois cents jours de travail dans une année, mais c'est le maximum.

Il fête de temps en temps saint lundi, le patron des fainéants. Du reste, il aurait très bien pu travailler la demi-journée du soir comme celle du matin : « Mais il est venu un copain qui travaille à Vaugirard, ils ont passé l'après-midi ensemble. » Il carotte sa ménagère sur le total de la paie, car ce n'est pas lui qui tient le sac.

Le samedi de paie il s'émeut très bien avec les camarades, son émotion dépasse rarement l'allumette de campagne, il y a bien deux ans qu'il n'a pas pris son poteau télégraphique.

Voici une graduation faite par les mécaniciens de chemin de fer :

1. attraper une petite allumette ronde : il est tout chose ;

2. avoir son allumette de marchand de vin : il est bavard, expansif ;

3. prendre son allumette de campagne, ce bois de chanvre soufré des deux bouts : il envoie des postillons et donne la chanson bachique ;

4. il a son poteau kilométrique : son aiguille est affolée, mais il retrouvera son chemin ;

5. enfin, le poteau télégraphique, le pinacle : soûlographie complète ; ses roues patinent, pas moyen de démarrer. Le bourdonnement occasionné par le vent dans les faïences est la cause du choix.

D'autres emploient les pressions atmosphériques ; je suis monté à cinq hier, ou bien l'aiguille de son manomètre [1] n'a pas bougé.

Si on ne se soûle pas, on ne s'amuse pas ; si avec ça le coup de tampon marche, la noce est complète.

Le dimanche il aide au ménage, cloue, raccommode quelque bahut, ou bien il fait des galoches pour toute la famille.

Il estime et craint sa femme ; c'est un rude gendarme celle-là et à cheval sur la consigne ; le samedi, quand on déballe la *menouille* [2] de la paie sur la table, elle calcule en deux minutes, elle voit que le compte n'y est pas : « Joseph, il manque dix francs, tu n'as pas perdu de temps, il me les faut.

— Je ne t'avais donc pas dit que, lundi dernier, nous n'avions pas travaillé, le tuyau de la pompe alimentaire était crevé.

— Et le tien, l'est-il crevé ?

— Tu me dis ça, parce que je sens le vin ; Carambole, le petit tourneur a voulu me régaler, il a payé une bouteille du cachet vert ; nous avons pris chacun la nôtre, tu ne peux pas te plaindre.

— Avec tout ça, c'est pas mon compte, il manquerait encore six francs.

— J'oubliais de te dire qu'on a fait une souscription.

— Ta, ta, ta, nous verrons ça. »

Pendant son sommeil, elle dissèque les vêtements, une pièce de cinq francs en or est facile à cacher ; quelquefois,

---

1. *Manomètre* : instrument servant à mesurer la pression dans les chaudières à vapeur.
2. *Mertouille* : argent.

elle la trouve dans la visière de sa casquette, elle ne dit mot. Le lendemain le voilà parti, aussitôt dans la rue, il cherche, il est consterné : il l'aura peut-être perdue ; il met la visière en lambeaux ; elle a peut-être glissé ; rien, le voilà sevré pour toute la semaine.

Il aime bien ses enfants, mais c'est sa bourgeoise qui s'en occupe ; il n'a pas le temps, et puis ça l'ennuie.

Cependant, pour la première communion de sa petite, il a demandé la permission, il a tout lâché : les luisants [3], le tuyau de poêle [4] ; il était heureux de l'accompagner ; puis elle est si gentille c'te gamine-là.

Sa mise est propre, mais négligée.

S'il demeure près de l'atelier, sa femme lui donne pour sa goutte du matin et pour son tabac ; s'il est éloigné, elle met dans son bidon *ad hoc* soupe et pitance, il achète le pain et le vin.

Il ne fait pas de compte chez le marchand de vin ; le soir, après la journée, il ne *godaille* [5] pas avec les sublimes de l'atelier, il rentre chez lui.

Le dimanche, le dîner à la barrière est de rigueur ; il prend son allumette de campagne, quelquefois un poteau kilométrique, mais rarement le poteau télégraphique. Avec l'allumette de campagne, si on traverse les champs ou les bois, il voit tout en rose, les tiraillements de la semaine sont oubliés, il se voit heureux, il est ému, les bons sentiments s'épanouissent, il pense à sa jeunesse, ça lui rappelle son village, son cœur déborde, il est joyeux et expansif. Aussi, le lendemain il vous dit : « J'ai passé une bonne journée, ma femme était aussi contente que moi ; un *petit grain* [6] de temps en temps, ça vous remet. » C'est tout joyeux qu'il reprend sa besogne.

Nous comprenons très bien qu'un compagnon qui a travaillé six jours de la semaine, en lutte avec les difficultés du travail, les ennuis du ménage, n'ait pas la figure radieuse ; la corde sentimentale ne vibre que tristement pour lui ; aussi le

---

3. Souliers vernis.
4. Chapeau.
5. *Godailler* : flâner, traîner ses guêtres.
6. Emotion produite par un extra de boisson.

dimanche, après le dîner, un ou deux pichets de plus, elle devient harmonieuse pour lui ; ses moyens ne lui permettent pas de la faire jouer autrement, il en use. Mais, si ses *soupapes ont craché*[7] le dimanche, le lundi il a mal aux cheveux ; si les autres sont là, on se *mouille*[8] un peu ; une journée de perdue, et la valeur de deux est dépensée. Mais, s'il peut arriver à l'atelier, le travail le remet, l'aplomb revient, le dessus est repris.

S'il pleut, qu'il y ait une exposition, il y va avec un camarade. Aussi, le dimanche, remarquez dans les groupes, devant un tableau sentimental ou historique vous trouverez l'ouvrier ; écoutez ses commentaires ; ce n'est ni une question de lumière, de formes ou de couleur qu'il apprécie, c'est le sujet.

Un lundi, nous écoutions un ajusteur, racontant à trois ou quatre de ses copains l'impression que lui avait faite le tableau de Varsovie, 1861, de l'Exposition de 1866, rien ne lui avait échappé ; le fils mort, le père désespéré, la misère, la femme mourante, jusqu'aux moines étaient décrits d'une façon pathétique et très émouvante, et, comme conclusion, l'exécration des cosaques et moscovites massacreurs ; le dimanche suivant, les quatre auditeurs étaient devant le tableau.

La peinture est l'art par excellence pour développer les bons sentiments de la classe laborieuse[9] ; pour elle, le sujet est tout ; regardez ces groupes, ils passent avec indifférence devant les Vénus endormies ou au bain ; ils savent trouver ce qui leur plaît : une scène de l'Inquisition, une mère pleurant son enfant, une inondation, une famine. Que le tableau soit une croûte ou non, si le travailleur a compris, soyez convaincu qu'il est ému, et que pour lui cela vaut mieux que dix romans de bagne ou de forçats. Malheureusement, c'est le petit nombre qui visite l'exposition.

Allons, messieurs les peintres, qu'un plus grand nombre parmi vous se fassent peintres d'histoire, retracez la grande

---

7. C'est par les soupapes que s'échappe le trop-plein de vapeur.
8. *Mouiller* : boire à perdre la raison.
9. Le peu d'histoire que connaît le sublime, il l'a apprise sur les estampes que mettent en montre les marchands, et autour desquelles on voit des groupes de travailleurs.

épopée révolutionnaire, les actes de vandalisme et de patriotisme ; que les travailleurs viennent devant vos toiles trouver
le frisson bienveillant qui rend grand, et l'émotion instructive
qui rend meilleur. Allons, les artistes du peuple, grandissez-
nous par vos conceptions ; il en restera toujours assez pour
peindre les Vénus, les Psyché, les saintes et les descentes de
croix [10].

La peinture, la musique et le théâtre, voilà trois grandes
ressources pour grandir et inspirer le travailleur. Nous savons
bien que la période qui date du 2 Décembre, cette digne
époque des courses, des vélocipèdes et des pièces à femmes
n'est pas faite pour inspirer les artistes et les écrivains ; ils
sont forcés de mettre une détente à leurs inspirations, en
présence de cet alambic malsain qu'on nomme la censure.
Aussi, qu'a-t-il produit, ce régime à part ? Quelques pâles
lueurs par-ci par-là ; l'avachissement, non, mieux que cela il
a éteint l'inspiration.

L'ouvrier mixte aime les fêtes de banlieue, il écoute le
boniment de Paillasse ; c'est lui qui frappe sur la *tête du Turc* ;
à la parade, il demande un caleçon pour la *boule de neige,*
un lutteur noir de médiocre apparence ; il veut essayer avec
celui-là, le terrible Savoyard est trop fort.

Le lendemain, il raconte qu'il a été roulé, son pied a glissé,
ça ne fait rien, il *lui a donné du coton* [11]. Le dimanche suivant,
il se propose d'essayer avec le Rempart de la Provence, il a
un petit *truc* [12] à lui.

Dans l'analyse de nos différents types, les capacités de
travail ne sont pas comptées, il y a des sublimes qui sont très
intelligents et très habiles, ce que nous voulons bien montrer,
c'est le travailleur, c'est le citoyen avec qui on doit résoudre
la question sociale.

Généralement, l'ouvrier mixte est bon ouvrier ; si vous
voulez lui confier la direction d'une équipe, il est rare qu'il

---

10. Il faudrait supprimer le catalogue et indiquer le sujet sur une
plaque placée sur le cadre ; ce procédé faciliterait aux travailleurs l'étude
des tableaux.
11. Donné de la peine.
12. *Truc* : moyen.

accepte, il n'aurait pas assez d'énergie pour forcer les sublimes à travailler, et s'il devait leur donner des instructions, il se laisserait *esbrouffer* ; l'ouvrier vrai et le fils de Dieu s'en acquittent bien ; l'un pour justifier la confiance qu'on a en lui, l'autre pour poser.

Si l'ouvrier mixte se trouve dans une équipe d'ouvriers vrais, il est dans son élément ; par contre, s'il se trouve avec un fils de Dieu, il se laisse aller, et si l'équipe est en bordée, il sait très bien perdre son temps avec elle. Il est vrai que le lendemain il est vexé et *renaude* le reste de la semaine. Cette facilité à se laisser entraîner pourra le conduire fatalement au sublimisme ; cela dépendra du milieu dans lequel il se trouvera. Il ne tient pas à avoir de responsabilité ; il n'est pas *crâneur* comme le vrai sublime ; mais l'*épate* du fils de Dieu lui fait de l'effet. Si vous discutez avec lui et que les arguments lui manquent il vous dit : « Tenez, untel, sublime des sublimes, vous l'expliquera bien. »

L'ouvrier, l'ouvrier mixte et le sublime simple forment cette masse des réunions publiques que nos tribuns savent si bien enlever. Ainsi, dans une réunion, nous avons vu applaudir le pour et le contre à trois quarts d'heure de distance ; cela dépend de la manière de s'en servir : nous reconnaissons que parmi nos jeunes réformateurs il y en a qui savent parfaitement manœuvrer cette masse.

Elle est généreuse, son enthousiasme est chaud et fiévreux, mais elle est ignorante ; où voulez-vous qu'elle se soit instruite ? Tout ignorant est soupçonneux et méfiant ; de là l'ingratitude. Aussi, si un homme riche se dévoue en action pour les travailleurs, c'est un ambitieux qui veut se servir d'eux pour arriver ; si c'est un des leurs, c'est un *feignant* qui veut qu'on le nourrisse, ou qui palpe des ressources quelque part ; il est vrai qu'il y a eu des exemples. Aussi nous plaignons sincèrement, tout en les admirant, les âmes généreuses qui se dévouent et qui n'ont que l'ingratitude pour récompense.

L'ouvrier mixte lit peu, mais il choisit de préférence les ouvrages qui lui sont recommandés spécialement par le fils de Dieu. Cependant, le soir il écoute sa petite fille qui lit à toute la famille un livre de voyages qu'elle a eu pour prix.

Quand il était jeune, il lisait davantage Alexandre Dumas ;

mais celui qu'il préférait c'était Eugène Transpire [13], il n'y a plus d'auteur comme ça.

S'il est célibataire, le soir il se promène sur les boulevards devant les marchands d'estampes, il fait galerie devant les marchands de *mort subite* [14], il est badaud, les hercules ont son admiration ; il ne manquerait pas une grande revue, une illumination, une fête au Champ de Mars ; il a du jarret, tout le trajet à pied, six heures debout, la fatigue ne compte pas, il veut voir. Le soir, le bastringue est de rigueur ; il chauffe une femme de chambre, un beau jour elle quitte sa place, elle vient chez lui parce qu'elle ne veut pas aller dans les bureaux : le collage est fait. Si sa maison l'envoie au-dehors faire un travail et que le *crampon* [15] ne soit pas trop tenace, il la quittera, mais, si elle *le veut,* il fera une fin.

L'ouvrier mixte célibataire vit en garni ; il y en a un certain nombre qui se mettent dans leurs meubles, ils achètent un mobilier à payer à tant par quinzaine ; à la première débâcle, il vend tout. C'est le début ou l'entrée dans le sublimisme.

L'ouvrier mixte qui vient à Paris étant marié est plus à l'abri du fléau ; l'éducation que sa femme et lui ont reçue en province le sauve ; puis, par-dessus tout, elle ne lui donne pas d'argent. S'il se marie avec une *gourgandine* [16] parisienne, il est facile de prévoir la conséquence logique de cette union ; c'est le sublimisme.

Avec les tendances que l'on connaît à l'ouvrier mixte, la femme est pour lui un soutien ; si elle est honnête et travailleuse, c'est une providence pour lui. Nous en avons connu un, devenu veuf, descendre en quelques mois au sublimisme le plus dégoûtant.

---

13. Eugène Sue.
14. Charlatans.
15. Il y a beaucoup d'individus qui vivent en concubinage. On dit de ceux qui ne peuvent se débarrasser de leur maîtresse que le crampon est solide : « Quel crampon ! Il ne se décramponnera pas. »
16. A côté des cascadeuses, qui sont complètement dans le métier, il y en a, soit qu'elles soient laides ou qu'elles pensent à l'avenir, qui s'attellent après un individu pour se faire épouser ; alors le pavillon couvre la marchandise et c'est plus commode.

Comme on le voit, l'ouvrier mixte est une bonne nature mais faible qui se laisse facilement entraîner.

Si tous les travailleurs étaient comme ces trois types, comme le progrès serait facile et rapide ! Comme l'instruction fructifierait avec de pareils individus ! L'éducation politique et sociale serait alors assurée et les convulsions que nous fait pressentir l'avenir seraient évitées.

Avant et même après le grand lavage de 89, il y avait des gentilshommes écussonnés que leurs revenus laissaient dans la misère ; ils se seraient crus déshonorés s'il leur avait fallu travailler. Le travailleur à cette époque était considéré comme un paria. Encore aujourd'hui, allez dans une sous-préfecture sans industrie, vous y rencontrerez les mêmes préjugés sur l'ouvrier ; cette opinion est la conséquence logique des anciennes mœurs. Qu'honore-t-on ? Le titre, la place, l'épaulette, l'habit. Puis vous voulez que ces bonnes gens de province se trouvent bien relevés d'introduire dans leur famille un ouvrier, quelque intelligent qu'il soit ? Rien de plus absurde que la morgue des rentiers de nos petites villes. Raisonnez avec eux, démontrez-leur que le jeune homme est intelligent, très capable, actif, travailleur rangé, la droiture en personne ; qu'un garçon de cette trempe gagnera ce qui lui manque, bien-être et considération ; vous êtes consterné d'entendre ce bon rentier vous répondre : « Je ne peux pas lui donner ma fille ; ce n'est qu'un ouvrier... »

Remarquez qu'il ne confond pas les ouvriers avec les sublimes, puisque les qualités essentielles qui constituent l'ouvrier d'élite lui sont prouvées.

Qui n'a pas lu dans les journaux qu'en Amérique il y avait des ingénieurs esclaves ? Il n'y a pas un Français qui n'ait senti son cœur se soulever d'indignation devant un pareil fait.

Aujourd'hui, pour les trois quarts de la bourgeoisie, l'ouvrier est, dans les mêmes conditions, un paria. Il faut en excepter Paris et les grands centres industriels, où souvent le premier ouvrier de la maison épouse la fille de son patron et prend la suite des affaires.

C'est qu'à Paris les préjugés sont meulés, et les industriels et les négociants savent bien que, tant vaut l'homme, tant sera l'affaire.

Le jour où ce stupide préjugé aura disparu, quand le bourgeois tiendra plus à la conduite et aux capacités qu'aux titres et à l'argent, la question sociale sera simplifiée.

Puisque nous ne nous occupons que de la mécanique, prenons pour exemple les chefs monteurs : ce sont presque tous des ouvriers vrais, connaissant bien le dessin, beaucoup sont très instruits ; c'est la pépinière où l'on puise pour faire des contremaîtres, des chefs de chantiers au-dehors. Eh bien, la plupart tardent indéfiniment à se marier, dans l'espérance de devenir un jour directeurs d'une petite maison et de trouver alors plus facilement un parti convenable ; butés à cet espoir, dont la réalisation se fait attendre, ils se laissent aller, s'acoquinent et perdent leur avenir s'ils ne deviennent pas sublimes. Croyez-vous qu'ils seraient arrivés à une pareille solution s'ils avaient trouvé à se marier avec une jeune fille bien élevée, si le stigmate ne les en avait pas éloignés ; au lieu de les voir se décourager, vous les auriez vu grandir.

Nous pourrions citer une centaine de garçons fort intelligents, élevés dans le travail, des natures droites (il faut bien que l'on sache qu'à côté des sublimes il y a parmi les travailleurs des garçons distingués), qui se sont annulés, enchaînés par le découragement, boulet qu'ils croyaient toujours pouvoir dériver.

Dans les premiers temps de notre arrivée à Paris, nous étions reçu chez un de nos compatriotes, employé à la Caisse d'épargne. Il réunissait chez lui, tous les dimanches, quelques amis qui amenaient leurs femmes et leurs enfants. Parmi ces derniers se trouvaient quelques jeunes personnes avec lesquelles nous eûmes bientôt noué des relations amicales. La femme de notre compatriote nous avait présenté comme *employé*[17] dans une maison de mécanique. Pour faire disparaître les durillons produits par le maniement du marteau, nous avions soin, chaque dimanche, de meuler nos mains, la pierre ponce n'aurait pas été assez énergique. Placé un jour à côté d'une maman et de sa fille (une jolie brune), nous répondions sans malice aux questions qu'elle nous adressait.

---

17. Quel titre près des provinciaux !

« Que faites-vous dans cette maison de mécanique ? nous demanda-t-elle. — Madame, nous montons une machine à vapeur de six chevaux, pour l'exposition de Londres. — Je sais, monsieur, que l'on fait des machines à vapeur dans votre maison ; ce que je vous demande, c'est l'emploi que vous y occupez. — Mais, madame, nous avons eu l'honneur de vous dire que nous faisons une machine à vapeur. » (Nous étions heureux de pouvoir affirmer la confiance que, jeune encore, nous avions méritée de notre patron.) La jeune personne nous dit d'un air ébahi : « Comment ! vous travaillez, vous êtes donc exposé à toutes les saletés que comporte le métier ? » Un peu vexé, nous répartîmes : « Mais oui, mademoiselle, et nous osons croire qu'il n'y paraît rien en ce moment. » La mère nous tourna le dos et les yeux de notre belle voisine se portèrent sur nos mains bien affûtées, qui ne nous trahirent pas, et elle s'éloigna. Pour elle nous étions un pestiféré. Vous dire l'effet que produisit cette marque de mépris sur une nature aussi ardente que la nôtre serait difficile : nous sentions comme des coups de bélier dans nos veines, notre visage dut passer par toutes les couleurs du prisme. Le lendemain soir, à la sortie, nous contâmes le fait à notre ami le Rouennais, qui, malgré sa philosophie, se trouva cependant touché.

« Quoi ! vous êtes ému parce que deux sottes, gavées de préjugés, font fi d'un ouvrier ; il n'y a que les fats et les idiots pour mépriser l'ouvrier. Un jour viendra où le travail sera honoré comme il le mérite ; les durillons seront des quartiers de noblesse ; le travail sera l'honneur, et l'oisiveté l'opprobre. »

L'indignation le rendait éloquent.

4. Le sublime simple

La description des types que nous allons donner est loin d'être, au point de vue moral, aussi satisfaisante que celle des trois précédents ; quelle que soit la répugnance qu'on ait à fouiller, à élucider un pareil sujet, on ne doit pas hésiter à entrer franchement dans cet examen, quand, pendant de longues années, on a vécu avec cette pensée que l'étude du mal peut amener la guérison.

Nous commencerons par le sublime simple.

Le nombre de jours que font les travailleurs par année est un *criterium* presque certain pour leur classification.

Le sublime simple fait de deux cents à deux cent vingt-cinq jours de travail au plus par année, se soûle au moins une fois par quinzaine, s'émeut proportionnellement.

Il paie son terme difficilement, mais quand il peut déménager *à la cloche de bois* [1] il use du procédé.

S'il est célibataire, il loge dans d'ignobles garnis ; il aime mieux ça, on ne lui fait pas de morale. « On ne peut donc pas être un peu ému, *y faudrait pus que ça, que le pipelet de sa turne lui fasse un sermon parce qu'il est paf* [2]. »

S'il est marié, il paie son boulanger parce qu'il n'y a pas moyen de le lever ; son *mastroquet* [3], jamais.

Faire un *pouf* [4] est pour lui une gloire.

Couler [5] son patron, c'est plus qu'une habitude, c'est un devoir.

---

1. Déménager sans bruit et sans payer.
2. Que son portier lui fasse un sermon parce qu'il est ivre.
3. Marchand de vin.
4. Ne pas payer.
5. *Couler* : faire perdre de l'argent.

Carotter ses parents, ses amis, c'est du courant.

Pour lui, tous les ateliers sont des *boîtes,* les outils des *clous,* les patrons des *exploiteurs* et les contremaîtres des *mufes.*

Mais lui c'est un chouette, un rupin, un d'attaque [6] ; s'il a la *flemme* [7], c'est qu'il a un *poil dans la main* [8], la *loupe* [9] l'a mordu, *son araignée le travaille* [10].

Quand il n'a plus d'argent, il est à bout de course. Allons, vite, patron, le voilà disposé, il veut faire des heures et travailler le dimanche, il n'a plus le *rond* [11].

Dépêchez-vous de lui donner de la besogne, beaucoup et de la bonne, sans cela il ne pourra pas continuer dans votre *boîte,* il n'y a rien à faire chez vous.

Si un accident arrive, soit à la chaudière, soit à la machine, s'il y a un ralentissement dans la marche, il crie : « Hue donc, le *tourne-broche.* » S'il y a un arrêt pour un jour au moins, il faut l'entendre : « *A la rue de Lappe, la seringue* [12], qu'il la change ; c'est-y pas vexant d'envoyer comme ça les ouvriers *à la comédie* [13] ? Je ne ferai pas six jours dans ma quinzaine ; qu'es'ça lui f... au *singe,* il a de quoi *béquiller* [14] ; mais de nous autres, il s'en moque pas mal. »

D'autres fois, il s'en prend au chauffeur : « Va donc, *postillon d'eau chaude* [15], chauffeur de four, machine à faire des heures, ta journée va toujours, à toi. » La riposte ne se fait pas attendre, comme bien vous le pensez.

Il fait de trois à cinq patrons différents par année.

---

6. *Etre d'attaque* : être capable, chouette et rupin, malin.

7. Maladie chronique ou intermittente qui affecte spécialement les sublimes.

8. Rue François-Miron, il y a un marchand de vin qui a pour enseigne un chat qui coupe le poil des feignants.

9. La *loupe* : insecte mystérieux qui donne la flemme par sa morsure.

10. *Le Tintamarre* dit : « Avoir une écrevisse dans sa tourte (tête). »

11. Plus le sou.

12. Aux ferrailleurs, la machine : la rue de Lappe est la rue de ces intelligents commerçants. Quand un individu travaille après une invention, le camarade lui dit : « Tu travailles pour la rue de Lappe », c'est-à-dire que l'invention n'aboutira pas.

13. Faire chômer, être à pied.

14. Manger.

15. Mécanicien de locomotive.

S'il est embauché dans une nouvelle maison, un fils de Dieu vient lui *serrer les griffes* :

« Te voilà ici maintenant, je te croyais bien *aux Amandiers* [16].

— Il n'y a que des *margoulins* [17], et puis on ne gagne pas sa vie là-dedans.

— Je vois ça d'ici, t'es toujours noceur, tu te seras fait *sacquer* [18].

— Tu sais, c'est fini maintenant, réglé comme un papier de musique.

— Tant mieux, parce qu'ici tu ne ferais pas long feu.

— Vraiment, mais dans le temps, tu disais qu'on *pouvait y prendre ses invalides.*

— Ma vieille, ça devient *boîte,* le *singe* a pris un contremaître nouveau qui veut nous régler comme au couvent ; le premier lundi que tu manqueras, tu seras prévenu ; le deuxième, tu pourras passer au guichet.

— Oh bien ! alors je tâcherai d'y faire deux quinzaines, parce que voici le terme. »

Pour que ces messieurs trouvent votre *boîte* passable, il faut que vous leur donniez de la besogne quand ils sont disposés à travailler ; qu'elle soit payée largement, afin qu'ils puissent se rattraper des jours de noce, et que vous n'ayez pas d'accidents quand ils sont à l'ouvrage ; sinon, votre boîte est une succursale de Cayenne ou de Toulon. Si la surveillance y est active et que la *loupe* soit surveillée, c'est un abattoir.

Cependant, dans la *dèche* [19], il fait de bonnes réflexions ; il convient qu'il est une *rosse,* que ça ne lui arrivera plus ; il cher-

---

16. Les ateliers sont souvent désignés par le nom de la rue ou même du quartier, ainsi la maison J.-F. Cail et Cie : c'est à Chaillot.
17. Mauvais ouvrier.
18. Renvoyer un travailleur, c'est le sacquer.
19. *Dèche* : situation de l'individu qui n'a plus d'ouvrage et plus d'argent.

che à expliquer la *bordée* [20] qui l'a mis à sec ; s'il a attrapé un *coup de sirop* [21], *c'est que le torchon brûlait* [22], sa bourgeoise lui avait fait des misères ; pour noyer son chagrin, il a bien été obligé de mettre le nez *dans le bleu* [23].

Le voilà tout à fait en train, il déjeune avec un sou de pain, une botte de radis et de la *lance* [24] ; si seulement il pouvait se payer un demi-setier ; le *kirch de barbillon* [25] est si fadasse, mais pas de *pognon* [26], pas *d'œil* [27], c'est dur tout de même.

La paie arrive, il prend ses quatre litres avant de rentrer à la *tôle* [28] ; comme il ne rapportait presque rien, il n'avait pas vu deux *mastroquets* à qui il devait, qui l'ont pincé ; il leur a donné un acompte, sa femme l'a bousculé, ils se sont cognés, il *lui a fait chanter un Te Deum raboteux, que c'était ça* [29].

Le lendemain il en était *bleu* [30] ; quand il a vu la figure de sa femme, il s'est *vivement tiré les pieds* [31] ; il n'en a rien pu manger de la journée, les camarades l'ont bien vu. Cadet Cassis le blaguait tout le temps : « On dirait que t'as mangé des *mâchefers* [32] ; allons, encore une tournée pour les faire passer. » A six heures, il avait son *poteau télégraphique* ; il est rentré ; il s'attendait à un *chabanais* [33] monstre ; elle l'a déshabillé sans rien dire. Ecoutons-le raconter lui-même sa mésaventure : « Le lundi matin, à cinq heures, j'étais debout ; je me dis : Pas de blague, faut cogner. J'arrive un quart d'heure avant la cloche ; mon chef d'équipe arrive en même temps et me

---

20. *Bordée* : noce.
21. Soûlographie.
22. *Le torchon brûle* quand on s'est battu ou disputé avec sa femme, on se boude.
23. Le vin.
24. L'eau.
25. L'eau.
26. Argent.
27. Crédit.
28. A la maison.
29. Ils se sont battus, ou plutôt il a battu sa femme.
30. Etre ahuri.
31. Sauvé.
32. Résidu de forge.
33. Le tapage, la dispute.

dit : " Viens, Pois Vert, que je te régale." J'aurais avalé quatre litres de sel, j'aurais pas été plus altéré. Il me dit : " T'as donc *chauffé le four*[34] hier ? *Ton giffard*[35] *fonctionne rudement bien,* redoublons. — Ça va, que je lui dis. " Y a encore cinq minutes ; la bande arrive, à la cloche, j'étais *éméché*[36] ; on a joué le pain et le fromage, le vin, le café ; j'ai fini mon après-midi dans la cour du *mizingo*[37] ; à six heures, j'avais plus de pression. Encore une quinzaine qui commence mal. »

Une des causes principales pour laquelle les travailleurs font la noce le lundi au lieu du dimanche, c'est que le dimanche est le jour réservé pour faire les courses, les achats, les affaires du ménage. Si le sublime voulait se mettre en bordée, il ne trouverait pas ses amis, ils sont tous dispersés. Mais le lundi, il sait qu'ils viendront pour travailler ; ils sont sûrs de se rencontrer à la porte ; instinctivement ils se devinent. « Tu ne paies rien ? Dépêchons-nous ; t'invites pas chose, machin, le Petit Pierre, psitt ! Hé, arrivez, vous, c'est Riche en Gueule qui régale. » La bordée est commencée. Arrivés chez le marchand de vin, tous ont l'air de se presser.

Le Petit Pierre avalant son verre : « Voilà la cloche, filons.

— Qu'est-ce qui nous *emmoutarde* donc, celui-là, avec sa cloche ; si je *me casse un abattis aujourd'hui, ça sera pas dans la boîte* ; pas de blague, hé, là-bas. »

Un copain le prenant par les épaules : « Arrive, je te fais un saucisson en deux cent vingt et un au piquet. »

Ils entrent dans la salle, la séance commence.

Un quart d'heure après, le Petit Pierre vexé : « Etes-vous rosses tout de même, et moi qui avais si bien promis au patron de ne pas manquer ; il est capable de me f... mon sac demain, et ma femme qui me disait encore hier : " Tâche de faire une bonne paie ", elle veut aller voir son père.

— Ah ça, est-ce que tu veux nous faire pleurer avec tes rengaines ? Allons, bois un coup et regarde ton jeu ; t'as la

---

34. *Chauffer le four* : se griser.
35. Alimentateur de l'ingénieur Giffard.
36. *Eméché* : commencer à se soûler.
37. Marchand de vin.

révolution dedans [38]. *Quinte mangeuse portant son point, dans l'herbe à la vache* [39]. *Quinze et cinq,* vingt, *trois borgnes* [40], vingt-trois, *trois bœufs* [41], vingt-six, *tierce major dans les vitriers* [42], vingt-neuf, *trois colombes* [43], quatre-vingt-douze, et joue An un de la République, quatre-vingt-treize.

— Mon pauvre Auguste, t'es passé au gabarit. »

Ramené au jeu, femme et patron sont vite oubliés.

La pression monte insensiblement, on quitte les cartes pour le billard ou bien on blague ; on passe en revue tout l'atelier, le patron, les employés, les amis, les *mufes,* les aristos, les mouchards de la *boîte* ; on fait le compte du patron on parle des commandes, s'il gagne ou perd de l'argent, s'il est riche ou s'il est gêné, tout y passe. On prend le journal, s'il y a un fils de Dieu, les commentaires vont leur train ; s'il n'y a que des sublimes simples, à dix heures ils *lèvent l'ancre* ; les voilà partis à la sortie d'un atelier où il y a des amis. La noce recommence de plus belle ; ils sont quatre de plus, l'embauchage et le débauchage se fait :

« Es-tu bien au Rochouart [44] ?

— Non.

— Viens chez nous, le contremaître m'a demandé si je ne connaissais pas quelqu'un.

— Entendu.

— S'il veut m'enlever demain, je lui dirai que je suis allé te trouver. »

Remarquez que ces changements, ce qu'ils appellent faire la navette, ne leur sont pas profitables, au contraire.

S'ils quittaient une maison pour aller dans une autre, afin d'y gagner davantage, cela se comprendrait ; mais les trois

38. Tu fais quatre-vingt-treize.
39. Quinte majeure portant son point en trèfle.
40. Trois as.
41. Trois rois.
42. Tierce majeure en carreau.
43. Trois dames.
44. Pour Rochechouart.

quarts du temps c'est pour des motifs insignifiants. Non seulement celui-là vous quitte, mais il y a toujours un ou deux intimes qu'il finira par faire venir dans la nouvelle maison.

Il n'est pas difficile de comprendre quel préjudice de pareils changements apportent dans le travail ; voilà un ouvrier qui a commencé et fait aux trois quarts soit une pièce ou une machine, et qui laisse tout en plan ; celui qui la reprend tâtonne pendant quelques jours, afin de se mettre au courant, s'il ne fait pas des erreurs.

Il n'y a plus de procédés, le patron est un ennemi, on le traite comme un exploiteur ; en retour, le patron agit de même, mais dans des limites excessivement restreintes : il est l'esclave de ses intérêts. On peut dire aujourd'hui qu'il n'y a plus de sympathies entre le patron et le travailleur [45].

Une question majeure : pour que le travail soit productif, il faut qu'il soit organisé, et non à la merci des caprices de ceux qui l'ont entrepris. Question que nous examinerons.

Si le sublime simple est marié, avec des enfants, et que, le rencontrant le mercredi matin, vous lui demandez s'il a été malade, qu'il n'a travaillé ni le lundi ni le mardi, il s'épanche, il s'en veut, il se donne à lui-même les qualifications les plus sévères. Nous en avons connu un qui pleurait en nous racontant la scène lamentable qu'il venait d'avoir ; il ne savait pas comment sa femme s'en tirerait avec ses enfants, elle n'avait seulement pas de quoi acheter du lait pour son tout-petit, et pas seulement un paletot à mettre au *clou* [46].

Si le sublime simple est célibataire, les réflexions sont moins amères, il examine sa situation : « Plus *un radis à la piole et rien dans le battant* [47], heureusement que le patron est un zig et qu'il lui donnera son *prêt* [48]. »

Pour sa blanchisseuse, il la paiera en même temps que son garni.

Il travaille quelquefois un mois sans déraper.

---

45. Etre bien avec le patron, c'est tout ce qu'il y a de plus mal porté en sublimisme.

46. Le *clou* : le mont-de-piété, cette institution où l'on rend service à si bon marché.

47. Plus un sou à la maison et rien dans l'estomac.

48. Avance. Le troupier reçoit son prêt.

Il a acheté une conduite, il est des chouettes, maintenant. La paie arrive, elle est bonne ; il recommence ; du reste, il y avait longtemps qu'il se promettait d'aller à Saint-Ouen, manger une friture ; pour sa petite santé, il a besoin d'un peu de campagne, il va au vert, il veut se purger ; il a tant massé pendant ces deux quinzaines qu'il peut bien prendre un jour de repos.

Il ne comprend pas que l'on mette son *zinc*[49] dans une tirelire, ça rouille.

On peut dire que, tant qu'un sublime aura de l'argent, il ne travaillera pas ; il ne reprend sa besogne que quand il est à sec.

Les jours d'amertume et de découragement pour les sublimes sont le samedi de paie et le jour où il reprend son travail. Le samedi de paie, il est froid et réfléchi, il arrive au bureau, il connaît son compte à peu près ; l'argent dans la main, il devient blême, il touche les deux tiers et souvent la moitié de ce qu'il aurait pu toucher, s'il avait fait sa quinzaine complète ; comment voulez-vous qu'il fasse ? Il doit au marchand de vin, il doit à quelques amis auxquels il a emprunté par-ci par-là quelques petites sommes qu'il veut rendre, les sentiments n'abdiquent pas, comment faire ? Il ne s'en prend pas à lui ; quelle tempête dans ce cerveau ! Que d'amertume dans ce cœur ! Il devient sombre, crispé, les réflexions vont leur train : « Prosper a bien raison de dire qu'on ne laisse gagner à l'ouvrier que juste de quoi ne pas crever de faim ; ah oui, nous sommes un troupeau d'exploités, il a rudement raison, je le comprends plus que jamais ; aussi... » Une crispation lui coupe la parole, et il poursuit mentalement ses amères réflexions. Un jeune sublime l'invite ; si sa femme ou le marchand de vin ne sont pas là, il y aura une noce de plus. Les réflexions du samedi sont socialistes ; celles du lundi sont plus sentimentales et souvent plus salutaires chez le sublime simple : « C'est vrai, si j'avais fait ma quinzaine complète, j'aurais touché presque le double, aussi en voilà assez. » Il prend et exécute souvent cette bonne résolution.

Cette sensibilité, ce retour sur lui-même est ce qui le distingue du vrai sublime.

---

49. *Zinc* : argent, sa braise.

Le sublime simple dans un atelier est un dissolvant, s'il y a des apprentis, il les protège, il les instruit à sa guise. Quelles bonnes leçons ! Il leur fait chercher des outils impossibles, tels que le marteau à trois pannes ; les fait battre et boire, les grise au besoin ; leur apprend la manière de tirer une *loupe* ; du travail, il ne leur en parle jamais. Au lieu de devenir ouvrier, l'enfant devient sublime. Chacun sait combien les penchants se développent facilement chez de jeunes natures, qui ont souvent dans leur famille des exemples regrettables. Aussi les résultats sont certains.

Sur cent apprentis, nous défions qu'on nous montre dans la mécanique, à Paris, plus de vingt travailleurs qui ne soient pas des sublimes de la plus belle espèce [50]. Question capitale que nous développerons.

Pour les personnes qui sont dans le travail, le sublime est facile à reconnaître ; pour celles qui ne connaissent les travailleurs que par les livres, au premier coup d'œil, il n'y a rien qui ressemble à un ouvrier comme un sublime. Cependant, dans Paris il est facile d'en reconnaître quelques types.

Ainsi : si vous voyez un garçon maçon, plein de plâtre, se frotter contre les passants, afin de les salir, sublime. Le trottoir n'est pas fait rien que pour vous.

Les Parisiens savent toutes les difficultés qu'ont les piétons à se garer des voitures dans le tohu-bohu des rues. Chacun doit y apporter du sien, afin d'éviter des accidents. Si vous voyez un individu traverser une rue ou un boulevard fréquentés sans se presser, avec des airs d'indifférence fanfaronne et dire : « Je voudrais bien voir qu'il me touche », sublime.

Il y a réciprocité, c'est le sublime cocher ou charretier qui marchera quand même. Il faut alors entendre les jolies choses, si ce ne sont les coups de fouet et les coups de poing, le poste et la fourrière qui terminent le conflit.

Dans les omnibus, wagons, voitures publiques, si vous voyez un individu qui se croit le droit d'être grossier, et qui répondra à vos timides observations : « C'est parce que j'ai une blouse ou parce que je n'ai pas de gants ? », sublime.

---

50. Il est bien entendu que nous parlons des apprentis faits dans les ateliers de Paris.

Nous n'en finirions pas, mais ces quelques exemples suffisent pour donner une idée des personnages.

Nous ne connaissons rien d'insupportable comme cette pose à l'indignation de la condition sociale, cet étalage de la blouse, qui doit couvrir les grossièretés, les sans-gêne, quelquefois les insultes de ces citoyens. Si vous lui faites une observation sur son laisser-aller qui vous fatigue, vite la théorie de la blouse en avant : « Il n'est pas aussi bête qu'il est mal habillé. » Ou c'est parce que vous êtes riche.

Toutes les fois que vous vous trouverez en face d'un crâneur, qui fera étalage de sa position ou qui se ravalera pour vous injurier, dites-vous : voilà un sublime.

Comme homme politique, le sublime simple n'a pas d'opinions raisonnées, il se dit républicain, sans seulement savoir ce que c'est, il aboie sur le pouvoir sans rime ni raison, il est violent, énergique, non pas pour la revendication d'un droit légitime ; pour lui les tyrans qu'il connaît sont le patron et le propriétaire : des exploiteurs et des voleurs [51]. Cet ignorant, qui ne lit presque jamais, ne voit la cause du mal qui le ronge que dans ces deux individualités : l'un qui ne lui en donne pas assez, l'autre qui lui en prend trop.

Venez donc parler de la souveraineté du travail à de pareilles intelligences.

Les sublimes de Dieu, penseurs, réformateurs et orateurs, vous apostropheront rarement sur votre mise ; ils brutaliseront, ils insulteront vos idées et vos actions ; mais, le sublime brut, c'est à votre mise, à votre tenue, à votre manière de parler qu'il s'attaquera. Aussi, quelques-uns des tribuns des réunions publiques usent du procédé, ils viennent en blouse, au besoin les mains sales ; aussitôt qu'ils montent à la tribune, toutes les sympathies des sublimes leur sont acquises : « C'est pas un aristo, celui-là, c'est un compagnon, écoutons. » C'est stupide, absurde, tout ce qu'on voudra ; mais cela existe. La pose à la blouse fait son effet. Nous ne connaissons aucun point

---

51. Quand les sublimes ont dit à un commerçant *rongeur* ou à un patron *exploiteur,* ils éprouvent un soulagement.

sur lequel les sublimes soient aussi chatouilleux. Appelez-les fainéants, pochards, parasites, ils prendront ces injures avec indifférence ; mais, si vous leur dites : « Allez donc vous promener avec votre blouse sale », alors il faut les voir, les entendre, ils vous dégobillent les insultes les mieux choisies.

5. Le sublime flétri et descendu

Chacun sait que Paris est le *refugium peccatorum,* le grand collecteur de la France ; les tarés de province abondent dans la capitale, les uns pour tâcher de se redresser, les autres pour pouvoir développer plus facilement les penchants malhonnêtes qui les ont forcés de quitter leur pays. Le travailleur, comme le citadin, prend le chemin de Paris.

Dans le chapitre qui nous occupe, nous examinerons les trois types qui sont mêlés au corps des travailleurs, les uns par des saccades de travail, les autres constamment :

1. le parasite proxénète

2. le flétri par la loi

3. le descendu ou ayant occupé une position plus lucrative.

Quoiqu'il soit assez difficile d'en déterminer exactement le nombre, nous pensons qu'il est environ de sept pour cent dans les travailleurs. Car ces trois types se trouvent également et en grand nombre dans ce que l'on est convenu d'appeler le grand monde.

Tous les Parisiens connaissent le *proxénète* que l'on qualifie depuis peu du nom de *brochet,* expression beaucoup plus significative que celle qu'on lui appliquait autrefois et qui appartenait également à un habitant des eaux.

Tout le monde connaît cet individu, qui, sans honte, vit sur le produit de la prostitution de malheureuses descendues moins bas que lui.

Cet individu a un livret, c'est un travailleur ; étant jeune il fréquentait les aînés, insensiblement il est devenu comme eux ; le samedi de paie, ils se trouvaient ensemble ; on lui a fait faire une connaissance ; *on babouine le zinc de la paie* [1], sa mère l'attend deux, trois jours et est quelquefois obligée d'aller le réclamer à la préfecture, quand il n'y est pas pour longtemps.

Il retourne à l'atelier, mais, comme il n'a plus d'argent, il en reçoit de sa *cato* [2] ; cette vie-là continue quelquefois long-temps, suivant les exigences de sa *dame*. Puisqu'il travaille, il ne peut lui donner que ses soirées et le fameux *jour de sortie* [3]. Les instances des parents, qui ignorent sa conduite, le main-tiennent encore à la besogne.

Un beau jour, il envoie tout promener : elle gagne assez ; puis elle s'embête pendant le jour : elle le lâcherait. Un travailleur de moins, un parasite de plus sur le chemin du bagne.

Ce type est excessivement dangereux ; pendant la période mixte de sa jolie existence, il corrompt ses camarades d'atelier.

Nous connaissions quatre jeunes gens, ajusteurs très intelli-gents et bons ouvriers, qui se laissèrent aller sur cette pente fangeuse, au contact d'un parasite ; aujourd'hui, ils sont des célèbres de la Courtille [4].

Mais, nous direz-vous, c'est une exception ? Exception énorme, considérable à Paris, une exception qui est un danger social ; c'est dans cette exception que se recrutent les voleurs et les assassins.

En présence de ce danger, on fait de tristes réflexions et on se demande s'il n'y a rien à faire. Les moyens ne manquent pas ; mais n'anticipons pas, nous en donnerons quelques-uns, et nous les croyons irréfutables.

Examinons le *flétri par la loi* ; ce type n'est pas canaille à la façon du précédent, il travaille, mais par saccades ; il fera quinze jours, un mois, sans bouger.

---

1. Manger l'argent de la paie.
2. Prostituée de bas étage.
3. De par le règlement qui régit ces malheureuses estampillées, tim-brées, elles ont un jour de sortie par semaine. Quand serons-nous libérés de cet ignoble casernement qui éteint jusqu'à la dernière trace de bons sentiments ? La santé publique est dans un ordre de mesures plus élevé.
4. Quartier de Belleville qui est le rendez-vous de ces victimes sociales et de leurs acolytes. Escorteurs du jour de sortie et brochets des jours de travail.

Il va aux *carreaux brouillés* [5], c'est son pain quotidien.

Il est peloteur, mais très réservé, car il a le *taf* [6]. Si les autres savaient qu'il a été à l'*ombre* [7], ils le feraient balancer. Il *grinche* [8] les outils des autres et ceux du patron, ça ne fait pas un pli ; il a dans la *bobine* [9] une invention, il travaille chez lui.

Par moment il tire une *bordée* de quatre ou cinq jours. On ne sait où.

Il est généralement adroit et intelligent.

Il flatte le contremaître et son chef d'équipe ; quand il parle ou discute avec le patron, il le trouve toujours très juste. Chez le marchand de vin, c'est lui qui approuve Auguste qui se plaint : « Il a raison, on nous exploite ; si j'étais à sa place, j'enverrais *dinguer le singe* [10]. »

Si Auguste quitte, il demande et prend sa place ; sa machine était meilleure, puis, après tout, c'était un *mufe*.

Toujours patelin et peu bavard, il a peur ; il met le bourgeron de Baptiste, qui est malade, mais ne le rend jamais.

Un jour, il vous prévient qu'il est obligé de partir pour son pays, son père est à l'article de la mort ; il vous amène son *marchand de sommeil* [11], à qui il a donné l'autorisation de toucher sa paie et qui lui avance pour son voyage.

Deux ou trois jours après, vous êtes appelé chez le juge d'instruction pour affaires qui le concernent.

Un tel personnage dans un atelier est un mal, parce que les vols commis font planer des soupçons injustes sur les ouvriers et sublimes de l'atelier. Comme il est liant, adroit, il recrute quelquefois des complices, en parant les détournements de prétextes plus ou moins adroits. On commence par les outils, on finit souvent par l'effraction et ses conséquences.

Le travail est le plus grand moralisateur que nous connais-

---

5. De par les règlements, les volets doivent être fermés, les carreaux dépolis, dans ces dépotoirs à gros numéros.
6. Peur.
7. En prison.
8. Il vole.
9. La tête.
10. Promener le patron.
11. Teneur de garnis, logeur à la nuit ou au mois.

sions ; c'est dans le travail que le flétri peut trouver les éléments nécessaires à son redressement. Mais, pour les instincts rebelles, les natures éminemment perverses, le travail est insuffisant ; la société doit se prémunir contre les incorrigibles, se mettre à l'abri des violateurs de ses lois.

La liberté individuelle est le bien le plus sacré pour l'homme, toute loi qui pourrait lui porter atteinte est une loi de terreur. Dans cette période d'indifférence, en 1869, les fils des grands révolutionnaires sont restés indifférents devant cette lettre de cachet déguisée sans la signature du roi. On a pu impunément arrêter quatre cents citoyens, sous l'inculpation mensongère de conspiration ; la France n'a pas frémi et, à part quelques énergiques protestations, les citoyens sont restés calmes.

Nous pouvons donc, en toute assurance, exposer nos réflexions, au sujet des flétris, sans attirer les colères des puritains du droit, analysé dans ses conséquences les plus subtiles.

Notre Code pénal distribue les peines en raison des fautes, des délits ou des crimes ; les antécédents, les circonstances, la position de l'accusé viennent souvent, en présence d'une première chute, atténuer la culpabilité.

Il rentre dans la société à l'expiration de sa peine ; si c'est une bonne nature, il se corrige ; la punition a été salutaire, il se redresse, il arrivera à reconquérir une partie de l'honorabilité qu'il a perdue. Mais, si les mauvais instincts triomphent, il commet une deuxième faute ; on lui inflige une deuxième punition, plus sévère toute proportion gardée, que la précédente, à cause de la récidive.

Il est certain qu'un individu qui a subi trois ou quatre condamnations pour vol ne se corrigera pas. Et si la société le reçoit de nouveau dans son sein, à chaque échéance de ses punitions, il redevient un danger pour elle ; c'est trop évident.

Oui, la liberté individuelle est un droit que possèdent tous les citoyens honnêtes. Mais doit-il s'étendre à ces misérables incorrigibles, fléaux de la société, aux attaques desquels vous serez sans cesse exposé ? La question vaut la peine d'être examinée.

Qui dit société dit assemblage d'hommes, unis par la nature et les lois. La première des conditions d'existence de la société, c'est le respect des lois primordiales. Voici un de ses membres qui les viole, une, deux, trois et quatre fois, et la société le reçoit parmi elle, il fatigue la loi et la punition, et elle consent à le subir ; si le mal que produit cet individu ne s'appliquait qu'à lui nous comprendrions cette tolérance ; mais ceux qu'il corrompt, qu'il conseille, qu'il entraîne et qu'il pousse, la société doit les protéger ; sans parler des victimes qui ont bien droit à cette protection.

Une pareille résignation n'est pas de la justice, c'est de la faiblesse imprévoyante et coupable.

Toute société qui voudra grandir, s'améliorer et surtout se protéger doit rejeter de son sein tous les membres reconnus incorrigibles qu'elle n'aura pu guérir. La société, comme les individus, a l'instinct de la conservation.

Nous disons donc que tout individu qui aura subi trois condamnations afflictives ou infâmantes doit être exclu de la société.

Des pénitenciers seraient établis dans les colonies les plus salubres, les condamnés trouveraient dans le travail les consolations et le repentir des fautes commises contre la société, dont ils se sont fait exclure. Pas à tout jamais ; il n'y a que l'enfer d'où l'on ne sortira jamais : le Dieu des curés a le droit d'être sévère ; les hommes doivent être moins terribles, ils laisseront la branche qui soutient, l'espérance.

Mais ce que vous proposez est monstrueux, nous dira-t-on, la société ne demande pas une vengeance. Non, elle veut la sécurité, voilà tout.

Couper le mal dans sa racine par l'instruction, l'éducation, la famille bien constituée, l'apprentissage organisé, le bien-être, c'est notre avis ; mais, les natures perverses, vous en aurez malheureusement toujours.

Que faire ? Les subir, c'est trop de résignation.

Ce que les honnêtes gens demandent à la loi, c'est d'être protégés contre les malfaiteurs.

Le *sublime descendu* est beaucoup plus dissolvant. Il connaît la comptabilité, son éducation a été soignée ; il a eu des malheurs, des revers. Dans le temps, il avait des ouvriers, une voiture, il a fait de grandes affaires. Il était placé comme employé, il a perdu sa place, il a été obligé d'entrer comme homme de peine dans un atelier ; il a fini par se mettre au

177

courant ; au bout de six mois, il était bon raboteur. L'administration d'une maison, il connaît ça, lui ; il a été au collège avec monsieur untel, untel, etc. Son père était un grand négociant, il lui a succédé, la concurrence l'a tué ; après sa troisième faillite, il avait repris le dessus ; c'est une canaille qui l'a filouté, il ne lui est plus rien resté que sa plume. Pensant à ses anciennes splendeurs, il dit que c'est vexant de conduire une *bécane* [12] : « Enfin, il ne travaillera pas toujours, il a une vieille tante qui lui laissera de quoi vivre, il pense qu'elle mourra bientôt. Quelle noce, ce jour-là ! Du bordeaux comme ordinaire, du madère entre tous les plats, du bourgogne au fromage et le champagne au dessert. Comme ça sautera ! Comme dans l'ancien temps. »

En attendant, s'il remarque un jeune sublime ou un ouvrier intelligent, il cause avec lui aux heures de repas, il le flatte, lui dit : « Vous n'êtes pas à votre place, un garçon comme vous, intelligent et adroit, devrait être dans une belle position. » Il lui insinue qu'il pourra le faire entrer dans telle ou telle administration, qu'il a été ami avec l'ingénieur en chef ; que lui, s'il avait été de la partie, il y a longtemps que son affaire serait faite.

Le niais se laisse prendre, le régale, lui avance de l'argent, et en fin de compte il en est pour ses frais. Si un homme se blesse dans l'atelier, il lui recommande bien de ne rien accepter, qu'il y a une loi et qu'il lui fera avoir une bonne indemnité.

S'il est à l'hospice, le dimanche, le descendu va le voir ; la femme croit ce qu'il dit, l'invite à manger ; s'il peut lui soutirer quelque argent, il le fait.

Il provoque l'assistance judiciaire et lance le travailleur dans un procès. Au besoin, il fera une pétition au chef de l'Etat ; s'il sent des économies, il ne lâchera pas.

Nous citons un exemple : dans un grand établissement métallurgique, un ouvrier, par sa négligence, reçut une blessure terrible qui le privait à jamais de tout travail : il s'était brûlé les yeux. Le patron, devant un si grand malheur, s'en-

_____

12. Machine.

gagea à servir au blessé une rente de deux francs par jour, sa vie durant. Sous l'influence d'un sublime descendu, le blessé attaqua son patron afin d'obtenir une rente de mille deux cents francs. Il perdit en première instance comme en appel. Toutes les mesures dictées par la prudence avaient été prises, la victime avait elle-même retiré le masque métallique préservateur. Il mangea trois mille francs d'économies qu'il avait péniblement amassés, et se trouva devant un avenir terrible. Le patron, homme digne, revint spontanément à sa première proposition et y ajouta même le logement. Cette conduite n'a pas besoin de commentaires.

Le descendu fait comme le sublime simple, deux cents à deux cent vingt-cinq jours de travail.

Il parle avec recherche, il étale des phrases, il parle politique sans conviction, seulement pour faire ressortir son savoir. Il aime les jeunes ouvriers, il les attire par des histoires de libertinage assaisonnées à sa manière ; s'il peut les fréquenter, il ne manque pas l'occasion.

Dans les noces, il commande, il fait le connaisseur, il *esbrouffe* ; si par hasard un fils de Dieu se trouve dans la société, son paquet est bientôt fait : « Fais donc pas le malin, espèce de banqueroutier. » Il sourit, il est la lâcheté personnifiée.

Si une association a le malheur d'admettre un descendu comme associé, pauvre gérant ! Il est à plaindre, le galeux saura bien le mettre en suspicion auprès des autres.

Pour les travailleurs, le descendu n'est pas seulement un méchant ambitieux, c'est un danger.

6. Le vrai sublime

Nous sommes en présence du type par excellence, en un mot, le résumé de la dégradation, le sublimisme à son maximum de développement.

Nous comparons le sublimisme à une grande cuvette ; dans le fond, le vrai sublime s'y vautre à son aise en compagnie des sublimes flétris et descendus ; le sublime simple descend peu à peu par le marchand de vin, la paresse et l'ivrognerie lui donnent la main. Les sublimes de Dieu avancent par des théories décevantes et décourageantes. Ajoutez à cela cinquante à soixante mille déclassés, qui ne sont pas compris dans les travailleurs, vous aurez une idée de la cuvette parisienne, ce cabinet d'anatomie des moralistes, ce lieu de travail de nos magistrats.

Le vrai sublime fait au plus cent soixante-dix jours de travail par année, une moyenne de trois jours et demi par semaine. « Allons donc, il ne veut pas se faire crever, sa mère n'en fait plus comme ce p'tit-là. »

Il pousse la vanité du vice et de l'abjection jusqu'au cynisme le plus révoltant.

Il est presque constamment entre deux eaux-de-vie ; avec vingt centimes de *poivre d'assommoir*[1], il est gris.

Un vrai sublime qui reste quelques jours sans prendre sa *ration de vitriol* éprouve des souffrances atroces, des tiraillements d'estomac effrayants ; il a la figure abrutie, il est comme fou. Avec un cinquième du fameux liquide, tout disparaît. Il sait bien que ça le tuera ; ça ne fait rien, ça le

_____

1. *Poivre* : eau-de-vie, celle servie dans les assommoirs est du... oui, vitriol. Il est incroyable que l'estomac puisse supporter ce liquide.

remet d'aplomb. Un mardi nous avons vu un vrai sublime en proie à une de ces convulsions casser les *niveaux à alcool pur* de l'atelier et boire d'un trait le contenu. Un ouvrier sobre en serait peut-être mort ; lui, il grimaça un sourire le reste de la journée.

Un vrai sublime boit rarement du vin ; l'eau-de-vie, pour certains, est même fade. La servante d'un marchand de vin versa un jour, par erreur, un *poisson* [2] d'esprit-de-vin au lieu d'eau-de-vie à un vrai sublime. Celui-ci fut tellement satisfait qu'il revint le lendemain avec les *camarades* pour goûter la délicieuse blanche. Sans le refus énergique du patron, qui reconnut l'erreur, ces messieurs auraient bu la bouteille en entier.

La figure du vrai sublime a deux teintes : suivant le tempérament, il est cramoisi ou livide.

Quand il commence dans un atelier, bien lesté du délicieux nectar, il est d'*attaque* ; si c'est un ajusteur ou un tourneur, et que le travail demande beaucoup d'exercice, il transpire d'une façon effrayante ; cette sueur le sauve, elle le dégrise un peu, il produira encore du travail. Mais, si c'est un forgeron, la chaleur lui transporte le sang à la tête, il chancelle, sa tête se couvre d'eau, il grelotte, ses pieds sont glacés, il est obligé de s'en aller. Il va prendre son *renard* : un bouillon et une chopine de vin dedans ; l'estomac ne peut digérer que des aliments mous, il est calciné.

Le vrai sublime se grise souvent en une demi-heure : deux *tournées de quatre sous,* puis ses *soupapes crachent.*

Ceci s'explique. Il y a dans Paris une maison qui a une cinquantaine de succursales et qui vend de l'eau-de-vie à un franc le litre, une chopine en deux verres pour dix sous. Puis vous voudriez que l'homme ne chancelle pas ? Allons donc ! Les malheureux ! Ils appellent ce demi-setier de liquide leur consolation, leur sœur de charité !

Les conséquences de ces excès sont terribles ; nous avons vu un vrai sublime qui, au mois de juillet, mettait les mains dans la condensation pour se réchauffer ; un vrai sublime, le nommé G..., fondeur, a été trouvé carbonisé dans l'étuve : il avait froid au mois de juin.

_____

2. Cinquième du litre. Du reste, il y a le grand et le petit poisson.

Un lundi, le sol était détrempé, plusieurs sublimes gisaient contre un mur ; un, entre autres, qui avait le cœur facile, ronflait dans sa bave, dont il était littéralement couvert. Un bouvier conduisant des porcs vint à passer ; en moins de cinq minutes notre sublime fut mis à nu ; on le transporta chez un marchand de vin, ce pharmacien par excellence des sublimes. Sa femme, blanchisseuse et mère de cinq enfants, fut appelée, mais elle ne voulut pas reconnaître son mari dans ce paquet boueux. Il fut mis sous un hangar, où il s'éveilla cinq heures après pour recevoir une pâtée conditionnée que sa bourgeoise lui réservait, en présence de tous ses enfants. Quel exemple !

Tous ceux qui sont depuis un peu de temps dans la mécanique ont entendu parler de François la Bouteille [3], le célèbre et vrai sublime. François était un jour tellement ivre que les sublimes de son atelier lui scellèrent sa pipe dans la bouche avec du plâtre. Après cinq heures d'une pareille position, on eut mille peines, en le rasant, à le débarrasser de son scellement.

Voilà au moins une vraie noce, on en parle encore dans l'atelier : il ne faut pas que les bonnes traditions se perdent.

Généralement, le vrai sublime a été un excellent ouvrier, faisant bien et rapidement les travaux manuels. Ce succès est une des principales causes de sa dégradation. On arrosait tant de fois ses capacités, ses réussites, qu'il a fini par prendre goût au travail du comptoir ; mais celui-ci fait perdre habituellement le goût du travail de l'atelier.

Il y a dans la classe laborieuse des aphorismes desquels il est difficile de sortir. Nous tenons à en citer quelques-uns.

Plus les sublimes savent qu'il y a du travail dans l'atelier, plus ils se croient le droit de faire la noce et de s'absenter. « Il n'y a pas de danger que le singe le renvoie, il n'oserait pas lui f... son sac ; il a de la besogne par-dessus les yeux, nous ne sommes pas si pressés, nous autres. »

---

3. François la Bouteille était le vrai sublime qui faisait le mieux le signe de la croix des pochards. Sur la tête il prononçait Montpernasse, sur l'épaule droite Ménilmonte, sur la gauche la Courtille, sur le ventre Bagnolet, et sur le creux de l'estomac trois fois Lapin sauté. Les quatre premières invocations étaient dites d'un air béat, les trois coups de Lapin sauté étaient accentués vigoureusement. En sublimisme, on dit : la croix de Jésus du pochard.

Si le patron n'a pas de commandes et qu'il fasse de l'avance pour ne pas renvoyer ses hommes, tout le monde sera là.

Plus un sublime se croit capable, plus il se regarde comme indispensable et plus il se croit avoir le droit de s'absenter.

« Il n'y a pas de danger qu'on le renvoie, lui, le *preu* [4] des tourneurs de la capitale, le patron lui fera encore des politesses. Il n'y a que des *sabourins dans son échoppe* [5], pas un capable. Lui, à la bonne heure, il mettrait en pointe aussi bien une aiguille que la colonne Vendôme [6]. Des hommes comme ce cadet-là, quand on les a, on les garde. Lui, du reste, on l'appelle Trente Kilos sans Griffe, parce que, quand il tournait des tampons, il faisait sauter trente kilos de copeaux, et, ce qu'il y a de plus épatant, sans griffes ; on n'en fait plus d'abattis comme ça, c'est tout nerf. »

Quand il se présente pour s'embaucher, il frappe sur le bras grauche et vous dit : « En voilà un de quatre livres dix », et frappant sur le droit : « En voici un de cinq livres quinze. Lequel voulez-vous, patron ? »

Un fait assez bizarre est arrivé à deux sublimes. L'un fut embauché huit jours avant le premier. Après la première huitaine, il se mit en bordée ; le deuxième prit place à côté des outils du noceur. Chose incroyable mais des plus historiques, les circonstances aidant, ils ne se rencontrèrent qu'au bout de huit mois [7]. Il fallait voir les poignées de main et les accolades des deux voisins le jour de la rencontre ; ils furent deux amis jusqu'à la mort. Le patron était un homme faible qui croyait être bon pour ses ouvriers par cette tolérance.

Le vrai sublime est vantard en diable, crâneur comme pas un. Devant le comptoir il dit qu'il ne bouderait pas devant un coup de tampon. « Ah ! si on l'embête, il cassera les reins à toute la *boîte*. » Pure crânerie, dite tout simplement pour épater son auditoire, et surtout les jeunes ; nous tenons même

---

4. Le premier.
5. Maladroits dans son atelier.
6. Un tourneur met sa pièce en pointe.
7. Pendant que l'un travaillait, l'autre noçait ; chacun disait : « Je ne verrai donc jamais mon voisin. » Le jour de la rencontre fut splendide.

qu'il est très lâche, mais pas méchant : il est, comme disent les autres, *gueulard* et *esbrouffeur.* Voilà tout.

Dans un atelier, s'il a travaillé à une machine, n'y aurait-il mis qu'une goupille, c'est lui qui l'a faite. Ecoutez-le raconter ses hauts faits, c'est d'un grotesque à faire pouffer de rire :

« C'est lui qui montait les presses chez Saulnier de la Monnaie, c'est lui qui a monté la colonne de Juillet : si Julien ne l'avait pas eu, il y a longtemps qu'elle serait en bas. »

« C'est lui qui a monté le pont des Saints-Pères ; Polonceau l'aimait bien. »

« C'est lui qui a forgé la mèche pour le puits de Grenelle, son patron en a été décoré. »

« A la pompe à feu de Chaillot, ça n'allait pas ; on est venu le chercher, il était chez Chose ; en deux heures il a trouvé le joint ; ça marche encore comme il l'a arrangée. »

« M. Lebas allait faire un *lou,* il a été le trouver, il lui a expliqué son *truc,* il a compris et s'en est servi, sans cela l'obélisque n'aurait pas bougé : il a bien droit à un petit bout de son ruban. »

Quand il parle de l'atelier où il travaille : « Quelle turne, quelle boîte à *lou* ; quand il est rentré là-dedans, on ne savait rien faire, ça commence à venir, on les a mis à la *coule* ; est-ce qu'on savait seulement couper du fer ? Avec ça tu crois que le singe vous en tient compte ? Il devrait me *baiser les pattes,* eh bien, non ; l'autre jour, sais-tu ce qu'il m'a dit ? " Dites donc, vous, si vous voulez continuer à commencer votre semaine le jeudi, je vous *balancerai*[8]. " Fêle-toi donc la *Sorbonne*[9] pour des *mufes* pareils. » Lui, il connaît le plan à fond, il lit sur un dessin comme dans un livre. Toute sa conversation, chez le marchand de vin, roule sur le travail qu'il a fait et même qu'il n'a pas fait. Il parle *manique*[10] du matin au soir. Il y en a qui ne manquent pas un enterrement de camarades. Si c'est un ami, ils pratiquent les adieux à leur façon. Ecoutez

---

8. Renverrai.
9. Tête.
10. *Manique* : métier.

les derniers mots d'un sénateur sur la tombe d'une célébrité :
« Toute-Fois-et-Quant, il est mort ; ça ne fait pas de rien,
ami, va, marche toujours, les camarades sont là ! Quel malheur ! Nous n'en boirons donc plus, de ces chopines ! »

Le plus beau type du vrai sublime est mort, il y a quelques
années ; nous devons quelques mots à ce génie transcendant.

Il se nommait *Ar...in,* homme ayant été très intelligent et
très adroit. Bon dessinateur, ancien horloger, il s'était lancé dans
la mécanique ; une partie des modèles du Conservatoire ont
été exécutés par lui. Ses capacités lui firent gagner la couronne
des pochards ; après avoir descendu et avoir passé par toutes
les dégradations humaines, il fut proclamé empereur des pochards et roi des cochons. Son couronnement a eu lieu, au
Là, s'il vous plaît [11], chez Boulanger, traiteur, à la barrière
des Vertus. Ce qui avait provoqué ce brillant honneur, c'est
qu'Ar...in avait mangé une salade de hannetons vivants et
mordu dans un chat crevé.

Qui, dans la mécanique, n'a pas connu Ar...in, l'empereur
des pochards ?

Nous, nous le proclamons grand maître des sublimes.

Ar...in, qui avalait une souris vivante pour un litre.

Ar...in, qui dessinait le portrait d'Henri IV dans un milli-
mètre carré avec une pointe à tracer.

Ar...in, qui, en deux heures, tapissait de dessins les murs
d'un traiteur.

Ar...in, qui enlevait dans ses bras un camarade comme une
nourrice un *gosse* [12].

Ar...in avait du prestige ; maintenant les sublimes se vouent
à la jaune et à la blanche, il n'y a que la plèbe pour se jeter
sur le *vitriol.* Lui, le grand Ar...in, il ne sortait pas du *sala-
dier* [13], ça vous retapait un homme [14].

---

11. Enseigne du marchand de vin. Quand un forgeron est prêt à
donner une chaude, il crie dans l'atelier : *Là, s'il vous plaît,* pour appeler
les camarades qui doivent frapper sur la pièce. Le marchand de vin était
probablement un ancien forgeron.

12. Enfant.

13. Vin dit « à la française », c'est-à-dire sucré.

14. Ar...in travaillant chez M. Pauwel à La Chapelle, ne pouvant
sortir, se fit emballer dans une caisse, le camionneur le décloua une fois
dehors. Pour qu'il terminât un piston, les chefs furent obligés de lui

Nous n'avons plus que des roitelets ; le grand règne est passé ; mais, si nous n'avons plus la qualité, nous avons la quantité, ça compense, hélas !

Le vrai sublime se reconnaît facilement à son linge dégoûtant, à ses souliers éculés et percés, à sa voix caverneuse, enrouée ou râleuse, à son haleine de trois-six. Quand vous lui demandez où il a travaillé, il vous toise en ayant l'air de vous dire : « Comment, vous ne me connaissez pas, c'est moi qui... c'est moi que... », et il finit par vous dire avec un geste impossible : « C'est moi qu'on appelle Bec Salé, dit Boit sans Soif, ou la Chopine en Bois ; ça doit vous suffire. »

Si vous l'embauchez, après la première demi-journée, il lui faut de la *braise,* il n'est pas Rothschild, s'il avait vingt sous dans sa poche, il ne serait pas là.

Il y a une dizaine d'années, les célèbres passaient rarement l'eau ; ils se tenaient généralement dans les quartiers de Popincourt, Belleville et Ménilmontant ; ils n'aiment pas les grandes *boîtes,* parce qu'ils détestent le couvent.

Quand ils ont assez de *c'te boîte,* et s'ils savent le patron poli et bienveillant, ils répondent à ses observations par les grossièretés et les insultes. Voici un exemple qui nous a été affirmé par plusieurs personnes dignes de foi : un mécanicien parisien surprit un jour deux vrais sublimes en train de tirer une loupe derrière une machine. Il leur dit avec bonté : « Eh bien, les amis, vous voulez donc couler l'atelier, vous voulez m'envoyer à Rouen [15] ? » Vexés d'être surpris, le plus *crâneur* répondit avec cet air dédaigneux et ce ton sonore tout particulier aux vrais sublimes : « Qué que ça nous f... à nous ? Vous n'avez qu'un atelier, vous ; nous, nous en avons plus de deux cents sur le pavé de la capitale. Puis, nous en avons assez comme ça de votre abattoir de compagnons. F...-nous notre sac et notre compte, et que ça finisse. On a mangé du pain avant d'être chez vous, on en mangera encore après. »

---

faire un lit dans l'atelier et de le nourrir, sans cela rien. Celui qui écrirait la biographie d'Ar...in montrerait le véritable produit du sublimisme développé.

15. La Seine coule de Paris à Rouen ; un patron qui se ruine va à Rouen.

Ces arguments justificatifs sont assez curieux et font réfléchir. Et que penser de cette autre réponse d'un célèbre à un patron, notre voisin. Chagriné de voir son patron constamment dans son *atelier,* à la deuxième demi-journée il vint le trouver et lui dit : « Est-ce que vous avez l'habitude d'être toujours derrière vos hommes ? — Mais certainement, répondit le patron surpris. — Eh bien, alors faites-moi mon compte, je ne suis pas au bagne. »

Paresse, pose et soûlographie sont bien le bagage des sublimes.

Le vrai sublime parle peu politique, lit rarement ; quelquefois le journal, les faits divers ; mais, en revanche, il écoute attentivement la lecture et surtout les commentaires de son vieux de la vieille, un ancien *dévorant* [16], fils de Dieu.

Il sait qu'on est sur le point de se f... un *coup de torchon* [17] ; ça le connaît, cette besogne-là ; on s'en chargeait en 48, avec les mobiles.

Les sublimes en masse produiraient des héros aussi bien que des vandales.

Isolé, il est plat, lâche, stupide et même odieux.

Un exemple : à Lyon, lors de la dernière inondation qui envahit les Brotteaux, une famille composée du père, de la mère et de trois ou quatre enfants fut recueillie par une dame charitable qui les installa dans son salon et fit de son mieux pour apporter du soulagement à cette misère. Peu satisfaits sans doute de ces bienfaits, avant de quitter leur bienfaitrice, ils barbouillèrent les poignées des portes et des fenêtres avec le produit qui sert à faire la poudrette. En sublimisme, voilà comme on remercie son monde.

S'il est marié, sa femme, pour lui, ce n'est rien. Si c'est une *rosse,* une *carne,* c'est pas ça qui l'occupe. Quand il est obligé de sortir avec elle, il dit, le lendemain : « J'ai promené

_____

16. *Dévorant* : terme du compagnonnage, qui nous a légué une petite ménagerie assez intéressante : il y avait le singe, le lapin, le renard de liberté, le loup, etc. ; c'est assez logique d'avoir le dévorant. Les enfants de maître Jacques et Soubise disent *devoirants, du devoir* ; les enfants de Salomon prétendent que *dévorant* vient de *dévorer,* parce qu'ils préféraient *dévorer* les autres que de l'être eux-mêmes.
17. Une lutte individuelle ou collective.

ma scie, hier. » Le vrai sublime ne déménage pas à la cloche de bois ; il fait mieux, il s'arrange de façon que son propriétaire lui donne de l'argent pour s'en aller.

Pour les vrais sublimes, pères de famille, si la femme les tolère, c'est pour les enfants. Ceux qui sont veufs, célibataires, ou que les femmes ont quittés, ceux-là s'*acoquinent* avec de *vieux débris*, de *vieilles rouchies, invalides de la prostitution,* qui n'ont pas su se faire épouser par un fils de Dieu ou un sublime des sublimes, quand elles étaient jeunes. Elles retombent sur le vrai sublime. Comme ils sont dignes les uns des autres ! A part les *Te Deum raboteux,* tout va bien.

Nous en connaissons un qui a quarante-huit ans, qui est très valide et qui vit du travail de son fils ; c'est vraiment pénible de l'entendre dire : « C'est chouette d'avoir un garçon, on n'a plus besoin de travailler, il nourrit son petit papa. »

Nous ne pouvons terminer ce chapitre sans dire quelques mots du prestige que quelques vrais sublimes conservent auprès des autres. Le prestige des anciennes capacités a bientôt disparu quand on les voit travailler. Mais cette stupide gloriole que les travailleurs accordent aux forts à bras, et surtout cette admiration hébétée qu'ils professent pour les gros mangeurs et forts buveurs, fait jubiler les célébrités. Ainsi, le Verre à Chopine doit sa célébrité à un estomac énorme, dans lequel il peut introduire à chaque tournée une chopine de vin.

Ceux qui ont entendu parler des *rince-pintes* [18] et raconter leurs prouesses ont dû être péniblement affectés du récit de leurs hauts faits.

Pour être un *rince-pintes,* il fallait boire à la régalade une pinte ou deux litres en deux minutes. On nous a assuré que la *Chopine en bois* buvait un broc de cinq litres dans le même temps ; de là son nom.

Quand les *rince-pintes* étaient réunis, on proposait des aspirants. On devine facilement les conséquences de ces fameux examens.

Voici une manière de devenir célèbre dans la mécanique : un sublime, chauffeur dans une compagnie de chemins de fer,

---

18. Association sans statuts écrits, dont les assemblées générales étaient très suivies, et dont le but était l'antipode de la tempérance.

fut un jour dîner avec son mécanicien, à table d'hôte, dans une petite ville où se trouvait le dépôt. Dans les petites villes éloignées de Paris, pour deux francs, on mangeait à gogo (c'était à Laval). Notre sublime et son compagnon arrivèrent à la fin du dîner. On rapporta les plats, il y avait pour donner à dîner au moins à dix personnes. Ils furent absorbés avec une telle rapidité que, quand ils passèrent au comptoir pour solder l'hôtelier, celui-ci regardait dans leurs poches pour s'assurer s'ils n'y avaient pas enfoui des provisions. Le mécanicien était confus, lui qui mangeait peu.

Le lendemain, étant sur la machine, dans une petite gare, ils virent des porcs en chargement ; notre *dévorant* dit à son mécanicien : « Si nous tenions seulement ce petit-là, je le ferais rôtir et avant d'arriver au dépôt il n'en resterait plus. » Le mécanicien raconta aux autres que son chauffeur avait le *ver solitaire* et que son mets favori était le porc. Un loustic lui proposa un pari qui fut tenu. Le lendemain, il mangea quatorze livres de lard et trois ou quatre livres de choucroute, du pain à l'avenant, et but trois litres de vin. Quand il eut fini, il alla à la cuisine, vit un poulet à la broche et proposa de le manger, si quelqu'un voulait le payer ; personne ne soutint la proposition. Huit jours après, le plus infime graisseur connaissait le Ver Solitaire ; sur toute la ligne, on se le montrait. Il fallait voir comme il se rengorgeait, c'était à qui lui offrirait quelque chose pour l'entendre dire tout ce qu'il mangeait. Il était arrivé à de telles proportions pantagruéliques que personne ne voulait parier. Il n'avait plus qu'à se draper dans sa célébrité.

Voilà les occupations des sublimes. Triste, bien triste.

Et encore, quand ils ne font que cela, ce n'est que triste. Mais oui, mais...

Les vrais sublimes sont de fâcheuses individualités qui compliquent la question sociale : la maladie qui les domine est incurable.

7. Le fils de Dieu

Le poète a dit dans son admirable refrain :

Enfants de Dieu, créateur de la terre...

Enfants, c'est paternel ; mais le sublime a trouvé la distance trop grande, les théories l'ont grandi, il s'en croit, il n'est plus enfant, il est fils de Dieu, c'est plus près, très bien, saluez *le fils de Dieu.*

Le qualificatif sublime employé pour désigner les trois types que nous venons d'analyser signifie abrutissement, dégradation ; peu ou point de vie intellectuelle.

Les deux derniers types que nous donnons sous le nom de *sublimes de Dieu,* au contraire, brillent par le côté théorique ; ce qui n'empêche rien au discours, c'est que le sublime de Dieu descend souvent aussi bas que le vrai sublime, seulement d'une autre façon.

Dans ce genre de sublimisme, nous avons certaines apparences, la base principale, théorie, éloquence, en un mot, solution des problèmes sociaux.

Le fils de Dieu fait de deux cent soixante à deux cent soixante-dix jours de travail par année, se tient généralement propre, endosse le paletot.

A de très rares exceptions près, il est très bon ouvrier et chargé de la direction d'un travail ; c'est le pendant, à l'atelier, de l'ouvrier vrai.

Il lit le journal tous les jours et commente les faits politiques.

Il est presque toujours orateur.

Il n'a pas la vantardise du *vrai sublime,* ce n'est pas ce genre de pose qu'il lui faut ; un air profond, méditatif, inspiré, voilà la sienne. Les autres l'écoutent comme un oracle quand il parle politique ; il a toujours l'air de rêver la solution des problèmes sociaux.

Le matin, il prend le vin blanc, quelquefois la soupe au fromage.

Il ne mange pas toujours dans la salle avec les autres, il va dans le cabinet avec les sublimes des sublimes. Il ne se soûle pas devant le comptoir, c'est à table qu'on se fiche un *coup de figure*[1].

C'est lui qui dit au sublime que, s'il *se pique le nez, il se le pique proprement*[2] ; il est moins ivrogne que les sublimes, il ne travaille pas sur le comptoir comme eux ; il s'occupe plus de politique que de manique.

Il est sincère dans ses convictions ; bonne chose dans ce siècle de caoutchouc ; il a une foi inébranlable dans ses moyens régénérateurs.

Il y a de l'étoffe du martyr dans le fils de Dieu ; il ne reculerait devant rien pour appuyer sa foi politique, il paierait de sa personne.

C'est vraiment superbe, ce grand sentiment, ce courage, cette bravoure puisée dans ses convictions ; c'est le fait d'un bon citoyen. Mais alors pourquoi classer les fils de Dieu dans les sublimes ?

Il y a dans les trois types d'ouvriers de ces natures énergiques, de ces hommes à profondes convictions, à grand dévouement, qui ont cherché dans leur conscience, dans le raisonnement, les bases de cette foi et qui exécutent, en un mot, qui mettent en pratique leur théorie.

Le fils de Dieu, au contraire, ne prêche jamais par l'exemple, ce n'est pas un philosophe, c'est tout simplement un homme de parti et d'action ; toute sa théorie est un appel à la force et au changement. Il ne comprend pas que l'on fasse une tranchée avec la pelle, la pioche et la brouette ; c'est avec la mine qu'il faut travailler.

---

1. *Coup de figure* : coup de fourchette, balthazar, repas fortement sablé.
2. *Se piquer le nez* : se soûler.

Laissez-nous vous raconter ce que nous avons éprouvé et vous jugerez. Rien n'est concluant comme les exemples.

En 1854, nous avions vingt ans, nous travaillions en compagnie de deux de nos camarades dans un atelier de Paris. Dans une équipe voisine de la nôtre, il y avait un fils de Dieu comme chef monteur ; un homme superbe, une tête remarquablement belle, cheveux noirs bouclés, grande barbe de même couleur, grand, fort, bien taillé, il pouvait avoir de trente-quatre à trente-six ans, la voix un peu forte, l'élocution facile. Joignez à cela une conviction puisée dans les événements qui venaient d'avoir lieu plutôt que dans l'étude : homme de parti et d'action par excellence.

Un camarade de l'atelier vint à mourir nous l'assistâmes au cimetière ; après le pain et le fromage, nous descendîmes sur le boulevard. Chemin faisant, notre orateur nous assaisonnait de théories et de paraboles évangéliques, avec un ton déclamatoire ; il nous racontait tous les événements, les dévouements, les trahisons des hommes politiques de l'époque, les dangers qu'ils avaient courus, il enfourchait la théorie de la fraternité, il avait une mémoire prodigieuse, il nous citait des pages entières des philosophes et les discours des hommes de 93. Nous pouvons affirmer que ses choix étaient bien faits. Nous l'écoutions religieusement, dans ces moments, nous le considérions comme un apôtre.

Arrivés à la Bastille, l'un de nous propose d'aller dans un café où nous pourrions rencontrer des connaissances. Le fils de Dieu, redevenant mondain, nous dit qu'il y avait laissé une queue d'une trentaine de francs, que ça serait une histoire. Il proposa d'aller dans une autre maison qu'il avait fréquentée dans le temps, même qu'il avait fait un enfant à la bonne. Nous lui demandâmes ce qu'il avait fait de cet enfant.

« Je ne sais, je crois qu'elle l'a mis au *clou*[3]. »

Dire l'effet que nous firent ces deux révélations, à nous, jeunes, ardents, généreux, serait difficile.

Plus d'apôtre, plus de prestige ; nous qui croyions voir le

---

3. Enfants trouvés.

Christ en personne, nous ne voyions plus qu'un sublime ; le voile était tombé, cette belle figure nous parut odieuse.

Les jeunes convictions n'admettent pas de tache.

Le fils de Dieu fait de temps en temps des *poufs,* il cherche à pallier ses fautes par des théories à lui :

« La classe ouvrière n'est pas rémunérée suivant les services qu'elle rend. »

« C'est dégoûtant, on ne travaille à présent que pour son propriétaire ; lui, il tire toujours *le diable par la queue.* »

« Dire qu'il a tant enrichi de patrons ; il en connaît qui portent des bas de soie, qui lui doivent bien le fil. »

Voilà ce qui autorise à ne pas payer ce qu'on doit.

Lisez la correspondance trop historique d'un fils de Dieu à un de ses amis. Il était contremaître dans une fabrique des environs de Paris ; le patron, ne connaissant pas la mécanique, avait toute confiance en lui :

« Mon vieux de la vieille,

« J'ai appris ton adresse par l'ami Double Vent. Tu sauras que je suis garde-champêtre à V... . Je suis en train de couler mon patron. Je t'écris pour que tu viennes m'aider. Je compte sur toi, prends le chemin de fer du Nord ; je t'attends lundi, nous écornerons le *quand est-ce.*

« A toi à moi la paille de fer, les gueules noires ont toujours des amis.

« Emile D... »

Nous pouvons vous assurer qu'ils s'en acquittèrent dignement et la confiance fut justifiée. Plus tard, il devint patron et termina son existence en laissant une faillite de quatre cent mille francs après avoir avili les prix de la partie qui ne s'en relèvera peut-être jamais. Que pensez-vous de l'administration de la richesse publique dans de pareilles mains ?

Il est gouailleur et éreinteur ; il mène bien la blague contre le gouvernement. Quand une batterie d'artillerie passe, il dit aux autres : « Hé ! François, Théophile, voilà l'outillage à *Badingue,* les machines agricoles du môssieu. Les saint-cyriens sont de l'acier en barre [4], les cent-gardes sont des pointes à tracer. »

Il lit les ouvrages politiques, *Les Châtiments, Les Martyrs de la liberté* par Esquiros, *La Révolution* par Louis Blanc, l'*Icarie* de Cabet, *Napoléon le Petit*. Il ne comprend rien au système de Proudhon, « c'est peut-être bon, mais il ne l'aime pas, il éreinte ses amis ».

Il lui faut des livres qui excitent, plutôt que des livres qui instruisent, il lui faut du poivre moral qui monte. Quelle différence entre cette conviction et celle d'un ouvrier qui a lu ou s'est fait expliquer le jeu des associations, des sociétés coopératives, de secours mutuels, d'assurance en cas de maladies, d'accidents, ou sur la vie ! L'un comprend, l'autre s'exalte.

Remarquez qu'il est très dangereux pour ses amis mêmes ; quand il s'agit d'organiser quelque chose de durable, il n'entend rien, il voit des ambitieux et des traîtres partout ; il faut les démolir ; il est le démolisseur par excellence ; dans une association, par exemple, le gérant est toujours un filou et un *faignant,* il faut le balancer ; et cette audace énergique devient très redoutable. Les deux ennemis les plus dangereux des associations sont les fils de Dieu et les descendus. Les associations qui ont prospéré ont été forcées de les éliminer.

Il ne connaît qu'une question, la question politique ; il ne s'occupe guère de la question sociale. S'il est un danger parmi les ouvriers, il en est un non moins grand pour les réunions publiques ou comités démocratiques quelconques.

Si vous différez en quelques points de ses idées, soi-disant très avancées, les invectives audacieuses vont leur train ; et, si ses sorties farouches sont appuyées par quelques amis, il tente de vous faire passer pour un traître.

Son air lugubre et l'étalage de biceps formidables vous font comprendre que la raison et la discussion ne sont plus en question.

Il lit le journal et surtout très ardemment les articles et brochures venant des exilés.

Le fils de Dieu jeune est généralement célibataire, la famille

---

4. On fait des outils avec de l'acier.

est une chaîne qui le gênerait ; mais en revanche un grand nombre pratiquent le concubinage.

Ils se fréquentent entre eux, rient volontiers des farces et de la dégradation de certains vrais sublimes.

Quand ils sont réunis, le fond de la conversation est toujours la politique ; ils sont plus expéditifs que le Conseil d'Etat.

On décrète toujours et pour tout, on fait des lois ; les lois, voilà le moyen.

On refait la carte d'Europe, on proclame la fraternité universelle, les peuples sont pour nous des frères. Boum !

Le fils de Dieu a une grande influence sur les autres ; c'est, pour ainsi dire, l'âme d'un atelier, les administrateurs sont là pour appuyer.

Il a une énergie farouche pour tout ce qui touche aux droits.

Si l'on convient de prendre une mesure vis-à-vis d'un patron, et qu'un ouvrier vrai fasse de modestes observations, « c'est un *mufe,* un *peloteur* ; c'est vexant de se sacrifier pour des propres à rien pareils ». Dans la classe laborieuse les muscles posent autant que les capacités. Dans les discussions, la menace sert de conclusion.

Il aime les jeunes — ils ne le contredisent jamais — et il les protège ; il leur dit : « Allons, républicains en coquille, vous êtes l'avenir du peuple. »

Ils ont des droits, ils les veulent ; des devoirs, on n'en parle jamais.

Il aime les grandes phrases, pratique la parabole ; il a sans cesse à la bouche des mots dont il abuse : solidaire, égalitaire, paupérisme, salariat, collectivisme, prolétariat, humanitaire, etc., il fait surtout grand étalage de Liberté, Egalité et Fraternité, et du fameux « peuple souverain ».

Il bat des mains à outrance quand il entend un orateur terminant son discours s'envelopper dans les glorieux plis du drapeau du peuple.

Quand il discute il prend le ton déclamatoire, sonore. Et en avant les phrases et les mots : « L'avenir est dans les préceptes, les grands principes. — Les dépositaires de la puissance exécutive ne sont pas les maîtres du peuple. — Les prolétaires sont courbés sous le joug, les inutiles vivent de leurs sueurs. — La solidarité des nations doit amener la paix universelle et rendre l'exploitation de l'homme par l'homme impossible. — Par la suppression du sabre, les peuples affranchis se confondront dans un embrassement fraternel et se reposeront dans l'harmonie. »

Il parle du droit au travail [5], aussi sacré que celui de vivre.

Il veut que tous se corrigent de leurs vices : quand on aura tout ce qu'il demande, il fabriquera les mœurs comme il aurait fait les lois, à coups de décrets. Si vous lui faites observer que ça n'est pas aussi facile :

« Ça ne fait rien, voilà ce qu'il veut ; démolissons, nous verrons ensuite. »

Son fort c'est la loi, le décret, la force en un mot. Les géants de 93 ont fait comme ça, voilà tout.

Le fils de Dieu a l'air si profond, si convaincu, qu'il doit être dans le vrai, les sublimes l'admirent, il a du prestige et une influence énorme sur eux.

Voici un exemple qui en dira suffisamment.

Lors du crime de Décembre 1851, le soir, à la barrière Poissonnière, nous étions réunis six ou sept cents ; une grande voiture de transports de décors vint à passer ; la jeter en travers fut l'affaire d'un instant ; le charretier se mit à pleurer, disant qu'il serait obligé de payer. La générosité saisit la foule, on releva la voiture. Nous vîmes là pour la première fois la puissance du flot humain.

Pendant que le charretier attelait survint un superbe fils de Dieu escorté de trois ou quatre sublimes et ouvriers, ses admirateurs. D'une voix sonore et d'un ton menaçant, il demanda qu'on lui fît voir le roussin qui avait eu l'audace de faire relever la voiture. On lui désigna un individu. Sans commentaire aucun, d'un formidable coup de poing qui fit jaillir le sang, il renversa le soi-disant mouchard ; puis, se retournant brusquement et d'un ton de commandement, il ordonna au charretier de dételer ses chevaux. On culbuta de nouveau la voiture ; les six cents spectateurs obéirent sans dire mot. Cet exemple donne la mesure de la puissance du fils de Dieu.

---

5. Il ne sait pas au juste ce que c'est.

Il n'aime pas la contradiction et il met fin à la discussion s'il vous sait d'un avis contraire, et surtout si vous débarrassez son discours des phrases pompeuses, pour le tenir sur le terrain des choses possibles. Mais, si vous enfourchez un dada à effet et que vous poussiez à la phrase prophétique, il vous écoute religieusement ; après il vous écrase les doigts de contentement : « Il ne vous savait pas ainsi, il vous demande pardon de vous avoir méconnu ; à la bonne heure, vous êtes un bon. »

On rirait presque si on ne savait que tout cela a un fond excessivement sérieux.

Le fils de Dieu ne marche pas en hercule comme le vrai sublime, il a toujours l'air sombre et préoccupé ; il ne fera pas le crâneur en paroles, mais il cognera dur.

Dans la semaine il aime, dans la mécanique, le costume complet en velours, la grosse chaîne en or est de mode. Le dimanche, il se met bien, ne fait pas étalage du titre d'ouvrier. Si un sublime le rencontre dans cette tenue, le fils de Dieu feint de ne pas le voir et passe sans le saluer. Le lendemain, le sublime lui dit : « T'es rudement fier, toi, tu ne m'as pas salué parce que j'avais une blouse, des démocs comme ça, il en pleut, et à verse. » Il est excessivement sensible à ce reproche : « Il ne l'a pas vu, sans cela il sait bien que ses amis sont toujours ses amis plutôt en bourgeron qu'en paletot. »

Comme il gagne plus d'argent que les sublimes, il fume le cigare, prend son gloria, fait la partie de piquet et le carambolage [6].

Le dimanche soir il va au bal *Aux Barreaux verts,* à *La Réunion,* à *L'Elysée* ou chez *Dourlans,* chez *Constant* ou *Au Bourdon.* Il a pour maîtresse la Malle des Indes, une blanchisseuse de Chaillot. Il y a une grande affinité entre le mécanicien et la blanchisseuse.

Il a baptisé toutes ses maîtresses de noms de mécaniques, machines ou autres : il a eu le Wagon à Bestiaux, la Diligence de Lyon, la Bonbonnière Domange, le Hanneton Ravageur, la

---

6. Il y a vingt ans, le travailleur se rendait à la guinguette, il jouait aux boules ; maintenant on a quitté le pichenet pour le gloria et le bock, les boules pour le billard ; le café a remplacé le marchand de vin. C'est du progrès bonapartiste.

Tulipe Orageuse, la Puce qui Renifle. Il chauffe depuis quelque temps la Poule Perdue, une belle brune qui est la maîtresse d'un *peintre en tire-lignes* de l'atelier. Il l'aura, seulement, voici le terme : « Il faut laisser financer le *père Douillard* [7], un tailleur en retraite qui l'a mise dans ses meubles ; ça ne l'inquiète pas, elle le *gobe* [8], elle veut balancer le *dessinandier* [9]. » Il pose pour le don Juan, il est encore jeune, dans quelques années, vous le rencontrerez avec un vieux *débris* qui l'aura maté.

Pour lui le mariage est une tyrannie sans le divorce. Il aime mieux le genre des mormons : les enfants sont les enfants de la patrie.

Cependant, là-dessus il n'est pas bien convaincu, c'est une théorie appropriée pour excuser sa conduite.

Il a toujours des dettes, paie quand il ne peut pas faire autrement, sait très bien entortiller un marchand de vin pour avoir crédit. Si, après deux quinzaines, le marchand de vin lui réclame son dû en lui manifestant un besoin d'argent, il lui répondra : « Si tu as besoin d'argent, fais comme moi, *faignant*, travaille. »

Si ses fournisseurs le harcellent, il les apostrophe, de suite, le coup de poing en avant. Si avec eux il menace plus qu'il n'exécute, il n'en est pas de même avec les ouvriers de l'atelier ; s'il apprend qu'un ouvrier a pris un travail qu'il a refusé ou qu'un de ses amis n'a pas voulu faire, à la sortie le coup de tampon marche, et c'est au nom de la liberté qu'on éreinte le soi-disant *mufe*. Il y en a qui vont jusqu'à se faire embaucher dans un atelier pour avoir l'occasion de tamponner le contremaître qui, d'après les autres, est une canaille.

Nous en connaissons qui sont allés dans un établissement pour *moucher le singe* ; mais le patron, homme énergique et prévenu, les obligea à respecter ses règlements et à suivre la loi de l'atelier, prêt contre toute attaque à découronner ces sublimes défenseurs du droit. Ils se retirèrent bafoués par les autres devant lesquels ils avaient fait la pose à la justice.

---

7. L'entreteneur-payeur, la douille, c'est l'argent.
8. *Gober* : avoir un béguin ; signifie de la part d'une femme qu'elle a un caprice pour l'individu.
9. Dessinateur.

N'est-il pas pénible d'entendre constamment dans la bouche de ces individus les mots de liberté et fraternité ? N'est-on pas révolté quand on songe aux DIZAINES, cette société farouche qui se chargeait dans les ateliers de faire tout le mal possible aux ouvriers soi-disant aristos ? Ils étaient dix par atelier, et il fallait que le travailleur voué à leur haine disparût. Si celui-ci quittait un atelier et qu'un des membres sût qu'il était entré dans une autre maison : vite le mot d'ordre aux amis ; s'il n'y en avait pas, ils allaient jusqu'au patron le dénoncer comme mouchard, incapable et même canaille. Et c'est au nom de la fraternité qu'ils pratiquaient cette démocratie pacifique à coups de tampon et de délation.

Ne vous monte-t-il pas des nausées quand vous entendez ces régénérateurs de la société glorifier le sublime qui aura mis de l'émeri dans le *presse-étoupes* [10] de la machine à vapeur, ou féliciter le chauffeur qui, en quittant, aura mis un chiffon dans le tuyau de la pompe alimentaire ? Et cette mise à l'index de telle ou telle maison parce que le patron a de l'ordre et que son travail est organisé ? N'est-ce pas triste de subir de pareils égarements ?

Quelle éducation les travailleurs ont à faire pour comprendre que le coup de poing n'est pas une solution et que, pour avoir raison et justice, il faut autre chose que de bons biceps ! Quels magnifiques résultats produirait cette influence, si elle était employée non à approuver les infamies et les lâchetés, mais à stigmatiser toutes les turpitudes des paresseux, des ivrognes et des lâches !

Les fils de Dieu sont les assidus des réunions publiques et électorales ; cet emploi de leur temps est très bon assurément, mais à une condition, c'est qu'ils s'y instruisent.

Généralement ce n'est pas ce désir qui l'entraîne, c'est la passion, la passion exaltée.

Si un orateur parlant contre une théorie sociale émise dans le sens du bien-être instantané est interrompu par une apostrophe brutale, grossière, où la personnalité est mise en jeu, soyez sûr qu'elle viendra d'un fils de Dieu. Si, au contraire, un orateur

---

10. Le *presse-étoupes* est l'organe qui empêche la vapeur de sortir.

réformateur expose des théories qui ne vous paraissent pas réalisables, et que vous l'interrompiez pour mettre en doute le système, aussitôt une figure crispée vous lance des éclairs et des injures qui se terminent toujours par le compliment d'usage : « A la porte, le mouchard ! »

Depuis une soixantaine d'années, la police a fait de la politique sa principale occupation, et elle a déployé dans ce rôle un savoir-faire exceptionnel qu'on aimerait voir appliqué aux malfaiteurs.

Les travailleurs principalement ont été victimes de la trahison de la part de leurs camarades. De là une méfiance exagérée ; pour eux, un sergent de ville est un mouchard ; tous les employés de la préfecture sont des mouchards, les commissaires de police ne sont plus considérés comme magistrats, mais comme des mouchards, surtout depuis le 2 Décembre, où un si grand nombre se sont prêtés avec passion à la perpétration du coup d'Etat.

Aussi, la plus terrible accusation qu'on puisse lancer contre un ouvrier, c'est de le faire passer pour un mouchard.

Celui sur qui plane un tel soupçon est honni dans tous les ateliers.

Nous entendions un jour un fils de Dieu nous dire : « Vous savez, sur la place du Carrousel, il y a deux ronds. Eh bien, quand nous aurons la république, on érigera deux obélisques, l'un au 18 Brumaire, l'autre au 2 Décembre ; on inscrira en lettres de deuil ceux qui les ont faits, puis les noms de tous les mouchards qui ont trahi leurs camarades. »

Pour lui le dernier point était le plus essentiel.

Quoique très méfiant, le fils de Dieu est simple, il voit des mouchards dans ceux qui le contredisent, et il fait un triomphe à ceux qui exagèrent ses idées et le poussent en avant dans l'action.

Il n'a pas encore compris ce jeu intelligent.

Pour lui le contradicteur est un ennemi, l'*exagéreur* ou le lanceur est un ami.

Là où la passion domine, la raison et la vérité ne peuvent se faire jour. C'est triste ! Bien triste !

8. Le sublime des sublimes

Ce dernier type est le type d'élite. Le fils de Dieu marche à coups de décrets, le gouvernement est transformé en machine à décréter, à jet continu. Le sublime des sublimes, plus réfléchi, est l'homme de principes, il enfante des théories : théories politiques, économiques, sociales. Il les expose avec emphase, les défend avec conviction ; dans la mécanique, il est généralement dans les bureaux.

Ils sont les grands maîtres des travailleurs, touchent aux hommes politiques, aux influents.

Quelques-uns sont prud'hommes ; on en présente à la dépu-

Nous sommes convaincu que, sur cent sublimes des sublimes, c'est qu'ils se croient tous des législateurs consommés, capables de faire des lois ; les questions les plus difficiles ne les épouvantent pas. Le sublime des sublimes a beaucoup lu, il croit ce bagage suffisant pour faire un orateur, légiférer et voter ; il n'étudie aucune question à fond, il discute toujours des points généraux ; si vous lui dites que pour être représentant il faut être instruit, avoir une grande expérience des affaires, des besoins du pays : « Voilà bien une grande difficulté, il fera comme les autres. »

tation. Un des côtés les plus curieux des sublimes des sublimes, quatre-vingt-dix-neuf accepteraient la députation. Doutez donc de l'avenir.

Le sublime des sublimes n'a guère de relations qu'avec le fils de Dieu ; mais il est plus coulant, plus instruit, plus parlementaire et moins violent que ce dernier ; il raisonne mieux, il apporte dans ses discussions plus de sang-froid, moins d'enthousiasme ; ses conclusions sont moins accentuées, ses convictions, plus élastiques ; c'est le prophète, le savant, le législateur des problèmes sociaux ; le fils de Dieu est l'exécutif. Il est bien au courant de la politique intérieure et extérieure ; pour l'intérieur, les solutions ne manquent pas ; pour l'extérieur, il est encore moins embarrassé. D'abord on reconstitue la Pologne et on crée un grand Etat scandinave pour museler le despote moscovite ; on fait de la Prusse et de toute l'Allemagne une République allemande ; on réunit sous le nom de République hongroise la Hongrie et toutes les provinces danubiennes, on renvoie les musulmans à La Mecque et le pape à Jérusalem [1]. Quant à l'Angleterre, si elle bouge, on débarque cent mille hommes dans l'Inde et on en fait un Etat indépendant ; ils seront les camionneurs du monde. L'Amérique sera le grand marché universel.

D'autres, plus radicaux, parlent de la fraternité des peuples, de la république universelle, ou de la fédération des Républiques européennes. C'est un bon sentiment qui leur dicte tout cela ; mais malheureusement ils ne reculeraient pas devant un bouleversement de toute l'Europe pour y arriver.

Quant à la politique intérieure, son radicalisme n'est pas moins accentué : « Toutes les lois sont à refaire ; si on les viole, c'est parce qu'elles sont mauvaises. » Si vous lui dites qu'on ne respecterait pas plus celles qu'il ferait, il vous répond avec un imperturbable sang-froid : « Et Cayenne ? » Si vous l'émoustillez avec un ton un peu vert, il s'anime : « Le travailleur n'est pas seulement autant que les citoyens ; il est plus, il est le premier, les autres des frelons. — Nous sommes sous une tyrannie tibérienne. — Tant que nous n'aurons pas la liberté de la presse, le droit de réunion, l'organisation du travail, l'égalité des salaires, la répartition des bénéfices, la suppression du militarisme, la fraternité des peuples, l'abolition des privilèges, des titres et des monopoles, et le divorce, nous serons sur un volcan et le peuple pourrira de misère. »

Le sublime des sublimes ne paiera pas de sa personne, à moins qu'il ne soit pris entre sa vanité et sa lâcheté ; c'est bon pour des imbéciles d'aller se faire pincer ou démolir ; ses armes sont la médisance, souvent la calomnie et toujours l'éreintement.

La question sociale fait également l'objet de ses préoccupations habituelles. Il y a trois lèpres sociales qui rongent la société ;

_____

1. Ou au diable.

elles sont capitales : le sabre, la soutane et la toge. Il les explique avec exemples à l'appui.

Il étudie la commune sociale, les syndicats d'ouvriers, mais conclut toujours à l'éreintement du gouvernement. Certes, le gouvernement actuel a bien mérité toutes ses colères, mais ce que nous tenons à montrer, c'est l'éreinteur quand même.

Si le gouvernement de la république arrivait, il l'attaquerait de même, à moins qu'il n'eût obtenu de lui des satisfactions ; et encore, il les lui faudrait pleines et entières, et comme il les entend. Mais il ne le fait pas à la façon du fils de Dieu. C'est lui qui vous racontera la mort d'Orfila, le duel de Saint-Arnaud, les scandales financiers, les turpitudes d'alcôve, les histoires d'expropriation, les achats de conscience ; le tout brodé avec une imagination fiévreuse et arrangé de manière qu'il en reste toujours une mauvaise impression. Tout ce qu'il avance, il le tient, dit-il, d'une personne bien placée pour le savoir. Il raconte tout cela aux fils de Dieu, qui le communiquent avec la rapidité de l'étincelle électrique. Les ouvriers et sublimes se font une opinion sur nos gouvernants avec ces histoires. Passe encore quand elles sont vraies ; mais quand elles sont mensongères, fausses ! N'a-t-on pas dit que Lamartine avait rempli ses poches ? Il a fallu vingt ans aux travailleurs pour s'apercevoir de la calomnie.

Les sublimes des sublimes et les fils de Dieu sont des autoritaires par excellence, si vous faites mine de ne pas vouloir vous soumettre à leurs conceptions mises en action.

Pauvre liberté, comme elle est malmenée ! Les moyens expéditifs sont bientôt en jeu. Si par hasard un sergent de ville lui a enjoint, peut-être brutalement, de ne pas invectiver les cochers qui marchaient pendant la grève, que d'imprécations, quelle tempête dans cette tête, les mots ne sortent pas assez vite, le droit est violé dans sa personne. Non, beau citoyen, vous n'avez pas le droit, au nom de la sainte liberté que vous chantez, de huer et de cribler de pierres les cochers qui n'ont pas voulu se mettre en grève. S'il y a un violateur de la liberté, c'est vous.

Du moment que vous ne l'approuvez pas, vous êtes un repu, un satisfait, un tyran en paletot et en bottes vernies. Il n'y a que lui qui est démocrate pur et sincère ; il invoque le « Notre Père » et le « Pardonnez-nous nos offenses ». Si vous lui rappeler son « Et Cayenne ? » : « Dame ! on ne peut pas faire d'omelette sans casser d'œufs. »

Il est l'apôtre des réunions publiques et électorales. Il y a dans ces assemblées des ouvriers qui parlent très bien, exposent même très clairement leur système ; mais lui, malheureusement, il mène toujours de front l'argument qui instruit et l'éreintement qui démoralise.

Nous avons assisté à beaucoup de réunions de ce genre ; sur dix orateurs, neuf au moins ont eu les triomphes de la salle, pour avoir éreinté non pas le gouvernement, ce qui se serait compris, mais des démocrates. Un esprit simple et droit sortait de là avec le mépris le plus profond pour tous les hommes de la démocratie indistinctement, même pour ceux qui se sont dévoués à la cause républicaine depuis quarante ans.

Les sublimes des sublimes se croient et se proclament les seuls purs, les seuls dévoués ; eux seuls sont les amis du peuple.

Les réunions publiques sont un des moyens les plus actifs pour éclairer les travailleurs ; débarrassez la loi de toutes ses entraves, laissez la liberté pleine et entière ; qu'il s'en tienne à Paris mille tous les jours, dans six mois, on dira de bonnes et instructives choses. Les sublimes ne lisant pas, ils écouteront. La tribune deviendra moralisante ; on a toujours parlé des droits, on parlera aussi beaucoup des devoirs. Les bons bourgeois [2] qui s'effraient quand ils lisent les comptes rendus, souvent tronqués, devraient assister à ces réunions ; ils verraient qu'elles ne sont pas aussi dangereuses que les encenseurs de la presse officielle veulent bien le dire, malgré le peu d'habitude de ceux qui les fréquentent. Nous, les tyrans en paletots et en bottes vernies, nous voulons une tribune qui instruise, qui moralise ; qui, au lieu de faire l'apologie des sublimes, les ramène au travail et à la tempérance ; une tribune où l'on démontre tous les avantages, les bénéfices des associations, des coopérations, des syndicats, des sociétés de secours, d'assurance ; une tribune où l'on prêche l'entente, l'union ; une tribune où l'on puisse clouer au pilori ce sublime des sublimes qui n'a plus de respect

---

2. La petite ploutocratie est peureuse ; néanmoins, ses sentiments sont démocratiques. La grande ploutocratie est féroce et implacable ; au seul mot de république, elle entre en fureur.

pour la vertu ; une tribune enfin que l'auditoire fera respecter. Alors on n'entendra plus de sottises de ce genre. Un vrai sublime a la parole :

« Citoyens ! voilà déjà bien longtemps qu'on f... vingt-cinq francs aux représentants, quinze mille francs aux archevêques, douze cents francs aux sergents de ville, et à nous on ne nous f... rien.

« Je demande... (*Vive interruption.*)

UN ARISTO. — Je demande qu'on f... le citoyen orateur à la porte. » (*Hilarité générale.*)

Et cet éreintement plus récent :
Un sublime des sublimes est à la tribune.

« Citoyens ! A cette tribune, le citoyen Gambetta, votre idole d'il y a six mois, était rouge, il est devenu blanc à Marseille, et nous, nous en avons été tous bleus. Vouons-le au mépris de la grande démocratie française. » (*Tonnerre d'applaudissements.*)

Plus de tribune de l'éreintement, où le citoyen A..., collectiviste, abîmera le citoyen B..., démocrate, et où le citoyen A..., à son tour, sera démoli par le citoyen C..., hébertiste qui tous ensemble seront appelés mouchards par un fils de Dieu. Nous la repoussons, cette tribune malsaine qui prêche la haine, la dissension ; et sincèrement on se demande où veulent en venir ces pitres de l'ambition avec cette démolition mutuelle.

Le jour où les travailleurs sauront écouter et faire respecter la tribune, ce jour-là, un des plus grands leviers sera acquis pour la solution du problème tant réclamé. La parole a une chaleur qui manque à l'écrit.

Continuons l'examen de notre type.

Le sublime des sublimes est généralement convenable dans sa mise et dans ses conversations.

S'il ne vit pas en concubinage avec une *ex-irrégulière de Breda Street* [3], il est le *dessennuyeur* [4] d'une de ces effrontées

---

3. Rue Bréda : ce quartier est plus spécialement habité par les marchandes de plaisirs en soie et dentelles.
4. *Dessennuyeur* : pour ne pas dire autre chose.

du même quartier, gourgandines pour lesquelles vous voyez tant d'imbéciles prodiguer des attentions, des politesses et de l'argent, de quoi désespérer une jeune fille honnête de ne pas s'être jetée dans cette prostitution gantée.

Le sublime des sublimes ne brille pas par la délicatesse ; n'avez-vous pas envie de vomir quand vous l'entendez vous dire qu'il est l'amant de cœur d'une jolie *rouchie* [5] des grands quartiers, qui paie sa pension : un soir, il était chez elle ; le *béquillard* [6] étant arrivé, il avait passé sa nuit dans une alcôve ; mais le matin il avait repris ses droits ; afin de lui témoigner sa reconnaissance, elle lui avait donné la chaîne d'or qu'il porte.

Ce personnage est connu, direz-vous, c'est le *souteneur de filles, en bottes vernies* ? Non, pas du tout : beaucoup de ces individus sont dans le travail, ils sont bureaucrates, calicots, dessinateurs chapeliers, coiffeurs, cordonniers, peintres en décors ou autres ; ce qui n'est pas la même chose. Et remarquez que ceux qui sont dans ce cas se font les puritains acharnés de la dignité et du sentiment.

De vingt à trente ans le sublime des sublimes est don Juan, avec ou sans argent ; il fréquente les grands bals : *Mabille, Asnières,* le *Casino,* etc. Il est bien mis, danse et valse à ravir ; aussi les célébrités le recherchent, il aide à leur triomphe. Ecoutez-le vous dire que Fauvette, Souris, Alix la Provençale, même Rigolboche [7], oui, la grande Rigolboche, sont venues le solliciter pour danser ; puis, d'un air vainqueur, il ajoute qu'elle l'a reçu chez elle un jour de chômage. Aux bals de l'Opéra, il est du premier coup d'archet ; il faut le voir en Chicard ou autre ; il faut l'entendre en compagnie de deux ou trois amis pratiquer l'*analyse logique* ; la gauloise marche, et souvent de l'esprit. Les gros dominos sont des guérites ; une puissante Suissesse et son débardeur, c'est l'Agriculture et son étalier [8] ; les amateurs en habit ne sont pas épargnés : « On

_____

5. *Rouchies* : ponifs, en sublimisme savant, cocottes, grues ; pieuvres, en journalisme.
6. L'entreteneur généralement âgé, éclopé, ayant béquilles.
7. Célébrités qui ont occupé l'esprit des Parisiens pendant la période du silence.
8. Les puissantes mamelles y sont.

voit bien que môssieur est dans la denrée coloniale, il a de la mélasse dans les oreilles. » L'analyse dure deux heures, c'est son grand triomphe. A cinq heures, il se fouille, il s'aperçoit que la *guelte* [9] tire à sa fin, il voulait cependant se payer un *linge convenable* [10]. C'est dégoûtant, l'or ne leur suffit plus, il leur faut du *papier* [11] maintenant et *quelque chose dans les jarretières* [12]. Il va faire un somme ; le soir il viendra voir le défilé du *Banc de Terre-Neuve* [13] ; il trouvera là son affaire dans les prix doux.

De trente à quarante ans, cette vie-là ne lui va plus, ça l'ennuie, il pense au mariage, il commence à devenir *roublard,* le matin il a des pituites monstres, il *crache des médailles,* la digestion est difficile, il a des insomnies et des cauchemars abrutissants.

Dans cette période, s'il se mariait avec une honnête fille, nous croyons sincèrement qu'il ferait un bon père de famille ; mais l'habitude, la paresse lui ôtent tout courage pour secouer franchement le libertin des premières années ; comme il les a passées en noces et en festins, il n'a aucune relation. Combien il regrette cet isolement qui est la cause majeure de la régularisation de ses concubinages honteux ! Si vous lui conseillez de prendre une honnête fille d'ouvrier, allons donc, est-ce qu'elle le comprendrait ? Et puis elle n'a rien ; si : la beauté du diable ; du reste, ça ne coûte pas plus d'en épouser une riche qu'une pauvre. Il vous confesse qu'il en connaît bien une dans son pays ; mais la mère, une vieille ambitieuse, ne veut pas de lui, elle rêve pour sa fille, qui aura vingt mille francs de dot, un substitut, un attaché d'ambassade ou un auditeur au Conseil d'Etat. Il y en a d'autres qui assurent le bonheur bien plus

---

9. Boni accordé aux employés qui sont assez intelligents pour faire acheter un article qui n'est plus de mode.

10. Une femme marchandise.

11. Le plus petit papier de banque était de cent francs ; les coupures de cinquante ont diminué les bénéfices de cinquante pour cent.

12. Pourboire supplémentaire au prix convenu.

13. Le Banc de Terre-Neuve est la partie des boulevards comprise entre la porte Saint-Denis et la Madeleine ; la pêche a lieu plus spécialement de quatre heures du soir à une heure du matin. Il y a certaine partie du bitume où le gibier est très abondant. Quand on s'ennuie dans sa brasserie, on dit : « Viens-tu au Banc faire un tour ? »

sûrement que l'argent ; il en voit bien, mais comment voulez-vous qu'il se marie avec la fille d'un ouvrier ?

Si vous prenez le ton ironique et que vous lui parliez de sa théorie sur l'égalité et surtout du système de bascule [14] que l'on professe dans les petites villes de province et qu'il maudissait quelques instants auparavant, quand il avait des vues plus élevées, il vous répond qu'il ne peut pas se condamner au bagne à perpétuité ; il sait ce qu'il lui faut. « Ah ! par exemple ! Est-ce que vous croyez que parce que les chiffonniers et les vidangeurs sont honnêtes il faut qu'il en fasse sa société ! »

Le démocrate disparaît, et l'individu imbu des mœurs de la société reparaît.

Combien il regrettera plus tard ce dévouement, cette honnêteté qu'il repousse aujourd'hui qu'il est rempli d'espérances aussi fausses que celles de la mère que nous citions plus haut.

Le *bastringue* [15] ne lui va plus ; la brasserie le remplace ; il ne se sent plus le courage de faire un nouveau levage, et puis ça l'embête de faire le ramage sentimental à des *gadous* [16] qui sont aussi vénales que des cochers ou des laquais. Un soir qu'il s'ennuie, il se rappelle une petite fleuriste, il avait promis d'y retourner ; comme elle le *gobe,* il est bien reçu ; deux jours après il y retourne ; elle est bonne fille, elle lui a raccommodé sa chemise. Le dimanche, ils ont passé la journée ensemble et la nuit chez lui ; il doit y aller mardi, mais comme il chiffonne sa chemise elle a emporté sa flanelle ; insensiblement il ne couche plus chez lui ; le terme arrive, elle lui persuade que son *michet* [17] l'a quittée à cause de lui, et que les meubles ne sont pas en son nom, on va la renvoyer le *pipelet* intervient et le ravale. Il paie et emmène les loques et la fleuriste chez lui. Ce n'est pas la peine de payer deux loyers. Il est acoquiné.

14. En province, un mariage fut cassé parce que les parents du jeune homme donnaient sept cents francs de moins que ceux de la jeune fille.
15. Le bal.
16. De bonne humeur, ce sont des ponifs ; en colère, ce sont des gadous, des fumiers.
17. *Michet* : entreteneur ; il y a le michet sérieux, celui qui donne beaucoup ; devant celui-là, elles se mettent à plat ventre, on lui lèche les pieds.

Vous le rencontrez cinq ou six mois après, il vous présente madame Anatole ; seulement à l'écart il vous dit : « Tu sais, c'est ma *seringue*. » Un an après, vous le trouvez seul, vous parlez d'elle, il prend sa défense : « C'est une bonne fille, bien dévouée, qui travaille comme une fée ; elle l'a bien soigné quand il a eu la fièvre typhoïde. »

Il est maté, elle le tient. Dans quelque temps, vous lirez dans les annonces du mariage : monsieur untel avec mademoiselle unetelle, même maison.

Le martyre commence, car il ne faut pas oublier qu'il y a au plus cinq de ces femmes [18] sur mille qui s'amendent sincèrement. La gourgandine revient ou plutôt se continue, avec l'arrogance en plus, sans compter les impérieuses exigences. La *Marmite* écume de colère et de mépris, nous pensons qu'il n'y a pas d'enfer comparable à celui qu'éprouve un sublime des sublimes dans ces conditions, surtout s'il lui reste un peu de dignité.

Ecoutez les théories d'individus depuis quelques années dans cette position, elles sont révoltantes. Si vous connaissez le dur calvaire qu'ils gravissent, l'émotion fait place à l'indignation, on ne voit plus que leur pénible et profonde souffrance. Le châtiment dépasse toujours la faute.

D'autres sont assez énergiques ou trop égoïstes pour s'acoquiner. Ne vous inquiétez pas, vous ne perdrez rien pour attendre, le sublime des sublimes fera une fin de quarante à soixante ans avec une cuisinière ou madame Jérôme qui tient son ménage.

Vous le rencontrerez quelques mois après. Il a déjà eu le temps de faire sur sa nouvelle position des réflexions sérieuses. Ses épanchements sont pleins d'amertume : « Il devine les saintes joies de la famille, mais il ne les éprouve pas ; l'affection vraie lui fait défaut ; il ne peut avoir d'épanchements sincères avec personne ; il n'a à faire qu'à des mercenaires rapaces. Relégué dans l'isolement, ses généreux et affectueux sentiments s'atrophient ; il s'en veut de ne pas s'être marié quand il était

---

18. Il faudrait un rude limier pour trouver le rembucher d'une dame aux camélias ; on n'a pas besoin de faire le bois pour lancer une fille de marbre ou de plâtre. Avis aux chasseurs.

jeune. » Vous croyez qu'il s'en prendra à lui ? Non, c'est la société, voire même le gouvernement, qui sont la cause de cet état.

Alors la théorie marche et tient lieu de tout ; il s'y lance à corps perdu, qu'elle soit sensée ou absurde.

Quand le sublime des sublimes parle de ses amis qui ont réussi, c'est qu'ils ont eu de la chance. Qu'ils soient intelligents, piocheurs, persévérants, ils sont *veinards*. S'il ne vous trouve pas ganache, vous n'êtes pas plus malin que les autres. Il croit qu'en vous ravalant il se grandit.

Il renchérit sur le langage déjà fortement coloré du sublime simple. Ainsi le chef de l'établissement n'est plus le singe, c'est le *pacha,* le *sultan,* la machine à condenser les appointements ou à tamiser les gratifications. Le directeur ou le fils du patron est le padichah ; le bureau ou l'atelier, le bagne ; on va reprendre sa chaîne. Les travailleurs sont des nègres. Les femmes, du moins celles qu'il connaît, sont des *ponifs,* des *crevettes à filets* [19], des *morues,* son patron une nullité, heureux d'être le fils de son papa.

Dans les premiers jours du mois, le soir, au café, il fait sa partie de dominos ; le loustic marche ; il est gai, il est en fonds ; s'il a plein la main de gros dés, il fait la traite des Blancs de Saint-Domingue, il pose *Toussaint-Louverture* [20], Soulouque [21], Geffrard [22], tous les nègres célèbres y passent. Alexandre Dumas [23], Victor Séjour, etc., ont leur tour ; on voit bien qu'il aime les brunes, pas un albinos [24]. S'il gagne, sa conversation est imagée. Au piquet, s'il n'a pas d'as, c'est que *son cierge est éteint à Saint-Jean-Baptiste de Belleville* [25]. Il a quatorze de *chaînes d'oignons* [26], mais il n'a pas un

---

19. Par analogie aux filets que les femmes emploient pour tenir leurs cheveux.
20. Le double six.
21. Le cinq six.
22. Le double cinq.
23. Monsieur Six Blancs. Le père Dumas est très aimé des travailleurs.
24. Pas de blanc.
25. Pour avoir des as, il faut faire brûler un cierge à saint Jean-Baptiste.
26. Quatorze de dix.

bœuf [27] ; c'est vexant, il a tous les sept et les huit du département. Il apostrophe son adversaire : « Vous êtes galant, vous, les *crinolines* [28] ne vous quittent pas. » Quant à lui, il donne dans le *larbin savonné* [29] ; dans toute la partie il n'a pas fait une *quinte mangeuse,* mais la *tierce à l'égout* [30], il l'a tout le temps. Ce coup-ci, il a le *double attelage,* la *charrue complète* [31], un jeu superbe. Ricanant son joueur : « Vous pouvez vous fouiller, je vais vous *débarbouiller à la potasse.* »

Au billard, s'il est sous la bande, il est protégé par les *fortifications* ; s'il laisse un coup facile, une *oculaire astronomique* [32] ; faut-il être ganache pour laisser des coups pareils ; il joue comme *une paire de savates.* Chaque coup, chaque demi-douzaine, il en laisse des paniers à la fois ; c'est rudement malin de le gagner ; lui, il est toujours au milieu. Si un contre donne un carambolage à son adversaire, il en retient de la graine. S'il joue avec plus fort que lui et qu'il gagne, voilà le *gabarit* [33] des malins, il n'a pas un jeu brillant, mais il est bien affûté, c'est un jeu qui gagne. Il triomphe, le ricanement marche et le latin de cuisine aussi : *Netoyatibus gentes comminium bon train* [34]. Si vous demandez la traduction, il vous dit en se rengorgeant : « Voilà comme on nettoie les gens à grande vitesse. »

Certains font des comparaisons mécaniques avec les troupiers ; ainsi, le ministre de la Guerre, c'est le *moteur* ; les généraux, les *transmissions* ; les colonels, les *roues de commande,* etc.

Il n'aime pas les curés, mais il les préfère aux soldats. Au moins, ceux-là se tiennent, ils ne sont pas constamment à la

27. Roi.
28. Les dames.
29. Le valet.
30. Tierce au neuf.
31. Quatre bœufs, quatorze de rois.
32. Lunette.
33. Calibre, mesure à laquelle on soumet les pièces que l'on a à façonner.
34. Si un malin affecte la citation latine devant les sublimes, il le blague par un latin de jardinier. *Geranium, fluxia volubis,* a dit Horace. Nous la connaissons, celle-là. Parlez français, citoyen, nous avons déjà assez de peine pour vous comprendre.

parade, ils ne font pas sonner leur ferraille et ne posent pas pour le *lovelace casseur, bousculeur de pékins*. Il ne leur veut pas de mal : il n'y en a pas assez, au contraire, il voudrait qu'on les coupe en deux pour en faire le double.

C'est le sublime des sublimes qui fait la réputation des *prima donna de l'égout* [35]. Ils sont là attablés aux cafés chantants : la célébrité paraît, une salve bien appuyée lui fait sentir qu'elle a des admirateurs ; après le premier couplet, des bravos frénétiques le mettent en bonne humeur, à la fin il trépigne, il se démène comme un forcené. Le lendemain, il vous fredonne : *Rien n'est sacré pour un sapeur* ou *C'est dans le nez que ça me chatouille*. Si vous l'appelez protecteur des arts, d'un ton moqueur, l'apostrophe en avant : « Est-ce que vous comprenez ça, vous ? Il vous faut du plain-chant, de la musique sacrée ; allez donc au lutrin, vous êtes un croquemort du plaisir. » Si, traitant de la politique, vous parlez des députés démocrates avec un sentiment d'estime : « Les voilà bien là ces bourgeois à l'eau de rose ; lui préfère les mollusques de la droite à tous ces républicains autoritaires et à antichambres. Il faut mieux que ça, des hommes plus avancés ; ils ne sont plus à la hauteur, il n'y a plus qu'à les éreinter. »

Remarquez qu'il est tout ce qu'il y a de plus autoritaire.

Le sublime des sublimes est moins nombreux dans les ateliers que chez les ouvriers travaillant chez eux. Les parties qui en fournissent le plus sont : la chapellerie, la cordonnerie, les coiffeurs, les commis de nouveautés, les peintres en décors et en bâtiment, etc.

Dans le bronze, le meuble et la mécanique, le type dominant est le fils de Dieu.

Nous ne pouvons terminer ce chapitre sans parler de la tendance de ces dernières années.

L'ouvrier vrai et l'ouvrier diminuent, l'ouvrier mixte croît, le sublime simple prend du développement, le fils de Dieu tend à disparaître ; mais, en revanche, le sublime des sublimes se développe. Tous ont une honte qui les mine et une haine dans le cœur.

---

35. Les chanteuses de saletés, si en honneur sous ce bienfaisant régime de la culotte courte et de l'épine dorsale à charnières.

Voilà les huit types, peut-être incomplets, qui composent la masse des travailleurs avec laquelle il s'agit de résoudre le problème social.

D'autres questions restent à examiner avant d'entrer dans l'examen de ce qu'il y a de pratique et de pressant à faire pour rendre cette masse morale et suffisamment instruite pour mettre la solution sur la voie.

Voilà soixante ans que nous avons des discours, des mots et des phrases.

Il ne suffit pas d'avoir de la pantomime et du pathos, et de dire cinquante fois « le peuple » en une demi-heure à la tribune, pour être un ami du peuple, il faut des faits, des propositions pratiques et étudiées ; il faut que le travailleur, le lendemain qu'il aura écouté, passe vos idées à son jugement ; soyez persuadé qu'il les trouvera bonnes. Mais, si vous lui avez prêché la haine, la déconsidération des hommes qu'il croyait dévoués à sa cause, prenez garde, il vous pèsera dans sa balance, il y apportera la même passion que vous, il se demandera qui vous êtes et ce que vous cherchez.

9. Le patron sublime

Nous allons examiner les autres questions qui se rattachent à notre sujet.

Depuis plus de vingt ans que nous vivons au milieu de la classe laborieuse, nous avons remarqué que tous les ouvriers qui se sont établis sont arrivés à un bon résultat ; tous les sublimes qui ont monté un atelier ont croulé.

Cependant, quelques fils de Dieu et sublimes des sublimes ont réussi. Ces derniers ont constitué deux genres de patrons. Les premiers y ont apporté des convictions et l'application des théories qu'on prônait tant ; mais, quand ils ont vu que l'ingratitude était à l'ordre du jour, que leur dévouement, leur bon vouloir, leurs obligeances ne servaient à rien, qu'on en abusait, que du moment qu'ils étaient patrons ils étaient considérés comme les autres, une réaction profonde s'opéra en eux, ils se trouvèrent en face d'une réalité poignante et d'autant plus pénible qu'ils étaient plus sincères. Ils comprennent tout maintenant ; ils voient, ils se rendent compte pourquoi, lorsqu'ils étaient chez les autres, ils trouvaient leur patron un tyran, un exploiteur, un buveur de sueur. Leurs hommes doivent les trouver de même ; cependant, que leur demandent-ils qui ne soit juste ? Les ouvriers leur demandent du travail, eux ne demandent pas mieux de les payer largement. La large paie est toujours la bienvenue ; quant au travail : « Il fait soif, ils verront demain. »

« Mais, leur dit le patron, j'ai des commissions avec engagements à livrer à des époques déterminées.

— Est-ce que ça les regarde, ils sont libres ; puis, quand ils ne *massent* pas, vous ne les payez pas.

« — Mais le travail, pour être rémunérateur, ne peut pas être assujetti à des séries de caprices.

— Quand vous n'avez rien à faire, vous ne vous gênez pas pour nous *balancer* [1].

— Certes, il est toujours pénible, peut-être plus pour un patron que pour l'ouvrier, de voir son travail diminuer. Le chômage est la calamité la plus profonde du travail. Aussi n'en accusez pas ceux qui en sont les premières victimes et travaillons avec ardeur quand on a de la besogne.

— Allons donc ; nous allons peut-être vous demander de nous fixer le jour que nous devons prendre pour faire la noce.

— Mais mon moteur fonctionne pour le quart ou le tiers de mon outillage.

— Nous allons peut-être vous payer le charbon. »

Ils ont aussi une machine à faire fonctionner ; c'est la *machine à soûler*.

Le patron sublime voit alors que son rêve est doublé d'une écœurante déception. Ah ! oui, il comprend que les sublimes se chargent de guérir l'homme le plus dévoué à la classe laborieuse. Petit à petit, cette déception se transforme en haine ; grand Dieu ! que de malédictions ! « Les ouvriers, c'est tout de la *canaille,* des *crève-de-faim,* de la *viande à canon.* » En un mot, il tombe dans une exagération farouche, stupide et très nuisible.

Allons, ancien fils de Dieu, ayons du calme ; ce n'est pas une petite affaire que d'être patron juste et consciencieux ; rappelez-vous le Christ que vous aimiez tant à invoquer ; il a dit : « Si l'on vous donne un soufflet sur la joue droite, tendez la gauche. » C'est pour les patrons qu'il a dit cela, et vous voyez qu'on est obligé de se faire souffleter souvent.

Nous appellerons ce type PATRON FÉROCE.

L'autre genre de patron sublime est pour les travailleurs non pas un mal, mais une calamité par les conséquences désastreuses et les perturbations qu'il apporte dans le corps des travailleurs.

---

1. Renvoyer.

Il occupe généralement peu de monde ; cependant, nous en connaissons qui ont une trentaine d'ouvriers par moments.

Il est ancien sublime de droit, il est adroit, capable dans la manière de faire manuellement.

Il tient avant tout aux malins, aux hommes capables ; ce sont des *pochards,* des *gouapeurs,* ça ne fait rien, ils en font plus en trois jours que les autres en six ; il les a connus dans le temps, c'était les premiers ouvriers de la capitale [2].

Le matin on *tue le ver* [3] ensemble, c'est une vieille habitude, il ne peut plus s'en passer. Comme les compagnons sont tous sublimes gradés, le patron leur ayant fait une politesse, ils veulent la rendre : « Redoublez ça, père Baptiste, le patron répond de la tournée. »

On retourne à l'*échoppe* [4], le vin blanc, le *poivre* et les gouttes de mêlé font leur effet, les sublimes font beaucoup de bruit, peu de besogne ; si l'un d'eux tue une pièce, alors le patron sublime hurle, vocifère sur tous les tons : « *Bon à tuer, charcutier, massacre, clou,* toi capable, allons donc, *sabot,* ça se dit monteur ; oui, *monteur de coups.* » Le sublime riposte : « *Qu'est-ce que t'as à aboyer, toi, tu ne te rappelles pas la bécane que t'as envoyée rue de Lappe, et puis, tu sais, ne m'embête pas, s'il y a du deuil* [5], *ça ne sera pas long.* » Le patron sublime répond : « Allons, vivement *débarrasse le plancher, malade.* » Souvent le coup de tampon fonctionne ; une fois dans la rue, il faut entendre le sublime *débiter son chapelet.*

Vous croyez peut-être qu'il renverra cet individu, allons donc ; deux heures après, il vient pour chercher son compas et son livret, il convient qu'il a eu tort, il reconnaît que le patron est un bon garçon, qu'il avait raison de lui f... un abattage, il fait amende honorable. Le patron sublime se rengorge : « Bien, n'en parlons plus, tu recommenceras après déjeuner. »

Si vous lui témoignez de la surprise de cette façon de con-

---

2. En sublimisme on ne prononce jamais ce mot sans emphase.
3. *Tuer le ver* : prendre le vin blanc ou la goutte.
4. La boîte, l'échoppe, c'est l'atelier, quand on ne l'appelle pas simplement Cayenne.
5. Quand il y a du deuil, c'est que ça va mal.

duire son atelier : « Que voulez-vous ? il ne peut pas faire
autrement, il est très pressé, il faut qu'il livre une machine
samedi, pour toucher son zinc ; c'est *sainte-touche* ; et puis
il ne peut pas le balancer, il lui redoit de l'argent qu'il a avancé
à sa femme pour son terme ; et puis, s'il ne travaille pas souvent, ce qu'il fait, il le fait bien ; c'est un *sac à vin,* mais c'est
pas un mauvais garçon ; seulement, quand il a un *verre de
pichenet dans le fusil,* il n'y est plus ; puis, il changerait celui-là,
les autres ne valent pas mieux. »

S'il reçoit une fourniture de matières lourdes : « Ho donc !
toute la *boîte* au déchargement. » Le *singe* commande en chef,
ça ronfle, on l'entend à un kilomètre. Si c'est la livraison d'une
machine, les *attentions* fonctionnent. Après, tout le monde a
chaud : « Quel coup de collier, patron, il y a de quoi se faire
crever, vous devriez bien payer un litre, ça ne sera pas long,
allons-y. »

Le plus fainéant criant : « Vivement, père Baptiste, une
chopine en bois [6] en sept verres, c'est le patron qui *danse,* faut
bien l'arroser c'te bécane, sans ça elle ne marcherait pas.

— Tout de même, ça fait du bien où ça passe. »

Deux sublimes à voix basse : « Le patron va la livrer ;
la paie ratera pas ce soir, tu sais je me *tire les pieds* s'il ne
me donne pas mes soixante-cinq centimes de l'heure. »

Si dans ses courses le patron sublime rencontre un de ses
anciens, vite chez le marchand de vin, les tournées vont leur
train.

« Eh bien, qué que tu fais à présent ?

— Ne m'en parle pas, voilà bientôt quinze jours que je suis
à la comédie. J'arrive de l'enterrement, ce pauvre Bec Salé
s'est laissé glisser ; c'était un bon, celui-là ; il n'en restera
bientôt plus, ma foi, je n'en vois plus guère de capables. —
J'avais commencé avant-hier chez Chose, mais c'est une *boîte,*
je ne m'y plaisais pas ; puis c'est un *mufe,* je lui avais demandé
de me faire avoir *de l'œil chez un marchand de coco* [7], il a

---

6. Broc en bois employé par les débitants.
7. A crédit chez un marchand de vin.

refusé ; je lui ai demandé cent sous d'acompte, il m'a dit que c'est la paie tous les samedis, qu'il avait, du reste, perdu la clé de sa caisse. Vois-tu, André, là-dedans, c'est pas comme chez toi il est toujours sur votre dos, il faut trop cogner ; si j'y étais resté, j'en serais crevé. Mais toi, est-ce que tu n'embauches pas ? On m'a dit que t'avais une belle commande pour un inventeur qu'a de la *menouille.* »

Le patron sublime satisfait : « Oui, mon vieux, j'en ai pour une trentaine de mille *balles* [8] pour commencer ; tu peux passer demain sur les sept heures, je crois que j'ai un étau pour toi. »

Le patron sublime tutoie tous ses sublimes et se trouve par eux renseigné sur ce qui se fait chez les autres ; il ne perd jamais de vue les célébrités.

En revanche, tous les sublimes de sa boutique savent ses affaires : le billet en retour, le *papier à douleur* [9], l'emprunt, le prix de ses ventes, de ses achats, les délais, etc.

A la première mouche qui piquera il recevra ça en pleine figure. Si la paie rate, il faut voir comme il se laisse ravaler. Ecoutez-le raconter qu'il vient de voir un client pour une commande, parler de son concurrent. « Il n'y comprend rien ; pas seulement de l'eau à boire ; ceux qui font à ces prix-là, c'est tout des bons à rien ; comme c'est *choufliqué, saboté* [10], c'est pas possible, il prend ses ouvriers à la *grève* [11] ce gâche-métier-là. »

Tous les sublimes approuvent et crient après l'autre patron sublime qui travaille à si bon compte.

Dans quinze jours, ils seront chez lui, et donneront la réciproque ; ce qu'il y a de plus curieux, c'est que tous les patrons sublimes travaillent à vil prix et déblatèrent contre leurs concurrents. Il est vrai qu'ils se coulent tous à un moment donné, cela se comprend aisément. Ce qui ne l'empêche pas de vous dire d'un air satisfait : « Vous comprenez, moi j'ai pas de

---

8. Trentaine de mille francs.
9. Le protêt, papier timbré.
10. Mal fait, mal monté.
11. Prendre le premier venu.

frais, pas de commis, pas de contremaîtres, pas de *dessinandiers* [12], ces *mange-bénefs* [13]. » Il pourrait ajouter : pas d'ordre. « C'est lui qui fait tout, il a commencé avec rien, sa femme tournait la roue ou tirait le soufflet, puis le voilà. »

S'il retourne travailler chez les autres, les sublimes l'attrapent :

« Encore un exploiteur de coulé. Tu ne brilles plus, hein, gros casseur, t'as été vivement centré, tu *tournes rond à présent.* » Alors il devient un fils de Dieu terrible.

Si un ouvrier est embauché dans un atelier de patrons sublimes, pour faire comme les autres, il prend insensiblement le chemin du marchand de vin ; au bout de peu de temps, il est sublime. « Il n'a pas pu travailler, les autres se sont mis en noce. » S'il est assez énergique pour résister, et qu'il refuse d'aller boire, un célèbre lui dira : « Voyons, arrivez, mademoiselle, on vous fera servir une groseille, quelque chose de doux, le pichenet lui fait mal au cœur à c't enfant-là. »

Un autre lui dira : « Notre société ne lui va pas *à c't aristo-là.* »

Les *blagues,* les misères, les *baluchons* le font quitter, tant mieux. Malheureusement tous ne font pas comme lui, beaucoup suivent la pente fatale.

On peut dire sans crainte que l'atelier d'un patron sublime est une manufacture de sublimes.

Si un sublime vous demande de l'ouvrage, que vous discutiez avec lui le prix de la journée, et que vous lui fassiez observer que chez untel, patron sublime, il gagnait cinq francs par jour, par exemple, il vous répondra qu'il aime mieux gagner cinq francs chez lui que six chez vous. « D'abord chez lui on ne se la foule pas, puis c'est un *zig* qui comprend l'ouvrier (lisez sublime), on peut commencer à toute heure de la journée. Puis il aime la liberté, il n'y a pas de cloche, c'est bon pour des esclaves ; puis, si un ami vient vous voir et qu'il veuille vous régaler, chez lui, on peut aller prendre le canon de l'amitié. »

Vous voyez, tout cela vaut plus de vingt sous par jour.

---

12. Dessinateur, peintre en tire-lignes.
13. Mange-bénéfices.

Il est inutile de faire aucune réflexion, elles seraient superflues, pour démontrer les fâcheuses conséquences d'une pareille organisation du travail.

Il nous reste à parler d'un autre type, que nous appellerons *patron égoïste* [14]. Si vous rencontrez ce personnage dont le genre est très nombreux et si vous lui faites part de vos peines en présence de grèves fréquentes et considérables, il vous répond :

« Moi, en fait de politique et de question sociale, je suis fabricant de marmites ou de casseroles.

— Mais vous ne sentez donc pas le gâchis qui approche, si tous les intéressés ne veulent pas se donner la peine de diriger ce grand mouvement qui peut tous nous noyer ?

— Qu'on en *chassepote* donc la moitié et qu'on envoie l'autre à Cayenne, ça sera fini une bonne fois. »

Vous croyez cela, bons citoyens ? Mais myopes féroces et insensés, comme l'hydre ils renaîtront de leurs pertes fécondes ; votre procédé inqualifiable nous conduirait à un cataclysme épouvantable.

Enfin, que demandent-ils ? Des travaux, il y en a, à moins qu'ils ne veuillent partager. Vous ne nierez pas qu'il y en a quelques-uns.

Oui, homme de douceur, de dévouement et de lumière, il y a quelques intrigants qui prêchent le communisme ; mais ce que veut la grande masse, elle veut qu'on ne la repousse pas impitoyablement quand elle demande un peu plus de bien-être ; elle veut que les patrons fassent comme les entrepreneurs de peinture de Marseille qui, d'accord avec les ouvriers, ont augmenté le salaire dans une proportion possible ; comme la mesure est générale pour la ville, personne ne se trouve lésé. Elle désire rencontrer des chefs d'établissements comme tous les industriels du Havre, qui ont admis la diminution d'une heure et établi la journée de dix heures au lieu de onze. Oui, voilà ce qu'ils veulent, et nous le déclarons hautement, ces patrons ont fait acte de bons citoyens ; nous

---

14. Le patron égoïste est un des plus beaux types de la ventrocratie farouche.

les appelons, nous, hommes de progrès et d'ordre. Les révolutionnaires et les hommes de désordre sont les implacables dans leur égoïsme.

Nous savons bien que toutes les demandes ne sont pas justes. Au lieu de cette résistance qui repousse les bonnes et les mauvaises, si on acceptait les premières dans des limites possibles, croyez-vous que cette conduite ne mènerait pas à l'apaisement, à l'entente et à l'union, si nécessaires dans le travail ?

Notre travail est un appel sincère à cet examen sérieux. Les chapitres de notre dernière partie donneront les arguments nécessaires ; puissent-ils secouer l'apathie des patrons égoïstes !

Nous pourrions nous laisser entraîner au-delà des limites que nous nous sommes tracées, si nous voulions analyser tous les types de patrons. On pourrait faire un beau chapitre du patron ignorant. Celui du patron indifférent aurait bien sa valeur, ainsi que celui du patron homme public. Un volume ne suffirait pas pour juger ce patron multiple qu'on nomme compagnie. A d'autres de se charger de cette délicate besogne [15]. Nous nous bornons à leur demander que, s'ils veulent éviter les convulsions, ils examinent sérieusement la question sociale, et qu'ils y apportent ce sentiment de justice qui ne fait jamais défaut chez les hommes de cœur.

---

15. Nous renvoyons le lecteur à un article du *Gaulois,* placé à la fin du volume, et intitulé « Tous sublimes ».

10. Les grosses culottes

Avant la révolution de 1848, les machines jouaient un rôle très modeste dans le façonnement des pièces ; l'ouvrier était obligé d'apporter dans le travail plus de savoir-faire proprement dit qu'il n'en faut avec l'outillage perfectionné et développé actuel. Il se produisait, dans les diverses parties, de ces natures adroites et fortes qui faisaient beaucoup de travail. Cette habileté les constituait aux yeux des patrons comme sujets hors ligne et d'élite : supériorité méritée. Ils jouissaient donc près du patron et du contremaître d'une confiance que leurs capacités leur donnaient de droit. Ils étaient chargés de l'embauchage ; par contre, tout individu embauché par d'autres était sujet à une infinité de misères et même d'insultes, à un tel point que les contremaîtres et les patrons avaient abandonné ce droit.

Ces compagnons d'élite étaient appelés et sont encore désignés aujourd'hui sous le nom de *grosses culottes*. Actuellement, le nombre en est moins considérable qu'il y a une vingtaine d'années. Leur influence se réduit le plus souvent à une pose chez le marchand de vin.

Les machines, sans qu'on s'en doute, ont tué ce superbe type. Si le patron avait besoin d'un ouvrier, il s'adressait à la grosse culotte de la partie ; il avait votre affaire : un homme capable qu'il connaissait bien. Remarquez que souvent il n'avait personne, ou que, si on lui avait parlé de quelqu'un, il ne l'avait jamais vu. Il constituait, dans l'atelier, une dictature redoutable, un patron n'aurait pas osé renvoyer une grosse culotte sans bouleverser tout son atelier, il fallait prendre des biais pour s'en débarrasser. Heureusement que ce beau temps de coterie a presque disparu.

Il y a une vingtaine d'années, un constructeur avait une machine de six chevaux en construction, une grosse culotte s'était adjugé la bielle ; c'était la plus belle pièce de la machine, et surtout celle qui pose le mieux. Après l'avoir commencée, il se mit en bordée. Comme le patron était pressé et qu'il ne voyait plus son *malin,* il pria un autre compagnon de la terminer. Celui-ci refusa, objectant qu'il ne pouvait pas reprendre le travail d'un autre, qu'il préférait s'en aller. Après deux ou trois tentatives auprès d'autres ouvriers, il essuya le même refus. Tous les soirs, un compte fidèle était rendu à notre homme des démarches du patron ; celui qui aurait eu l'audace de toucher à *sa* bielle aurait été bien exposé ; le cas aurait été véritablement grave pour lui. Que fit le patron ? Il fit forger une deuxième bielle, la fit terminer ; l'autre restant toujours dans l'étau du sublime grosse culotte. Il livra sa machine. Quand le célèbre le sut, il rugit, reprit son travail, balbutia au patron une excuse banale, une maladie par exemple. Le patron ne fit semblant de rien, lui donna d'autres travaux, se gardant bien de le renvoyer ; son atelier eût été désorganisé le lendemain.

Nous pourrions citer d'autres exemples ; nous pensons que celui-ci suffira. Nous livrons ce fait aux méditations des organisateurs du travail.

On ne s'embauchait dans l'atelier que par camaraderie ; malheur au pauvre diable qui ne connaissait personne ou qui n'avait pas d'argent pour régaler les grosses culottes ; à moins de coup de main, il s'embauchait difficilement. Si le compagnonnage nous a valu ces mauvaises et nuisibles habitudes, il nous en a donné de bonnes qui malheureusement disparaissent tous les jours.

Le débitant qui a l'honneur de servir les grosses culottes sait souvent à ses dépens ce que cela lui coûte.

Le matin, ils se rendent avec leur escorte de sublimes, leurs admirateurs ; ceux qui veulent se faire embaucher se trouvent là, et pour deux ou trois tournées l'affaire est faite.

Le lendemain de l'embauchage, le fameux *quand est-ce* marche, tout le monde y prend son allumette. Triste habitude que ce *quand est-ce* inventé par les grosses culottes ; il est souvent, pour les bons, le premier maillon de cette chaîne que nous appelons le sublimisme.

Voyez-vous un atelier de douze individus, où l'on embauche dans une semaine trois sublimes ou ouvriers nouveaux, à quelques jours d'intervalle, trois *quand est-ce à jauger* [1], trois *cuites* [2] à prendre, trois *profondes* [3] à vider, trois familles sans pain, sans parler du lendemain ?

Le *quand est-ce* est le condensateur des économies ; dans un atelier où l'on a l'habitude du *quand est-ce,* il faut y passer ou gare à vous. Quand vous vous exécutez bien, alors vous êtes des bons, vous n'*êtes pas rat,* vous *êtes chouette* et *à la couleur.* Dans la mécanique, la forge est la partie qui le pratique le plus. Comme nous le disions plus haut, ça tombe, le marteau-pilon les a emboutis. C'est qu'il cogne dur, ce petit ami là. Pour nous, il n'y a rien de moralisateur comme une machine.

On rencontre encore des grosses culottes dans les grandes administrations, mais ils ne sont plus que l'ombre d'eux-mêmes, le *poivre* les a minés ; puis on peut se passer d'eux. Ils forment le vrai sublime par excellence, ils aiment à raconter leurs anciennes prouesses.

Quand on pense à toutes les difficultés que rencontraient les patrons de la part de ces messieurs, on s'explique facilement la lenteur du progrès dans une partie.

Les jeunes ouvriers paraissent tout surpris, quand on leur raconte ces hauts faits ; ils ne savent pas jusqu'à quel point ces autocrates d'atelier poussaient leur vaniteuse et méchante tyrannie.

---

1. A *jauger* : à régler.
2. La *cuite* : la soûlographie.
3. La *profonde* : la poche.

11. Galerie des célébrités de la mécanique

A tout seigneur, tout honneur.

Ar...in, empereur des pochards et roi des cochons.

De...e, Volcan d'Amour.

Pinson Blanc, la Mine d'Or.

Les Côtes en Long ou la Flemme.

P...rial Mal d'Aplomb (il boitait).

Bec Salé, 1, 2, 3 (les trois frères M...art).

La Chopine en Bois.

Antoine, le Sauveur du monde.

Trente-Kilos sans griffe.

Mes Bottes.

Rubis, le Nez de Travers.

Mançot la Chique, président du sénat en 1860.

La Tête de Hareng.

Constant le Bouc.

Picard la Perruque.

Paul de la Monnaie.

Le Grand Louis.

Chambéry, la Tête de Mort.

Rémy le Curé.

Chauve le Terrible.

Le Régulateur de la Machine à Soûler.

Le Robinet de Vidange.

Bernard la Balafre.

Le Gros A...in.

Fo...foin, l'Encoleur de Longerons.

Le Petit Zéphir.

D...au, la Machine à Raboter.

Le Bombé.

La Tête d'Acier et la Gueule d'Acier (deux frères).

La Châsse à Parer.

Tom Pouce.

L'Angevin le Prisonnier.

François la Bouteille.

Tourangeau la Belle Poitrine.

Poil Bleu.

Pied de Céleri (il avait une jambe de bois).

Cochin le Ver à Queue ou l'Asticot.

Br...tais la Belle Prestance (et ses sept frappeurs).

Ra...eau l'Insurgé.

Mal Fondu.

La Jambe de Laine.

Ro...in le Beau Chanteur.

Le Verre à Chopine ou Kalmouck.

Bourguignon, les Beaux Yeux.

Ri...d'la Chenille.

Simon la Bécasse (un des beaux orateurs).

Le Rat Huppé.

L'Ami du Trait ou Tout Brut.

Nez d'Amour.

Le Moule à Pastilles.

La Branche d'Or.

B...n l'Affreux.

La Gueule d'Or.

Fil de Graisse.

Mahomet.

Pierre le Dur.

Mistigris.

Bibi la Grillade.

Le Ver Solitaire.

Tire-Bouchons.

Frappe d'abord.

Cette petite collection suffira pour indiquer les plus célèbres et les vouer à l'admiration des jeunes générations.

Remarquez que tous ont une célébrité pour des hauts faits soit d'atelier, soit de marchand de vin.

12. Le marchand de vin et le marchand de sommeil

Le marchand de vin est l'atelier où l'on façonne le sublime ; nous voulons seulement parler des maisons fréquentées par les travailleurs.

Tous vous diront que s'il n'existait pas il faudrait le créer.

Les marchands de vin sont pour les sublimes le médecin, le pharmacien ; ses salles sont leurs réunions publiques, le cabinet, le laboratoire des réformes sociales ou de l'éreintement. Nous devons donc l'examiner.

Les sublimes en distinguent de deux espèces.

Le distillateur, débitant de liquide, ou assommoir, ainsi nommé à cause de l'excellence de ses produits qui vous assomment rapidement un individu. Pour les distinguer, ils ont des désignations drôles, ou le nom de la rue et même du débitant. *Le Sénat* de la barrière Poissonnière, celui de *La Planche-Mibray, Le Mur de terre. Au Fusil à aiguille,* chez V...in, faubourg du Temple, chez Jean, ou bien à *La Mine à poivre,* tout simplement, ou à *La Machine à soûler,* à *La Tête de cochon.* Il y avait *La Chambre des députés,* chaussée Clignancourt ; quatre ou cinq *Camps de la loupe,* qui sont tombés un peu dans l'oubli depuis que les marchands de vin-cafetiers leur ont fait la concurrence.

Dans les assommoirs, les sublimes ont rarement à crédit, *l'œil est crevé* ; c'est le rendez-vous certain où vous trouverez toujours les abonnés.

Presque tous ces industriels (je dis industriels parce qu'ils fabriquent en partie eux-mêmes) font fortune. Ils sont du reste patients, persévérants et très tolérants ; si les biceps leur font défaut, ils prennent un garçon athlétique ; on discute quelquefois avec le coup de torchon ; il faut toujours être le

233

maître chez soi. Ils se laissent volontiers appeler empoisonneurs ; du reste, ils maquillent bien le *pichenet* [1], encore mieux le *vitriol* [2]. Chez lui, on en donne de vrais verres : « C'est pas le sublime qui se laisserait tromper par ces verres épais qui en tiennent comme une coquille de noix ; il n'a pas l'habitude de boire dans des dés à coudre. » Les sublimes qui fréquentent les assommoirs ne s'y prennent jamais à deux fois pour vider leur verre : « Elle s'éventerait ; et puis, à la prochaine tournée, il ne lui en donnerait pas plus qu'aux autres. » Certains patrons d'assommoirs mettaient une boule de gomme dans le verre, pour compter les tournées ; ils ont abandonné ce système, les sublimes avalaient tout.

Que font les sublimes dans ces sentines ? Ils attendent qu'on vienne les embaucher, ou plutôt un ami qui régalera ; il peut bien leur payer quelque chose, il a fait sa semaine complète.

Ils restent quatre ou cinq heures devant le grand comptoir, assis sur un banc placé en face. Ils sont les travailleurs du coup de main ; la *menouille* en poche, on revient au rendez-vous. Là, ils racontent le mal qu'ils ont eu, et l'appréciation de la boîte est faite de suite.

Une visite à la *mine à poivre* vous en dira suffisamment.

Le deuxième genre est le marchand de soupe, celui qui donne à manger. Le débitant de ce genre entre plus intimement dans l'existence des travailleurs. On est bien là-dedans ; on vous en donne, pour six sous, une grande assiettée, et le *bleu* n'est pas mauvais. Il est bien avec la bourgeoise du *cassin* [3], il a l'œil là-dedans.

« Quand elle me voit arriver, elle me dit :

— Un entrelardé aux choux, monsieur Joseph ?

— Vous êtes toujours gentille, madame Alexandre. Oui, un entrelardé aux choux ; beaucoup de maigre, pas mal de gras et des choux en masse. Si le père Alexandre casse sa pipe, je vous demande en mariage. »

---

1. Le vin.
2. L'eau-de-vie.
3. De l'établissement.

Le marchand de soupe connaît ses clients sur le bout du doigt. Il est abonné au *Siècle,* il trouve seulement qu'il y a trop d'annonces.

Il y en a qui ont deux salles et un cabinet ; dans la première, il n'y a pas de nappes, on sert du bleu à douze, on trempe la soupe ; c'est la salle des vrais sublimes.

Dans la seconde, il y a des nappes, on ne sert pas de bleu à douze, mais à quatorze et au-dessus ; à moins d'être connu, on ne trempe pas l'ordinaire. C'est la salle des ouvriers, sublimes simples et de certains fils de Dieu.

Les sublimes des sublimes et quelques fils de Dieu occupent le cabinet.

Voyons comment on lit le journal.

Dans la première salle, on laisse le journal de la veille ; celui du jour est disputé par les deux autres, à moins que le marchand de vin ne l'ait caché pour le remettre à un sublime des sublimes.

Dans la première salle, on lit les faits divers, les tribunaux. Si un sublime tient le journal, un autre l'interpelle.

« Qu'est-ce qu'elle dit ta gazette ?

— Ecoute ça, ma vieille : " M. D..., négociant, rentrant chez lui fort tard, a été attaqué par trois malfaiteurs qui avaient commencé à le dévaliser ; mais, doué d'une force peu commune, muni de sa canne, il s'est défendu courageusement : après en avoir assommé un et fait sauter un œil au second, il a saisi le troisième, qu'il a remis entre les mains des sergents de ville. "

— C'est épatant ; en voilà un chouette, c'est pire que Rocambole. »

Chacun dit son mot et on admire le négociant. On continue.

« On écrit de province : les époux H..., sexagénaires, ont été massacrés à coups de hache par leur fils, parce que le père lui refusait de l'argent pour continuer sa vie de paresse et de débauche. »

Tous ensemble : « Oh ! la *crapule,* quelle *canaille,* en voilà un qui ne l'aura pas volé si on le *raccourcit.* »

Les sublimes appliqueraient la loi de lynch.

Le lecteur, ayant fini mentalement l'article « Tribunaux », s'adresse à son voisin : « On vient de guillotiner Avinain, tu sais, ce boucher qui avait coupé le marchand de paille en morceaux, qu'on a retrouvé une jambe à Saint-Ouen.

— Oui, oui, je me rappelle c'te canaille-là ; il croyait qu'il étalait un mouton. Ah ! on lui a fait son affaire hier ? Qu'est-ce qu'il a dit ?

— Y paraît qu'il a parlé du môme de vingt ans ; tu sais bien, celui qu'on a rogné y a quéque temps, qui disait qu'il avait manqué la plus belle pièce, son père.

— Ah ! oui, j'y suis, oui, Chose y est allé le voir exécuter. »

On examine le crime ; les uns ne sont pas surpris, les bouchers sont toujours dans le sang, ils croient que les hommes sont des bêtes ; les autres disent qu'il ne faudrait plus condamner au bagne, *rogner* [4] *toute la fripouille.*

Les sublimes ne sont pas partisans de l'abolition de la peine de mort ; ce sentiment, puisé dans leur légitime indignation, ils le manifestent instantanément, et cette terrible représaille qu'ils demandent est due à leur manque d'instruction.

Dans la salle aux nappes, l'ouvrier lit les articles de fond ; il discute avec l'ouvrier vrai ou même avec le sublime simple. Le fait divers s'apprécie aussi ; mais, ce qu'il affecte de lire haut, ce sont les faits et gestes du grand monde ; s'il a un journal de cancans, il dit à son voisin : « Tiens, toi qui aimes les nouvelles, écoute-moi ça : " M. le duc de R... est revenu depuis quelques jours de son château de T..., dans le Berri, avec Mme la duchesse ; on dit qu'il prépare une série de soirées brillantes, qui seront fréquentées par tout ce que Paris compte d'illustre et de distingué. On sait que M. le duc est fils du duc de R..., grand chambellan de Napoléon Ier, et que Mme la duchesse est la fille du marquis de V..., dont les ancêtres sont de la plus ancienne noblesse, alliée du côté de sa mère aux plus grandes et aux plus anciennes maisons de France. " Eh bien, qu'est-ce que tu dis de ça, toi ?

— Eh bien, moi, je dis que je m'en f... pas mal ; et toi ?

---

4. Guillotiner.

— Eh bien, moi aussi ; ils nous font ressortir avec leurs nobles ; mais je croyais qu'il n'y en avait plus.

— T'es joliment en retard, alors ; y a quéque temps, l'empereur en a encore fabriqué trois ou quatre.

— Qu'est-ce que ça signifie ?

— Ça signifie rien du tout ; farceur, tu vois pas que c'est un tas de poseurs qui voudraient nous faire croire qu'ils sont plus que les autres parce qu'ils se poussent du *de* ? C'est pas malin ; tu peux m'appeler le marquis de la Bourse Plate, que j'en serai pas plus fier pour ça ; toi, Félix, comme t'es bel homme, tu te feras nommer prince de Courtes Rentes.

— Mais, b... d'animal, on en a toujours assez pour t'arroser la *tronche* et te *laver la dalle* [5]. Allons, puisque tu n'aimes pas les nobles, on va te lire autre chose. " M. D..., curé de la Madeleine, prêchera dimanche à Saint-Jean-Baptiste de Belleville ; Mgr de Paris donnera l'absoute... "

— Oh ! assez d'absoute comme ça, hein ; ousque t'as acheté ce journal-là ?

— T'aimes pas les curés non plus, alors passons plus loin : " Le général A... vient d'être nommé... "

— Trop nommé ; mais, ah ça, qu'est-ce que c'est donc que ce papier à chandelle ? Comment que tu l'appelles, ce marchand de nouvelles-là ?

— C'est l'*anderlique* [6] du grand monde.

— Ah ! ça ne m'étonne pas, il fait son *rachevage* [7]. »

Le lecteur reprenant : « Ah ! voici ton affaire : " On nous écrit de La Haye : le citoyen Barbès... "

— Ah ! ah ! " Ce héros de l'émeute et ancien chef de sociétés secrètes, ce violateur de la loi et... "

— Eh bien, qu'est-ce qu'il a à dire de Barbès, ce vendu,

---

5. Le bec, la tronche, la bouche, laver l'estomac.
6. *Anderlique* : petit tonneau employé en vidange pour recevoir les résidus de la fosse.
7. Ramasser ces résidus, c'est faire le rachevage, c'est-à-dire ce qui n'a pu passer par les tuyaux de la pompe à soufflet.

ce baveux-là ; tiens, lâche-moi, donne-moi-le, ton journal, je m'en servirai tout à l'heure, et puis la cloche va sonner, il faut défiler. »

Dans le cabinet c'est une autre affaire. On ne prend pas le temps de manger ; une bouchée, une phrase, une bouchée, une phrase ; les autres interpellent celui qui le tient.

« Y paraît que ça a chauffé hier, Jules Favre leur a envoyé ça.

— Je tiens Baroche en ce moment.

— Dépêchons-nous, tu nous liras le discours de Jules Favre. »

Un fils de Dieu parlant de Baroche : « En voilà encore un qui a crié : " Vive la république ! " ; c'est la république qui l'a fait ce qu'il est, ce président de la haute cour de Bourges. »

Continuant à lire mentalement et en mangeant : « Tiens, voilà Rouher qui appelle Garibaldi individualité sans mandat... »

Un fils de Dieu interrompant : « Il en a un beau de mandat, lui. »

Un sublime des sublimes : « Certes, il défend une mauvaise cause ; mais il a rudement du talent. »

Le fils de Dieu frappant sur la table : « Vous appelez ça du talent, vous ! Vous n'êtes pas fort, ah ! si vous aviez entendu Ledru-Rollin, à la bonne heure ; moi qui vous parle, je l'ai entendu ; il fallait voir ça.

— On ne peut pas discuter avec vous.

— Si, mais seulement, ce qui me fait mal, c'est de vous entendre ; ainsi, voilà Amédée qui s'enthousiasme de son Jules Favre, cet académicien qui vient nous parler de Dieu, un démocrate de carton, comme ça ; qu'il parle donc des travailleurs, en a-t-il dit seulement un mot ? Vous pouvez mettre la gauche et la droite dans le même tonneau, je les regretterai pas. Ils sont là qui ont l'air de prendre des mitaines pour leur parler ; avec leur " messieurs ", ils me font suer. Regardez donc s'il n'y a pas un compte rendu des réunions publiques, j'aime mieux cela. »

Un sublime des sublimes examinant le journal : « Non, il n'y en a pas ; mais je suis allé hier au Pré-aux-Clercs ; le citoyen B... disait que la république ne serait possible que lorsque la propriété aura disparu et sera remplacée par la possession de l'instrument de travail et la liberté de posséder son produit.

— A la bonne heure, je comprends ça ; je suis sûr qu'il ne disait pas " messieurs ", celui-là. »

Une discussion s'engage, les uns admettent la phrase du citoyen B..., les autres ont mieux que ça. Le temps passe, l'heure arrive, on rentre.

Le marchand de vin choye le fils de Dieu ; quand il a des recours, avec lui ça marque ; celui qu'il préfère, c'est l'ouvrier mixte et le sublime simple : ça paiera toujours, c'est pas encore canaille ; puis il ira à la paie, il les harcèlera ; avec eux, il y a toujours du rattrapage. Le vrai sublime ne fait pas son affaire.

Il ouvre de très bonne heure, et comme il reçoit le journal beaucoup se pressent de le lire. Il discute avec le fils de Dieu, bonne paie ; il fait une légère opposition pour attiser la conversation, les autres écoutent. Le lundi de paie, s'il sent de l'argent à un simple sublime, il paiera sa tournée, provoquera le pain et le fromage ; si l'ouvrier mixte dit : « Mais il faut que j'aille masser.

— Comment, vous, monsieur Louis, vous laisseriez votre ami qui ne vous a pas vu depuis trois semaines, je ne vous reconnais plus ! Vous êtes bien bon de vous tourmenter pour un *mufe* de patron comme le vôtre ; je lui garde un chien de ma chienne à votre *entortillé de singe* ; l'autre jour, voilà-t'y pas que je lui porte la note de Mal d'Aplomb ; y me dit : f...-moi le camp, vous êtes aussi canaille que lui ; il me la paiera, celle-là. »

Les sublimes appellent les marchands de vin des voleurs, des filous, des *faignants,* des roussins, ils sont tous de la bande à Vidocq.

Sans être aussi affirmatif, nous pensons qu'il y en a au

moins la bonne moitié qui ne vaut pas mieux que les sublimes, si ce n'est pire que les vrais sublimes.

Ecoutez un sublime qui règle avec lui : « Vous êtes un voleur, vous marquez à la fourchette ; nous sommes cependant pas à Bondy. »

Il tient sa comptabilité à la barre et la barre est bientôt faite. Que voulez-vous ? Qui est-ce qui ne se trompe pas ? Il connaît bien ceux qui tiennent leurs comptes, il s'en méfie. Pour les négligents, les barres marchent, ainsi que le compte d'apothicaire, qu'il fait toujours accepter.

Les débitants nouveaux dans le métier, et de bonne foi, il n'y en a pas pour longtemps à les nettoyer ; une fois fermés ou en faillite, les sublimes disent : « Encore un de passé en lunette. »

Dans ces laboratoires de sublimisme, les patrons entrent pour un bon quart dans les causes de noces et de démoralisation. Le vin nouveau à goûter et le crédit douteux les encouragent à quitter la besogne.

Pourquoi les travailleurs ont-ils abandonné l'association du manger ou, plus brièvement, *La Sociale* qui a fonctionné en 48 et même longtemps après ?

Ils étaient groupés une soixantaine, le délégué de semaine veillait aux achats et réglait sa semaine ou sa quinzaine ; la femme de l'un d'eux faisait la *popote* [8]. Ils avaient une nourriture saine et copieuse, un bon vin non frelaté, et les repas revenaient à trente pour cent meilleur marché. Aussitôt arrivé, l'un prenait le journal et le lisait, le premier qui avait fini le livrait à son voisin. Nous y avons mangé en 52. Les extras étaient comptés en plus et vendus un bon prix, les bénéfices revenaient à *La Sociale*. Ce qu'il y avait de moralisant est considérable ; c'était très rare que tous ne retournassent pas au travail ; les *poufs* étaient impossibles ; les autres intéressés forçaient le mauvais payeur à s'exécuter.

Savez-vous pourquoi l'on n'a pas continué ? Parce qu'il y avait trop de sublimes ; la raison est suffisante.

Il faudra y revenir.

---

8. La cuisine.

Quelquefois le marchand de vin tient un garni, il est aussi marchand de sommeil ; le sublime, qui est généralement comme le limaçon, s'en moque pas mal, il n'a rien. Si, deux ou trois kilos de hardes. Il faut que le marchand de sommeil fasse des prodiges d'habileté pour se faire payer.

Il se passe des scènes curieuses dans ces taudis. Un samedi de paie, le sublime rentre tard, il s'est payé un *torchon* [9], on lui refuse l'entrée ; alors il donne un acompte. Le marchand de sommeil qui veut encore de l'argent use d'un stratagème : le matin de bonne heure il frappe et entre dans la chambre, il enlève ses effets et ceux de la rouchie : il faut payer ou plutôt donner le reste de la paie. La taupe l'apostrophe, elle est refaite, elle comptait sur cent sous, maintenant plus rien, sa *journée* est perdue.

Le chez-lui, pour un sublime, ne compte pas, il va du marchand de vin à l'atelier, de l'atelier au marchand de vin, voilà son existence ; et vous voulez que ces individus-là aiment la famille ! Allons donc ! c'est absurde. Ils atrophient leurs sentiments comme ils calcinent leur estomac. Puis, c'est avec ces gens-là que vous pensez résoudre la question sociale ? C'est le boulet qui l'empêche d'avancer.

---

9. Les sublimes savants se paient un linge ; les autres se paient un torchon, une éponge ou un paillasson.

13. Une séance au sénat

Certes, voilà un titre insolite, mais, rassurez-vous, il est officiellement reconnu ; au Conservatoire des arts et métiers, quand on prend un ouvrier, on porte : une journée de sénateur... tant [1].

Nous vous avons montré comment on lit le journal chez le marchand de vin ; nous voulons vous montrer ce que font et disent les sublimes devant le comptoir ; une visite au sénat et une visite à la mine à poivre vous montreront où les mœurs détestables s'élaborent, où les ouvriers se corrompent.

Depuis longtemps, les travailleurs appellent les marchands de vin où ils se réunissent par spécialités des sénats. Un des plus célèbres vient d'être démoli, le sénat de la Planche-Mibray.

Le sénat de la mécanique se tenait sur le boulevard des Poissonniers, au coin de la rue de la Nouvelle-France ; on le démolit actuellement. Il a été longtemps tenu par le père Michel, *soiffard* de forte taille, estomac à trois cuvées, sac à vin de premier rang. L'ordre de la mère Michel, digne femme, ramenait l'ordre dans les finances. Depuis la mort du père Michel, le successeur avait clos les séances. Nous croyons qu'il est un peu plus loin sur le même boulevard. Mançot la Chique, le président actuel, avait voulu essayer à Ramponneau, la tentative a échoué.

Prenons-le au moment du père Michel et à l'époque où nous y assistions pour la première fois, en 1851.

En ce temps-là, le sénateur (lisez grosse culotte ou **vrai**

---

1. Dans le temps, les tourneurs de roues étaient nommés *sénateurs* ; le mot s'est généralisé depuis.

sublime) brillait encore d'un certain éclat ; on donnait le nom de président du sénat à l'habitué qui tenait le plus le *crachoir,* le premier grelot de la réunion, en un mot une blague d'acier.

Le personnage qui présidait, au moment de notre visite, était un nommé F...n, grosse culotte, forgeron ; le sénat recevait plus spécialement les forgerons ; les ajusteurs, les tourneurs préféraient *La Machine à soûler,* établissement voisin.

Il ne faut pas confondre le sénat avec les assommoirs.

Il y a peu de sénats, tandis qu'il y a peut-être plus de deux cents assommoirs. Le sénat est spécial à une seule partie ; en bien examinant, le sénat est un diminutif de la mère des compagnons ; chaque partie avait une mère chez laquelle on buvait, mangeait et logeait. Les ouvriers du fer ayant abandonné le compagnonnage formèrent des sénats.

F...n avait sur son livret toutes les signatures des grandes maisons et une grande partie des petites de la capitale [2]. Il avait la gloire d'avoir le premier encolé un longeron de locomotive, travail qui posait un homme à cette époque où le marteau-pilon était pygmée. De là son nom d'Encoleur de longerons. Il porte une grande barbe, un chapeau démoc, un tablier presque toujours neuf roulé sous le bras et que, dans leur langage pittoresque, ils appellent le *matelas* parce qu'il sert d'appui pour *cuver une cuite* [3] ; le bourgeron et la cotte bleue traditionnelle, quelquefois une blouse blanche, curieuse anomalie, les taches de graisse y paraissant mieux.

Il est bien taillé ; une voix caverneuse, une mobilité d'œil surprenante le constituaient d'avance pour la pose et l'effet. Comme le Marseillais, il possédait la pantomime et le geste ; par instants, il cherchait les notes les plus basses, ses yeux et l'ensemble de sa figure télégraphiaient ses impressions ; en un mot F...n avait tout ce qu'il faut pour parler aux masses et les impressionner.

---

2. Au printemps, quand la violette de patience a disparu, quelques sénateurs font leur tour de France, huit ou quinze jours à Argenteuil, autant à la Patte-d'Oie, Herblay, Pontoise, Persan, Creil, Montataire et Liancourt ; alors on revient dans la capitale.

3. *Cuver une cuite* : chercher dans le sommeil l'évaporation des alcools et autres denrées qui fermentent dans cet alambic calciné, l'estomac d'un sublime.

Quand il travaillait devant le comptoir, il était à la besogne, il ne fallait pas gêner ses mouvements. Le *matelas* servait de pièce, le bras remplaçait le marteau, une table ou plutôt le bord du comptoir servait d'enclume. A force de travailler chez le marchand de vin, il ne savait plus guère travailler en réalité.

Il faisait au plus trois journées de travail par semaine et deux ou trois patrons par mois.

Sa femme, laborieuse et un peu sublime, vendait du poisson et nourrissait ce parasite poseur. Les lundis, mardis et mercredis, elle affectait de passer devant le sénat ; si elle pinçait son *faignant,* vlan ! une limande par la figure.

Tous les sénateurs *étaient à la couleur* ; quand ils l'apercevaient de loin, ils prévenaient F...n, qui passait immédiatement dans la salle ; un malin lui demandait des nouvelles de son homme : « Il est donc malade ?

— Ça vous regarde pas, *faignant.* » Quelquefois elle entrait, alors F...n s'esquivait dans la cuisine.

Le hasard nous amena un matin de juin au sénat.

F...n, accoudé sur le comptoir, méditait sans doute sur la cuvée de la veille ; le père Michel, debout, attendait. Nous étions avec le Régulateur de la Machine à Soûler, sublime très bien vu par les sénateurs. Un bonjour à la vraie sublime accueillit le visiteur ; nous fûmes gratifié d'un regard protecteur, nous étions jeune. Nous forçâmes naturellement la pose, car entre eux elle n'aurait pas fait beaucoup d'effet, ils avaient travaillé ensemble dans plus de vingt boîtes différentes. La goutte de mêlé fut servie, le père Michel et F...n profitèrent de notre invitation. Après quelques phrases banales, deux individus entrent :

« Comment ça va, F...n ?

— Pas mal, ma vieille, et toi, quéque tu fais donc maintenant, voilà un siècle qu'on ne t'a pas vu ; c'est un *effet de mirage* de voir ta binette.

— Que veux-tu, je suis marchandeur chez Kaulck, je me fais mes quinze balles, y faut pas *flancher,* l'*argousin* n'est pas commode ; ça ne fait rien, je ne crois pas que j'y mangerai un boisseau de sel, dans c'te boîte-là ; on ne peut pas seulement s'absenter un instant qu'on ne retrouve plus ses outils ; j'ai manqué seulement quatre jours ; quand je suis revenu, j'avais plus rien. Et puis, ne m'en parle pas, le singe m'a engueulé hier, il m'a f... la flemme morbus. J'y ai fait une pièce pour modèle, y me dit : " C'est bien, mais c'est trop long.

— Si y a que ça, on va la rogner.

— C'est pas ça que je veux vous dire.

— Eh bien, quéque c'est alors ?

— C'est que vous avez été trop de temps.

— Fallait donc le dire, je vous aurais envoyé *dinguer* plus tôt. " Il s'est fâché, mais on s'est remis après. »

F...n désignant le Régulateur :

« Tu ne remets donc pas P...d, tu sais bien, celui qui était avec nous chez G...n ; c'est lui qui posait les tôles minces aux machines du Nord. »

La reconnaissance n'est pas longue, et les poignées de main vont d'importance.

« Père Michel, deux verres de plus, renouvelez-nous ça à nous autres. » Remarquez que c'était notre tournée qui se continuait.

En homme habile, le père Michel disait à F...n :
« Et vous, c'est-y un canon de la bouteille ?

— Oui, vieille drogue, un canon dans un demi-setier ; ne me faites plus de ces blagues-là, empoisonneur du pauvre monde. »

Le jeune homme qui accompagnait le sublime nouveau venu était forgeron aussi ; il s'était placé sous l'égide de son compatriote, grosse culotte, qui était gratifié du nom de Châsse à Parer, à cause de ses aptitudes spéciales pour parer une pièce.

La Châsse à Parer, interpellant F...n :

« C'est pas ça, ma vieille, je suis venu te trouver pour que tu m'enquilles ce cadet-là quéque part. Il arrive de province, c'est un de mes pays qu'est d'attaque, tu sais ; j'ai vu un arbre coudé qu'il a forgé pour une papeterie, c'est moulé. C'est jeune, ça a besoin d'apprendre ; c'est comme je lui dis : c'est rien, à la campagne, faut voir les malins de la capitale. Il ne veut pas croire que Bernard la Balafre ajuste un compas à la forge mieux qu'un ajusteur à la lime. »

F...n toisa le jeune forgeron, lui palpa les biceps, et après une nouvelle pose :

« Il a de l'abattis, n'y a plus que le courant qui lui manque ; on s'en charge, mon vieux, j'ai son affaire, c'est de la bijouterie à forger ; il n'attrapera pas une hernie à forger ces leviers-là ; et puis, tu sais, on donne la journée, là-dedans ; c'est chez G...e, un fabricant de presses.

— Bon, bon, je connais ça. »

Ajoutez à ça un air de docteur en nom, une voix de sénateur, vous aurez l'effet produit sur le jeune homme qui rougit de joie d'être protégé par des célébrités pareilles. La Châsse à Parer provoqua une tournée au nom du nouveau venu, trois autres sénateurs étaient à l'autre bout du comptoir.

Le Régulateur nous poussa le coude et nous dit : « Vous allez voir F...n tout à l'heure ; si on le monte, il va faire sa journée. »

En effet, F...n reprit :

« La Châsse à Parer blague, n'est-ce pas, c'est une chigneule de meule que vous avez forgée ? Ainsi, moi qui vous parle, je sais bien ce que c'est. Quand je suis venu à Paris, j'avais fait que des charrues et ferré des chevaux. A présent, demandez-y à vot' pays, si on sait vous manœuvrer une pièce ; on n'est pas à la hauteur en province. »

La Châsse à Parer s'adressant au jeune Baptiste :
« Oh ! oui, F...n est un rude, un chouette ; c'est lui qui a forgé les longerons du Nord, c'étaient de crânes morceaux. »

F...n, les regardant tous les deux d'un air triomphant, reprit :

« Ma vieille, les longerons du Nord, c'était de la gnognotte. Figure-toi qu'un jour je travaillais chez Gouin, c'était Labbé, tu sais bien le père Labbé, un d'attaque aussi... »

247

Le père Michel interrompant :

« Faut-il vous verser vot' tournée, môssieu F...n ? »

La Châsse à Parer répliquant :

« Redoublez ça, père Michel, c'est Baptiste qui régale. » La tournée disparut.

Après avoir essuyé ses moustaches, F...n reprit :

« C'était Labbé qu'était contre-coup, y me dit :

" Nous avons dix machines à faire pour Lyon.

— On le sait, que je lui dis.

— Il y a des longerons qui sont rudement difficiles, je ne sais comment nous allons nous en tirer.

— Cré n... de D..., c'est toi, Labbé, qui a le taf ? Eh bien ! les sénateurs ne sont donc plus capables de rien ? Fais-moi voir le plan, je suis sûr d'avance que je m'en charge ". »

Il y eut une pose. F...n se mettait en chantier, un cercle attentif l'entourait et le jeune Baptiste était en admiration. Nous étions si peu habitué à cette pose et à cette voix que nous ne pûmes retenir un éclat de rire.

F...n nous foudroya du regard. Le Régulateur intervint, nous sermonna et nous dit :

« Faut pas blaguer. Continue, vieux, c'est encore un jeune homme, ça n'est pas à la hauteur. »

Nous nous excusâmes et nous offrîmes de suite une tournée, et la séance reprit.

« Je regardai le plan, y avait rudement du coton, les équerres avaient plus de quatre cents sur trente-cinq d'épais, puis un congé qu'il fallait découper. Je dis à Labbé : " T'as pas besoin de te fêler la bobine pour ça, maintenant tu peux être tranquille, on s'en charge.

— Je le sais bien, j'ai pensé à toi ; mais le grand (l'ingénieur) m'a dit que t'étais pas soigneux, que t'étais un ivrogne, qu'y avait pas moyen de compter sur toi ; et puis, y a le contrôleur de la compagnie qui est un rapointi rudement sévère.

— Si ce n'est que ça, ne te *décarcasse pas le boisseau*, on le verra, ce malin-là ; s'il a besoin d'un coup de dégorgeoir, on est d'attaque, on le passera sur le marbre pour le dégauchir. Pour les mesures, tu sais qu'on connaît ça ; sois tranquille, on te f...a ça tapé et au trait du dessinateur. As-tu les fers ?

— Oui, qu'i' me dit.

— Eh bien, donne-moi la commande ; quand j'aurai fini mes manivelles, je les empoignerai ; seulement, je te préviens, y me faut le petit François et Cogne à Mort, deux daubeurs d'attaque ; ils sont au Rochouart, j'irai ce soir les chercher. ” Le lendemain matin, ils viennent me trouver ici, c'te rosse de père Michel nous a fait goûter du *chien* [4] qu'il venait de recevoir, nous nous sommes mouillés un peu et nous avons été à la messe de cinq minutes [5] ; nous avons complété notre cuite chez Guillou. Le lendemain, tout le monde sur le tas. Avant de commencer, j'ai *écopé mon abattage* [6] ; Labbé, quand il s'y met, il y va pour tout de bon. »

Le père Michel interrompant :

« Vous m'arrangez bien, F...n, j'étais à la cave, j'ai entendu ; vous ne changez pas ? C'est toujours un canon de la bouteille ? C'est la tournée de môssieu ? en désignant Baptiste.

— Non, ça sera la mienne, répliqua la Châsse à Parer.

— Non, môssieu Auguste, je ne veux pas. Vous avez promis à ma femme un acompte de cent sous samedi sur votre note, on ne vous a pas vu. »

F...n toisant la Châsse à Parer :

« T'as donc l'œil crevé ici, toi ? Vois-tu, c'est que la mère Michel a des boutons à son pantalon ; s'il te faisait crédit, elle lui tournerait le gros bout ce soir. »

Après quelques explications de M. Auguste, F...n s'adressant au père Michel :

« Voyons, père Michel, vous ne direz rien, il a trois journées

---

4. De l'eau-de-vie.
5. *Etre à la messe* : être en retard.
6. *Ecoper son abattage* : se faire complimenter avec des expressions choisies, sur son exactitude ou son habileté.

à toucher chez les Anglais, samedi, il vous paiera ; on lui fait une politesse, il veut la rendre. »

Enfin il reste convenu que si, le samedi suivant, il ne s'exécute pas, il paiera cinq litres ; un des sénateurs présents demande qu'on les boive tout de suite, le père Michel s'y refuse. L'action promettait, la pression montait, les clignements d'yeux, les modulations de la voix et les gestes fonctionnaient bien. F...n reprit :

« Labbé me dit : " Faut que t'en fasse d'abord un pour voir la figure que ça aura.

— Ne te tourmente pas, nous n'en ferons pas deux à la fois. " Il me dit : " Tu souderas ça en *gueule de loup* [7], ça sera plus solide. " Je lui fais comprendre qu'on verrait les soudures, tandis qu'à *chaudes portées* [8] ça serait aussi solide et plus chouette. Il avait peur, je lui dis : " Sois tranquille, on t'encollera ça numéro z'un. " Il avait peur que je ne puisse pas souder d'une chaude. Je lui dis : " Sois donc calme, j'ai de rudes daubeurs. T'es toujours comme ça, toi ; tu sais cependant bien que si les sénateurs aiment les petits coups de marteau et les grands verres de vin, quand il y a une pièce difficile, on est là, et, au besoin, on cogne avec le marteau de trente livres ; tu baisses, Labbé, t'es devenu rudement taffeur à présent. " »

F...n s'adressant à Baptiste :

« Voyez-vous, jeune homme, il craignait qu'au bout la soudure ne soit pas nette ; comme je lui ai dit : " Si c'est ça que tu crains, mais, mon vieux, j'y collerai un bon lardon ; et si dans le milieu il y a quelque chose, deux ou trois *m... scorpions* sont bientôt plantés, un bon coup de châsse à parer mitonné avec de l'eau, et ton contrôleur n'y verra que du feu. " »

Reprenant pour l'auditoire qui grandissait :

« C'était pas le tout ; nous refoulons les deux bouts, de quoi avoir de la chair ; quand toutes les amorces furent dégor-

7. Expression de forgerons.
8. Expression de forgerons.

gées, Labbé me dit : " Pour chauffer tes équerres et faire ton encolage, tu prendras la forge d'en face. " C'est le petit François et Cogne à Mort qu'avaient la commission ; moi, j'avais quatre bons lapins pour cogner : il y avait le gros Nantais, que t'as bien connu, il travaillait avec toi. » La Châsse à Parer fit un signe affirmatif. « Il y avait aussi le petit Moricaud, qui manœuvrait la masse de trente livres comme une plume. Le gros Nantais, qu'avait été à Indret, nous torchait un feu que c'était ça ; y me tape une voûte soignée ; j'avais fait piler un plein seau de grès. Le Moricaud, qui avait l'œil chez un *minzingue* de son pays, qu'était établi nouvellement rue des Moines, avait apporté deux litres : " Bon l'ami, ça servira. " Je lui dis : " Tu sais, Mal Blanchi, les deux litres, c'est pour mon compte ; tu diras à ton pays que c'est ton marchandeur qu'en répond. " »

F...n toussa, cracha, comme s'il avait une arête dans le gosier ; le Régulateur lui dit :

« Faut alimenter, ma vieille, *t'es bas d'eau ; ne vas pas f...e un coup de feu à ton serpentin* [9]. »

Le père Michel lui conseilla une gomme avec de l'eau.

« Pour qu'est-c' qui me prend, ce marchand de vitriol ? De l'eau, à moi ! à F...n, de l'eau avec de la gomme ! Je ne suis pas au *sirop de baromètre,* entendez-vous bien, *vieille bride,* de l'eau, c'est bon pour éteindre le feu. Rappelez-vous, espèce de Borgia, que je ne change pas ; toujours du piqueton de la bouteille. »

Le Régulateur fit signe au père Michel que c'était sa tournée, à l'œil, bien entendu ; le père Michel répondit négativement.

Le Régulateur nous dit :

« Dites donc, prêtez-moi donc vingt sous, cette vieille ficelle-là m'a coupé mon credo. »

Nous avançâmes les vingt sous demandés, la tournée disparut, et F...n reprit :

« On alluma, je leur z'y dit : " Allons, les amis, un coup de

---

9. Il y a une limite qu'il ne faut pas atteindre pour le niveau de l'eau dans les générateurs, sinon vous brûlez les tubes ou le serpentin.

collier, faut leur faire voir que si on ne travaille pas souvent, quand on y est, on est des bons." Au bout d'un quart d'heure, je vais voir le petit François, il était déjà blanc ; c'est un masseur capable, le petit François. Je lui dis : " Doucement, la coterie, ralentis-nous ça un peu ; il faut que nous retournions le nôtre, il ne chauffe que dans un endroit. " Au bout de cinq minutes, nous commencions à blanchir ; le petit François était déjà suant : " En douceur, François, du grès en masse, chaud partout, ne grillons rien. " Je prends ma pelle à feu je découvre le nôtre ; c'était comme un feu d'artifice sur toute la ligne, j'envoie une poignée de grès. Cogne à Mort gueula : " Quand les sénateurs y seront, nous sommes prêts. — On vous attend, malins. Allons-y, les amis, de l'ensemble ! " Si vous aviez vu ça, c'était magnifique tout l'atelier regardait ; les bouts étaient blancs à point, c'était comme un beurre. François, qui a de l'œil, me plante ça à la hauteur juste : " Allons-y, des coups droits, hue donc, les dévorants sur moi, et de la vitesse ; levons les bras de la graisse d'abattage. " Le gros Nantais refoulait en bout avec Cogne à Mort ; la masse de trente livres vous ramenait ça à chaque coup. Je m'aperçois que la soudure ne prenait pas en bas : " Oh ! donc, vivement, retournons ça, du nerf, refoulez donc, n... de D..., nous allons avoir un *plat à barbe* [10] dans le milieu. Allons, tisonnier, lève la main de derrière, hardi la bigorne, de la panne pour ramener la pince ! " Il y avait c't encloué de Désoudé qui cognait de travers, à chaque coup ça marquait ; je lui dis : " Si tu ne veux pas marcher mieux que ça, je te f... dans le *baquet de science* [11], n... de D... Refoule en bas, Nantais, nous sommes un peu maigres, d'aplomb et sec, par ici en douceur et du roulement ; bon donc : t'entends pas l'arrêt, ouf !... Voyons, François, passe *finette* [12] que je coupe cette bosse, et de la châsse à présent. " Enfin, on te pare ça dans ton chic à toi. Nous passons le calibre et les règles pour voir le dégauchi ; y avait pas un cheveu de différence. " Regarde, vois ça, toi, Nantais, qui connais le trait ; ça y est tapé au trait du dessinateur. " Après avoir collé le lon-

---

10. Une cavité.
11. Baquet d'eau.
12. Tranche pour couper le fer.

geron par terre, le Moricaud passa la *demoiselle* [13], c'est à ce moment-là que c'est bon ; aussi je lui ai f...u un soufflet à la régalade qu'on lui a vu le derrière. Labbé, qu'était là, me dit : " C'est bien ça, F...n ; t'es toujours bon, faudra continuer. " Mais voilà un petit dessinandier, celui qui a fait le plan, qui arrive ; passe la jauge, qui mesure tout avec son mètre, il avait une *paire de châssis* [14] pour voir de plus près. Après un quart d'heure, le voilà qui vient me dire : " Il y a une différence de trois millimètres ; vos coups de pointeau sont trop forts. — Et mon nœud de cravate, est-y trop fort, espèce de fausse couche ? " »

La séance était terminée, F...n était en nage ; il fallait voir, pendant l'action, le tablier, les bras, les gestes indiquaient les phases du travail. Son auditoire était silencieux. Baptiste surtout, qui, bien certainement, était plus capable que lui ; mais les sénateurs en imposent.

Nous repassions quelques années plus tard ; savez-vous qui tenait le crachoir ? Ce même Baptiste que nous avions vu arriver. Il avait le courant et nous constations que F...n était de la saint-Jean auprès de lui. Nous l'entendîmes faire un arbre de relevage et une tête de cheval pour pont à bascule.

Aujourd'hui Baptiste est un des beaux sénateurs de la capitale. Le sénat moralise les masses, qu'en dites-vous ? Cependant, le sénat, comparé aux assommoirs, est moins mauvais : les séances générales corrompent moins vite que les discussions séparées [15].

---

13. Bouteille.
14. Lunettes.
15. Un des sénateurs présent à cette fameuse séance et porté dans la liste de nos célébrités travaillait, à la parution de la première édition du *Sublime,* dans un atelier de chemin de fer. Le chef d'atelier le fit appeler et lui lut la séance au sénat, et lui fit voir son nom. Il ne savait comment témoigner sa satisfaction. En rentrant à sa forge, les pouces derrière les emmanchures de son gilet, d'un air crâneur, il dit à ses aides : « Eh bien ! coteries, nous sommes des chouettes à c't' heure. Nous sommes dans les livres. »

14. Une visite à la mine à poivre

Les assommoirs sont des mines à poivre, ou boîtes à poivre ; un des grands assommoirs, chaussée Ménilmontant, est cependant qualifié du titre de mine à poivre.

Une visite dans cet établissement et la reproduction de quelques conversations nous montreront les occupations les plus communes des habitués, et permettront d'apprécier les fâcheuses conséquences que le travailleur y puise.

Les jours les plus propices sont le lundi et le mardi. Vous entrez, en face du long comptoir, les sublimes sont arrimés sur un banc, ou attablés dans la salle, ou le plus souvent debout sur le pas de la porte ou dans le milieu de la salle, les bras croisés sur la poitrine, le corps un peu incliné.

Nous laisserons de côté les tournées et l'empoisonneur, nous ne nous occuperons que des conversations.

Mes Bottes s'adressant à un groupe :

« Il paraît que Louis-Philippe (le principal abonné de la mine à poivre) est en train d'*aléser son cylindre*[1]. On m'a dit qu'il n'avait pas seulement de quoi acheter de la tisane.

— Ce qu'il y a de plus fort, reprit l'Asticot, c'est que les camarades lui portent de la jaune pour l'achever ; ils veulent manger du pain et du fromage, ça se voit bien. On ferait mieux de faire une souscription ; on me disait que le gros Joseph, vous savez bien, celui qu'a un nez qui pleut dedans, en avait fait une et qu'il en avait béquillé les trois quarts ; faut-il être rosse, tout de même. »

---

1. Très malade.

Le petit Zéphir entrant ; tous ensemble :

« Tu ne travailles donc pas ? Je croyais que t'étais embauché chez Chose, lui dit un célèbre.

— J'ai commencé ce matin, j'ai vu que c'était une boîte, j'ai *pissé à l'anglaise* [2] et me voilà. »

Mal d'Aplomb interrompant :

« Je la connais, moi, c'te boîte-là. Croirais-tu, mon vieux, que le contre-coup a eu le toupet de m'affûter à trois livres dix, oui, moi, qui gagnais plus de dix francs rue Popincourt. Ah ! t'as rudement bien fait de ne pas y rester. »

Dans un groupe, la Précision se passant la main dans les cheveux :

« Aïe, aïe, j'ai les *douilles* [3] comme un balai à macadam. C'est-y bête de se piquer le nez comme ça, figurez-vous qu'hier je pars pour travailler, je rencontre Pet en l'Air, qui travaille au Combat, y m'offre une blanche ; à huit heures nous étions en pression, nos soupapes crachaient, j'ai fini ma journée sur un banc et ce matin j'suis pas d'attaque du tout. »

Un groupe regardant dans la rue et voyant un individu bien mis se dirigeant vers l'assommoir :

« Mais c'est Rocambole, n... de D..., quel chic à c't'heure ! Sa masse est complète, regardez donc le paletot à la propriétaire, des *philosophes* [4] vernis, pus que ça de lusque. En voilà un qu'a été à Saint-Cloud et qu'a rapporté un rude mirliton, quel grelot, comme ça sonne !

— Je crois bien, dans le temps c'était la *tapette* [5] du sénat.

— Y ne *turbine* [6] pus, pas si bête, à présent, il est dans les théâtres, il va en remonte. »

Rocambole entrant, les poignées de mains marchent, un bruit se fait autour de lui. La Dent Cruelle lui secouant le bras et lui écrasant les doigts :

---

2. Se sauver.
3. Les cheveux.
4. Souliers.
5. Blagueur.
6. *Turbiner* : travailler.

« J'ai jamais été inquiet de toi, je savais bien que tu arriverais à quéque chose. Ah çà, t'as donc un compte chez Rothschild, t'as l'air rudement à tes affaires ; au moins, t'es un zig, t'es pas fier avec les camaros. Tu te rappelles quand nous étions chez les Pihet et puis chez Cavé, nous faisions les bielles pour les machines de six cents chevaux. On rigolait dans ce temps-là, hein !

— Voyons, les vieux de la vieille, c'est moi qui régale, reprit Rocambole. Voyez-vous, mon théâtre va monter une grande pièce qu'on appellera *Les Insectes* ; n'en dites rien, au troisième acte, y aura un grand ballet, le triomphe du faucheur, c'est madame D... qui a ce rôle-là, y nous faut pour dans quinze jours deux cents femmes pour le cortège ; mais, ce qu'il y a de plus épatant, c'est qu'il faut qu'elles ne pèsent pas plus de soixante et dix livres tout habillées. »

Le Baril d'Anchois interrompant :

« Tu sais, vieux, la Machine à Délarder est là. »

Clou de Girofle le prenant par le bras :

« Tiens, en voilà déjà deux, la Desséchée et Barbotte qui *pioncent* [7] sur la table. » (Nous avions oublié de vous dire que l'assommoir était fréquenté par quelques femelles humaines.)

« Trop vieux et pas assez de chic ; je repasserai. Si vous connaissez des sujets, vous me les adresserez, je vous donnerai des billets. »

Cet ancien sublime que nous nommons Rocambole existe, il vit des théâtres effectivement ; mais l'appoint principal est la protection d'une jolie figurante qui le *gobe*.

C'est l'aboyeur des quatrièmes galeries, qui criera, à une première, si le parterre fait du tapage : « *Y a donc des Rouennais ici* [8] ! » Il fréquente les anciens ; du reste, il aime à venir se

---

7. Dorment.
8. Les Rouennais sont très amateurs de théâtre, et sont très exigeants pour les artistes, surtout pour les célébrités qui ne sortent pas de Rouen ; ils ont la gloire d'avoir sifflé ou chuté Duprez et Rachel. Nous entendions un ténor raconter à un de ses amis ses débuts à Rouen. Le camarade lui demanda s'il avait été sifflé ; sur sa réponse négative, il conclut qu'il n'était pas bon. Très nationaux, ces Anglais de la France.

retremper avec eux ; il joue à la position, il raconte un tas de mensonges ; ceux qui le connaissent renchérissent sur ses blagues.

Deux sublimes se saluent : « Qué que tu fais, toi ?

— Moi, je suis embauché pour jeudi chez Chose.

— C'est pour rire, que tu vas là-dedans, mais va donc plutôt à la Trappe, le *singe,* la *guenon,* le *contre-coup* tout *ça c'est de la canaille,* j'te vois pas blanc.

— Tu sais, j'te remercie de ce que tu me dis, je vas essayer, si on m'embête, je les *refoulerai tous à Bondy* [9], et ça sera pas long. Tu sais, je suis pas gêné, je sors de chez Richer, j'étais pour la réparation des *bonbonnières* [10] *et des anderliques,* voilà trois fois qu'ils me font demander. Si ça ne va pas, tu sais, j'aurai bientôt fait de leur jauger leur fosse. »

Ainsi, voilà un compagnon qui vient, sur des renseignements pareils, pour travailler dans une maison avec des dispositions très hostiles ; aussi, au bout d'une heure, il se querelle et quitte. C'est plus qu'ennuyeux, c'est dégoûtant.

Le Raccord interpellant la Vis à Chapeau :

« Dis donc, vieux, qu'est devenu ce grand rouge qu'était monté sur les machines, tu sais bien, celui qui avait dépassé deux stations quand il faisait les voyageurs ; son chauffeur et lui étaient *paf* ; ça devait être drôle pour les voyageurs qui attendaient.

— Je crois qu'il est mort.

— C'est dommage, c'était un bon garçon. »

Un jeune homme proprement vêtu, entrant, s'adresse à un abonné : « Pardon, monsieur, vous ne connaissez pas un ajusteur et un tourneur sans ouvrage, mon patron m'envoie pour en embaucher.

— Qu'est-ce qui fait, vot' singe ?

---

9. On refoule à Bondy le précieux engrais parisien, au moyen d'une puissante machine et d'une conduite en fonte. Refouler à Bondy est une expression très employée par les sublimes.
10. Tinette, gros tonneau armé de fers.

— Des machines.

— Ousque c'est ?

— Tel endroit.

— Quelle journée qu'on donne là-dedans ?

— Cent sous.

— C'est-y pour longtemps ?

— Oui, si on est capable et surtout si on ne s'absente pas. »

Un malin s'approchant : « J'y ai travaillé, là-dedans ; si c'est pour un coup de main, tu peux y aller ; mais, si c'est pour un bout de temps, tu ne feras pas long feu. »

Ainsi, voilà un compagnon embauché et bien disposé.

Deux autres : « Tu connais rien ?

— Non ; il y a bien chez Machin de l'ouvrage, il demande des tourneurs, mais c'est pas ton affaire, pas de prêt, pas d'œil. Si tu manques seulement le lundi et le mardi, tu seras balancé, et puis une cloche. Vois-tu, les patrons, c'est tous des mufes, y veulent faire crever le pauvre ouvrier. »

Voilà un échantillon des conversations qu'on entend dans la mine à poivre.

En général, on y fabrique la gloire des amis et l'on fait la réputation des ateliers, des contremaîtres et des patrons. Belle et bonne occupation, qu'en dites-vous ?

Dans nos visites aux assommoirs, nous avons noté une cinquantaine de conversations différentes ; nous avons choisi les plus courtes et les plus concluantes. Voici les titres d'une partie des sujets traités dans cette académie :

La locomobile montée en douze temps et quinze mouvements — la boîte, le *pointeau*[11] et le contremaître mis à l'index — l'essieu à bras tendu — la *giroflée à cinq feuilles en plein sur le bec du singe*[12] — le coup de sirop malgré lui — la feuillette chez Benoît — un abattis démoli — trois

---

11. Employé qui pointe le temps.
12. Une gifle sur la figure du patron.

mois à l'hospice — cinq ramassés au poste, le singe les renie
— Bibi *fait sa panthère* [13] — y a du deuil — deux à Poissy —
un minzingue en lunette [14] — les *mèques* [15] ne brillent pas
— les *preus* [16] de la capitale — le Régulateur *vidange* [17] —
l'avance à l'échappement — quatorze mille kilos de boulets
et deux canons en une nuit [18] — faire un train de voyageurs —
un tube de crevé au poteau 117, il appelle le pilote — les
prud'hommes sont des zigs — les prud'hommes sont des
mufes — la manière de s'en servir — Pousse en Graisse fait
la banlieue — dix-sept heures sur le *coucou* [19] des mécaniciens
à cent vingt-cinq francs par mois — le patron arrangé aux
prud'hommes par Papillon — Blanc de Zinc fait les marchandises, il pique les feuillettes dans les garages — vingt jours à
la comédie — quatre-vingt-dix francs les cent kilos les Auver-
gnats [20] — c'est pas Six et Trois Font Neuf [21] qui a conduit
la lune avec une perche — le Caméléon à Lunettes est du
conseil — les succès de la Pompe Funèbre [22], etc.

13. *Faire sa panthère* : avoir l'esprit occupé à autre chose qu'à son
travail, et se promener avec son marteau sur l'épaule.
14. *Passer en lunette* : nuire, tromper.
15. Les souteneurs de filles.
16. Les premiers.
17. Célébrités ayant mal au cœur.
18. Souvenir de 48.
19. La machine.
20. Deux chaudronniers originaires de l'Auvergne, endormis dans une
chaudière, furent pesés avec ; elle était vendue à 90 francs les 100 kilos.
21. Un boiteux ; les sublimes disent que ceux qui sont affectés de
cette infirmité additionnent.
22. *La Pompe Funèbre* : célébrité du ruisseau dont le métier inavoua-
ble était poussé jusqu'à ses derniers raffinements.

15. La femme du travailleur

La famille est à la question sociale ce que la commune est à la question politique.

Constituer la famille c'est préparer la solution. La femme est l'âme, la base de la famille. Quelle doit être sa mission dans la société ?

Une seule, grande, sainte : être épouse et mère.

La nature l'a créée pour cette mission de douceur, d'affection, de dévouement ; elle seule sait vraiment consoler et vous donner le courage qui redresse dans les moments d'abaissement.

Tout homme qui ne constitue pas une famille est un mauvais citoyen, il manque aux premiers devoirs qu'il doit à la société ; le célibataire est un parasite égoïste, un trouble social.

La famille développe les bons sentiments, les grandit ; le célibat les éteint, les corrompt.

Nous savons bien que les lois actuelles forcent un million d'hommes à vivre célibataires, soit un dixième sur une population de dix millions d'hommes. En présence de lois aussi iniques, on n'est pas surpris des dégradations humaines.

L'étude de la femme du travailleur est un sujet grave et délicat, nous devons l'entreprendre pour compléter le travail qui nous occupe.

Nous comparons la femme au papillon : le duvet multicolore des ailes, vierges de tout contact, forme une harmonie de couleurs charmantes, un ensemble et une perfection naturels, magnifiques. Le contact de la main l'enlève, et il ne reste plus qu'un tissu, une charpente ; l'insecte se traîne et va mourir dans une ornière.

La vertu de la femme, c'est le duvet ; si elle travaille en

atelier, il se salit d'abord et disparaît ensuite. Ne l'exposez pas aux contacts.

La femme n'est pas faite pour travailler en atelier, sa place est dans le ménage. Tout mari doit être assez courageux pour suffire aux besoins de la famille. Voilà pour l'avenir. Examinons le présent.

La femme de l'ouvrier est généralement une bonne ménagère, secondant dignement son mari, économe et travailleuse. Si le ménage lui laisse quelques loisirs, elle cherchera audehors soit un ménage à faire, soit tout autre travail rémunérateur. Elle joint ses efforts à ceux de son mari ; son labeur est peut-être moins dur, mais aussi fatigant, surtout quand il y a des enfants, et, dans la classe laborieuse, la famille ne manque pas. Elle est généralement du même pays que son mari ; elle a conservé l'éducation qu'elle a reçue à la campagne ; elle a le respect d'elle-même ; aussi elle descend rarement. Le contact d'un mari honnête, l'estime qu'ils ont l'un pour l'autre contribuent beaucoup à conserver intacts les principes d'honnêteté qu'elle a reçus dans son jeune âge ; c'est un des points auxquels la femme tient le plus ; cette dignité les soutient dans les jours de peine.

La femme du sublime est loin d'être comme la précédente. Si nous touchons à la partie la plus intéressante, elle est aussi la plus triste. Notons qu'il y a des exceptions qui n'infirment pas la règle. Pour les personnes qui ne connaissent les travailleurs que superficiellement, la manière de vivre des vrais sublimes, par exemple, a toujours été un problème inexplicable. Comment, en effet, des individus travaillant environ cent soixante jours par année, à quatre francs en moyenne, soit douze francs cinquante environ par semaine, qui dépensent au cabaret ou ailleurs pour au moins cette somme, qui ont souvent femme, enfants et vieux parents, peuvent-ils trouver les moyens d'existence, quand on pense combien un ouvrier, gagnant douze à quinze cents francs, a de peine à Paris pour faire honneur à ses affaires, à sa dignité d'homme et de père de famille, à subvenir aux mille accidents imprévus qui arrivent dans le courant de la vie : naissances, maladies, décès, etc. ? On est confondu en voyant le sublime insouciant faire ainsi litière des sentiments les plus respectables. Votre première pensée est : comment vivent-ils ? D'abord, quelle vie mènent-ils ? Vie de privations, de misères, de hontes, de ravalements ; s'il leur reste un atome de dignité humaine, d'estime de soi, il est des plus élastiques. Quel bagne dans ce cadavre vivant ! Quelle terrible perspective ! Quand ils remuent la casserole où se réduisent leurs sentiments, cette vue ne leur arrache pas une larme, mais une crispation. L'appoint pour leur existence, ils le demandent à leur femme, à leur famille, au travail des leurs ou à leur prostitution. Oui, une partie des femmes et des filles des sublimes vendent et prostituent leurs charmes, ou jouent le rôle infect de procureuses, entremetteuses, et un rôle encore plus ignoble. Car, dans cet odieux trafic qu'on nomme la prostitution, il y a des vendeurs et des acheteurs pour toutes les marchandises, et à tous les prix.

Je ne sais quel loustic sublime proposait ce problème : quel est le plus grand commerce de Paris ? Les uns disaient : les chemins de fer, d'autres nommaient le gaz, les eaux, les vins, etc. Vous n'y êtes pas, répliquait-il, c'est le commerce de la femme.

Siècle de troupiers, de moines et de prêtres, sois flatté, c'est la vérité.

L'ignoble commerce rapporte, et le sublime fumera très bien un cigare que sa femme assez gentille lui rapportera ; il recevra sans sourciller son prêt, même un vieux vêtement. Si ce n'est sa femme, qui est trop vieille et trop laide, c'est sa fille qui aura été vendue et que sa mère instruira dans l'art de rançonner l'amateur qui vient en aide à la famille. Il est rare qu'une gourgandine n'aide pas ses parents ; il faut qu'elle protège quelqu'un : ses parents ou un parasite ; elle croit qu'elle se réhabilite du mépris que la société lui prodigue. Ce qui soulève le cœur, c'est que le sublime le sait. Il a voulu faire, dans le commencement, des observations, il s'est même fâché ; mais voici le terme : il est tout nu, ni pain ni bois, et sa femme le lâcherait ou sa fille s'en irait ; le contrat est passé, on est d'accord. Ses camarades lui font sentir qu'ils savent la façon dont il se procure des ressources. « Sa femme gagne plus que lui, ou sa fille a une bonne place, elle connaît un môssieu huppé qui lui fait avoir de la besogne tant qu'elle veut. » Les sublimes qui sont *à la couleur* ne s'y laissent pas prendre ; ils connaissent ça, eux ; aussi la blague va son train. « Elle est rudement *gironde* [1], ta femme, elle a toujours du linge blanc et de belles bagues, on voit bien que tu fais tes affaires ; t'as donc trouvé la mine d'or ? Une femme comme ça et une maison de campagne, et je ne turbinerais plus. » Il reçoit ce coup de boutoir sans sourciller ; seulement, deux ou trois jours après, s'il attrape une demi-pression, quand elle rentre, ça lui revient, il a un remords : « C'est une peau ; elle fait le trottoir. » Elle ne se laisse pas intimider, elle riposte : « Va donc, *faignant,* tu es bien aise de porter les souliers de mes amants ; tu ne dis rien quand je paie le terme. » On se bat, et quelquefois elle le jette dehors ; le lendemain, il est plat comme d'habitude, il implore pour rentrer.

L'écoulement d'une partie des cascadeuses parisiennes se fait par l'hôpital ; mais la plus grande partie se fait par les sublimes. Comme elles ont l'expérience dans le métier, si les charmes ne peuvent plus se vendre assez cher, elles emploient leurs talents de société, ça rapporte toujours.

Il y a aussi le collage, qui se pratique avec assez de facilité entre travailleurs et travailleuses ; les enfants arrivent, la société de Saint-François-Régis, après bien des efforts, en les aidant, parvient à régulariser la position des innocents.

Les sublimes, un grand nombre du moins, ont déteint sur leurs femmes : il y en a parmi elles qui boivent bien, c'est une habitude que leur homme leur a fait prendre ; si elles attrapent un poche-œil : « Oh ! c'est rien, ils se sont taraudés pendant la nuit. » Si vous leur faites observer qu'elles s'éreintent pour un paresseux et un lâche qui les bat et qu'elles ont tort, elles vous répondent : « Il n'est pas mauvais garçon ; s'il ne travaille pas, c'est que les travaux ne vont pas » ; ou mieux : « Il a attrapé un tour de reins. Et puis, voyez-vous, elle a un béguin pour lui. » Voilà le fin mot. Tous les goûts sont dans la nature.

Parmi les femmes de sublimes, il y en a de bien actives, de très courageuses, qui travaillent rudement, se tuent pour faire vivre le ménage et la famille où le lâche fainéant est

---

1. Belle.

une charge. Les unes sont blanchisseuses, porteuses de pain, marchandes des quatre saisons ; d'autres travaillent dans les ateliers ou chez elles, pendant que leur homme travaille, lui, sur le comptoir, heureuses quand il ne revient pas pochard et ne les bat pas.

D'autres sont affreusement malheureuses, dans l'acception la plus effrayante du mot ; elles sont les victimes, les martyres, les souffre-douleur d'êtres indignes de pitié. Le bureau de bienfaisance, ce cataplasme presque insignifiant pour cette grande plaie qu'on nomme la misère, leur donne quelques soulagements ; la charité privée vient aussi à leur aide. Mais, si elles n'avaient pas soin de bien cacher les bons de secours et que leur mari les trouve, il les vendrait à vil prix pour boire [2].

Il reste à ces malheureuses ce fond d'éducation qu'on reçoit dans les villages. Elles ne sont pas descendues, c'est le mari qui les a descendues. Pour lui, c'est un crime que sa femme soit laide ; la misère, le chagrin, la faim l'ont atrophiée ; elle n'est plus bonne à rien ; sans cela le sublime lui donnerait des leçons de prostitution, ou autre : ça ferait bouillir la marmite. « A présent, à quoi lui sert-elle ? Que ne demande-t-elle l'aumône ? Elle fait encore sa bégueule, elle a des scrupules, elle n'ose le faire. Mais qu'elle se regarde donc dans la glace. »

Quelques femmes de sublimes savent prendre de l'ascendant sur leur mari. Celles-là arrivent à la paie pour toucher de suite l'argent ; sans cela, il l'aurait perdu. Comme le fameux Pied de Céleri [3], qui envoya sa femme avec une lanterne de la Bastille au Père-Lachaise, à minuit, au mois de décembre, rechercher son argent, qu'il avait soi-disant perdu, sa poche étant trouée ; la naïve créature l'avait cru. On avait béquillé la quinzaine à la Hotte à la Malice. « Voilà ce que c'est, vieille bête, de ne pas raccommoder les poches à ton homme. »

---

2. Il y a de graves abus dans les bureaux de bienfaisance : d'abord la distribution ne se fait pas toujours suivant les besoins réels. Nous avons eu un ouvrier qui gagnait sept francs par jour, et qui néanmoins était inscrit au bureau de bienfaisance ; sa femme portait des robes de soie ; nous ajouterons qu'il était de la société de Saint-Vincent-de-Paul. Il faudrait ensuite que les secours arrivent en nature à leur destination et qu'on ne puisse en trafiquer.
3. Célébrité qui porte le nom d'un de nos meilleurs comiques ; il appelait sa femme Tête de cuivre, à cause de son teint olivâtre.

S'il ne peut échapper à sa femme qui l'attend, après avoir touché son argent, il rentre à l'atelier soi-disant pour prendre quelque chose qu'il a oublié, et vous le voyez découdre ses souliers pour y introduire quelques pièces.

Dans quelques maisons bien organisées, la paie de l'ouvrier est accompagnée d'un petit bulletin portant le nom, la date et la somme qu'il touche. La femme qui connaît ce moyen lui demande son bulletin ; il est souvent perdu ou falsifié. Elle le traite alors comme un gamin ; sans cela, rien pour la quinzaine. Aussi, quand elle tient la paie, elle accompagne son homme chez les marchands de vin avec ses enfants, on y dîne et passe la soirée. Elle entend éreinter le singe, le contremaître et les mufes, ou faire l'apologie d'un ami présent. Le samedi soir, remarquez-le, les marchands de vin des environs des ateliers sont pleins de ces ménages-là. La femme de l'ouvrier vrai n'y va jamais.

Nous avons toujours été surpris de la facilité avec laquelle les travailleurs se lient entre eux. Si vous embauchez un ouvrier le mardi, le samedi, il tutoie tous les camarades de son équipe ; remarquez qu'ils ne se connaissaient pas avant. Cette familiarité si prompte les pousse rapidement à des relations intimes. Le travailleur marié introduit chez lui le célibataire dont le premier soin est de faire la cour à la femme ou à la fille, vous devinez le reste. Beaucoup de femmes et de filles d'ouvriers ont été débauchées par les fils de Dieu qui étaient les chefs de leurs maris.

Nous avons connu deux sublimes mariés qui se fréquentaient les jours de noces. Ils partaient tous les quatre à la campagne [4]. Après le balthazar arrosé d'importance, la balade dans les champs ou les bois était de rigueur, changer de femme et la suite, ça ne fait pas un pli. Puis où est le mal ? La partie est égale, nous avons autant d'atouts l'un que l'autre. Voilà la morale écœurante des sublimes.

Que de réflexions amères et pénibles ! Comment voulez-vous qu'une femme reste honnête quand elle est rivée à un pareil individu.

---

4. Les quatorze ensemble comme quinze frères. Expression fraternelle.

Nous avons assisté à des scènes poignantes ; nous tenons aux exemples qui vous montreront jusqu'à quel degré d'ignominie peut tomber un individu.

Un vrai sublime forgeron avait touché cinquante-cinq francs pour sa paie de quinzaine ; il aurait très bien pu, s'il avait fait ses douze jours, toucher de soixante et dix à quatrevingts francs. Sa femme était enceinte de sept mois ; il avait deux garçons, l'un de sept ans, l'autre de quatre, et une petite fille de quinze mois. Ils habitaient une mansarde sans air, rue de Meaux ; deux petites pièces formaient ce logement, si l'on veut donner ce nom à ce taudis. Pendant la quinzaine, le patron lui avait fait avoir à crédit en répondant pour lui, il se gorgeait bien ; quant à sa femme et ses enfants, il ne s'en occupait pas. La malheureuse allait dans un marché, accompagnée de ses enfants, ramasser dans un sac des feuilles de choux ou quelques autres légumes avariés. L'aîné des enfants recueillait l'avoine que les chevaux laissaient tomber aux stations des voitures de place. Elle obtenait de la compassion d'un boucher et d'un marchand de vin quelques morceaux de vieilles viandes et vivait ainsi. A la sortie de la paie, après force litres, notre sublime rentra à onze heures du soir moitié ivre et accompagné d'une prostituée du plus bas étage. Après une lutte et force coups de poing, il força sa femme et ses enfants à coucher dans la première pièce et lui s'installa dans la deuxième avec son ordure. Le lendemain ils partirent ensemble ; mais, pour faire *maronner* sa femme, il remit devant elle vingt francs à la prostituée. Le fait nous a été raconté par la femme ellemême, qui, les yeux tout noirs et accompagnée de ses enfants, vint nous exposer sa pénible situation.

Les commentaires sont superflus. Voilà du sublimisme à son maximum de développement.

Ouvrier est synonyme de travail, dignité, respect.

Sublime est synonyme de paresse, dégradation, avilissement. Ce gangrené est déjà pour la société une lèpre assez dégoûtante, mais quand il a des enfants il corrompt tout ; le sublimisme, ce *vomito negro* du travailleur, est contagieux. L'exemple est tout pour les jeunes natures. Puis vous voudriez que des enfants de sublimes soient sobres, respectueux, travailleurs, allons donc ! Nous avons entendu un petit garçon de treize ans appeler sa mère « vache, bonne à rien », lui dire que son père avait bien raison de lui « administrer de bonnes danses en attendant qu'il soit assez fort pour en faire autant ».

Quand le sublime rentre ivre, les scènes les plus honteuses se passent ; sans pudeur pour ses filles, il assouvit devant elles sa passion brutale. Par contre, les scrupules ne l'étouffent pas, il laisse son fils ramener sa maîtresse coucher chez lui ; le dimanche ou le lundi matin, on déjeune ensemble. Nous en connaissons un qui reçoit chez lui l'amant de sa fille, la mère leur porte le café au lit.

Le sublime est satisfait quand il a pu se débarrasser de son fils ; il est content à présent, il est dans une maison de correction, il n'a plus à s'en occuper, il n'y a pas de danger qu'il le réclame.

Qui sait, de deux maux, il a peut-être le moins mauvais.

16. Les ficelles des sublimes

Nous désirons apporter toute la modération que comporte un pareil sujet, et laisser de côté toutes les exagérations qui peuvent nuire à la vérité. Nous ne dissimulerons pas tout ce qu'elle a souvent de pénible, nous la dirons avec sincérité.

Il y a une vérité incontestable, c'est que le travailleur fait son mal lui-même, et qu'un certain nombre de patrons y contribuent, l'aident, l'aggravent considérablement ; sans parler des patrons sublimes que nous avons analysés.

Il y a seulement vingt-cinq ans, il existait entre le patron et l'ouvrier une certaine estime, les grandes administrations à part. Le patron considérait son compagnon comme un des siens ; si ce n'était pas un ami, c'était au moins un camarade, pour peu qu'il travaillât depuis quelques années chez lui. Si une catastrophe le frappait, le patron était toujours là, il ne l'abandonnait pas ; aussi voyait-on des ouvriers qui travaillaient de vingt à trente années dans la même maison. Il n'en reste malheureusement guère.

Une infinité de bonnes choses résultaient de ce long contact, on les devine facilement.

48 arrive, des droits avaient été méconnus. Il y eut lutte entre les patrons et les ouvriers. Mais petit à petit les arrangements amicaux remplacèrent le droit, comme l'écrit fit place à la traditionnelle poignée de main pour les marchés. Les prud'hommes prirent de l'importance, et l'ouvrier apprit à connaître ses droits, très bien ; mais l'estime mutuelle disparut. Les patrons cherchèrent aussi les leurs, et les relations, les échanges, les ententes ne s'opèrent plus aujourd'hui que d'après les droits respectifs. La conséquence naturelle, c'est

que le patron est un ennemi, du moins pour les sublimes, et doit être traité comme tel.

A Paris, cette opinion est générale.

Diriger des travailleurs est une mission excessivement grave à tous les points de vue, moral et matériel. Au point de vue moral, parce que vos fautes réagissent sur l'ensemble, poussent à la démoralisation, nuisent aux travailleurs, et que tôt ou tard vous en supporterez les fâcheuses conséquences. Au point de vue matériel, elles ne sont pas moins sérieuses : désordre dans le travail, annulation des bénéfices, perte, si quelquefois ce n'est pas la ruine.

Aujourd'hui, diriger des travailleurs n'est pas seulement pénible, c'est décourageant.

Nous avons entendu un fils de Dieu amendé, devenu contremaître intéressé et, en somme, homme de cœur, nous dire que, dans le temps il fallait trente ans de direction de travailleurs pour gagner le purgatoire, et qu'aujourd'hui avec dix ans on peut entrer tout droit en paradis.

Pour être industriel, il faut être commerçant. Il ne suffit pas de produire, il faut assurer l'écoulement de ses produits, et en tirer le plus d'avantages possible. Il faut encore être bon administrateur de son usine, s'occuper de ses travailleurs, de ses employés. Et ne croyez pas que cette mission soit la plus facile et la moins honorable. Pour l'accomplir consciencieusement, il y a beaucoup à faire. Par-dessus tout, être juste, coûte que coûte, pas de biais, pas de négligences. Il faut être conciliant, bienveillant, et surtout que votre conduite commande le respect.

Plus d'anciens épiciers, plus de quincailliers ou d'anciens marchands de peaux de lapins qui font de l'industrie comme on fait du commerce, sans se préoccuper que leurs négligences ou leurs caprices portent la perturbation dans le travail et chez les travailleurs. Il faut que les hommes peu éclairés ou négligents qui se mettent dans l'industrie se pénètrent sérieusement de l'importance de leur mission et prennent les mesures nécessaires pour une bonne organisation du travail ; leur négligence aurait pour résultat nécessaire, inévitable de porter au découragement les esprits les mieux disposés.

Prenez un fils de Dieu, raisonnez avec lui, entendez-le parler de son patron. Ecoutez-le vous expliquer qu'il est allé livrer des pièces (il travaille chez lui) : « Il était convenu d'un prix ; le patron ne voulait pas les prendre, il disait qu'il y avait des défauts ; il savait que j'avais besoin d'argent, il m'a dit : " Si vous vouliez me rabattre cinquante centimes, je les prendrais. " J'ai consenti ; que voulez-vous, chicaner, plaider ? C'est du temps de perdu. Pour les vendre, il ne trouve pas qu'elles ont des défauts, la canaille ! »

Nous citons ce fait d'un ouvrier travaillant chez lui, mais les mêmes choses se produisent dans les ateliers.

En revanche, les moindres fautes de la part du patron sont mises à profit.

Citons quelques-unes des ficelles employées.

Ficelle à l'affûtage. Quand vous embauchez un travailleur, demandez-lui ce qu'il a l'habitude de gagner. Comme il désire entrer dans votre maison, il vous dira, consciencieusement, sa journée moyenne. Si, au contraire, vous l'embauchez sans avoir pris cette mesure et que vous ayez négligé de fixer sa journée dans les deux premiers jours qui suivent son entrée, la veille de la paie, il viendra vous demander à combien de l'heure vous allez le payer. Si vous lui dites, après avoir examiné le travail qu'il a fait et le prix que vous jugez devoir le payer : « Je vous donnerai cinquante centimes l'heure », par exemple, il n'accepte pas votre prix, il a l'habitude de gagner soixante-cinq centimes ; du reste, pour vous convaincre, il vous montre un certificat d'un ancien patron sublime qui l'a occupé dans ces conditions.

Quoique le cas puisse être discutable, et être soumis à la décision des prud'hommes, payez, c'est votre faute. Si ce travailleur vous avait dit avant d'entrer chez vous : « Ma journée est de soixante-cinq centimes l'heure », vous auriez vu, les deux ou trois premiers jours, s'il les valait, sinon vous lui auriez fait connaître vos propositions ; s'il ne les avait pas acceptées, vous l'auriez soldé du temps fait au prix de ses prétentions ; mais vous attendez quinze ou vingt jours, tant pis pour vous.

Demandez toujours à un travailleur, avant de l'embaucher,

quel est le prix de sa journée ; si vous négligez cette mesure, il dira que vous êtes *pincé* et qu'il vous a *nettoyé*.

Nous savons bien que les sublimes vous diront : « Vous me verrez à l'œuvre ; c'est au pied du mur que l'on voit le maçon. » Tout cela, c'est du boniment ; il sait bien ce que vaut le travail qu'il vous offre.

Ficelle aux prud'hommes. Si vous avez un différend avec un de vos travailleurs, il vous dira : « Eh bien ! patron, je vais vous attaquer aux prud'hommes.

— Soit, je me rendrai à votre invitation. »

Deux ou trois jours se passent, vous ne recevez rien, vous pensez que le compagnon a réfléchi, qu'il a vu sa cause mauvaise.

Au bout de trois semaines, vous recevez signification d'un jugement par défaut qui, outre les frais, vous condamne à payer ce qu'il lui a plu de vous réclamer, plus les journées qu'il a été obligé de perdre.

Voici comment procède notre sublime : au lieu de vous remettre la première lettre de convocation pour la conciliation, il l'a mise dans sa poche ; comme vous ne vous êtes pas présenté, le conseil l'engage à prendre une deuxième lettre pour le grand bureau ; même opération que la première fois. Naturellement, le grand conseil condamne par défaut, et vous apprenez par l'huissier votre condamnation.

Vous avez un dernier recours, l'appel ; mais, en dehors de ce moyen extrême, nous pensons qu'on peut aisément déjouer cette *ficelle aux prud'hommes* en faisant observer que toutes les convocations pour le grand conseil devraient être mises à la poste.

Il faut voir notre sublime après ce tour, arrivant à l'assommoir avec deux ou trois célèbres qui l'accompagnent, dire aux camarades : « En voilà encore un de passé à la lime douce. »
Les bravos et les félicitations accueillent sa révélation.

La *ficelle au sentiment* est moins ennuyeuse.
Un sublime a deux ou trois *roues de derrière à casser,* mais il ne peut cependant pas les *laver* seul ; s'il savait seulement

l'adresse de la Petite Vitesse ! Il sait bien que le Grand Doucement travaille aux buttes ; oui, « mais le singe et le contre-coup
sont là, et là-dedans ils ont la camisole de force, il n'y a pas
plan de le voir, ni même de lui faire savoir. »

Il avise une *gadou* qu'il a eue dans le temps et qui travaille
dans les allumettes, il lui fait la leçon ; comme elle est intelligente et surtout qu'elle en sera, la voilà partie.

« Le contremaître de l'établissement ?

— C'est moi, madame ; que vous faut-il ?

— Vous avez chez vous M. Alphonse M...t ?

— Oui, madame.

— C'est que, voyez-vous, monsieur, je suis la sœur de la
voisine de sa femme ; elle m'envoie le chercher, parce que sa
femme vient de se casser un bras en dégringolant ses escaliers. »

Si vous n'êtes pas *à la couleur,* vous vous empressez de le
prévenir avec beaucoup de précautions, pour ne pas lui donner
un coup. Le voilà parti. En apercevant dans la rue Décalitre
de Blanc :

« Ah ! la rosse, je m'en doutais ; qu'est-ce qu'y a ?

— Y a, ma vieille, qu'on a quinze balles dans la profonde,
et que nous allons avec la Dessoufrée nous nettoyer les tubes à
Ménilmonte, *Au Petit Bonhomme qui tousse.* En voilà un *pante*
que ton contre-coup, on lui a monté un rude doublé. »

Alphonse riant : « Je ne sais pas si le singe va renauder, il
est pressé. »

Fait excessivement rare, un sublime simple est revenu un
jour en nous disant : « Je reviens, c'est c't animal de Mes Bottes
qui s'ennuie. » Il faut enregistrer ce miracle.

Celle-ci est trop drôle pour que nous ne la signalions pas.
Arch... et deux amis, comme lui sénateurs, dévorés par la
loupe, rêvaient *bains de lézards* dans les blés verts, veau, salade et pichenet du père Sansonet [1] ; mais pas un radis, à sec
complètement.

---

1. Chez le père Sansonet, on fait sa cuisine soi-même. Le père Sansonet était chantre à l'église de Charonne et marchand de vin dans la
rue Blaise.

Une idée vint à Arch... Il entre chez le marchand de vin, emprunte une fiole, se rend chez un charcutier et demande un peu de sang. Les voilà partis pour travailler. Arrivé à la besogne, Arch... verse le sang dans une de ses bottes, pousse un pignon qui était sur l'établi et le fait tomber sur le plancher, au même moment se met à jeter des hurlements terribles en se tenant la jambe. Les deux compères, qui avaient le mot, retirent la botte, une mare de sang coule sur le plancher ; la patronne arrive, donne un linge pour envelopper le pied du soi-disant malade. Les deux amis se préparent à le porter chez le pharmacien. Le plus malin dit qu'ils n'ont pas d'argent, la patronne avance vingt francs. Arrivés dans la rue, Arch... remet sa botte ; deux heures après, nos trois sublimes s'arrosent le cadavre d'importance au *Chat nu*[2]. Il fit le malade pendant plusieurs jours, et les amis sont chargés de censurer le bon cœur de la patronne, qui ne connut la ficelle que bien longtemps après.

Ecoutez la *ficelle au chantage,* et vous me direz si vous appelez ça de la justice.

Vous convenez avec plusieurs compagnons d'un prix pour le façonnage ou le montage d'une machine ou de plusieurs pièces. La chose bien entendue, et le travail aux trois quarts fait ; si vous avez affaire à des sublimes et qu'ils veuillent abuser de la situation, voici le moyen.

S'ils savent, par exemple, que vous êtes en retard pour la livraison et que vous avez reçu une mise en demeure de livrer l'ouvrage, le lendemain, la moitié de l'équipe manque.

Plainte du patron : « Ma foi, je ne sais pas si nous reviendrons à déjeuner ; aussi vrai que Dieu est mon chef de file, il n'y a rien à gagner, nous aimons mieux abandonner.

— Mais cependant vous avez pris l'engagement.

— Nous savons bien que nous perdrons aux prud'hommes, mais nous aimons mieux quitter que de rien gagner. »

Voilà le patron de plus en plus dans la peine. Comment

2. *Au Chat nu* : traiteur-laitier entre Bagnolet et Charonne.

faire ? Les attaquer aux prud'hommes ; quel recours voulez-vous avoir sur eux ? Perdre son temps, voilà tout. Et puis où aller les chercher ? Du reste, il est trop pressé.

Alors, il entre en composition, et il leur donne par écrit, sans cela il n'y aurait rien de fait, une forte augmentation ; c'est ce qu'ils voulaient.

Vous pensez peut-être que le patron, ayant les trois quarts de la besogne faite, aura un recours sur ce qui leur était dû ? Des acomptes étaient prélevés à chaque paie, et souvent étaient plus forts que ce qu'on leur devait.

Après ça, on se *fourre un coup de figure numéro z'un* à la santé du singe, un *gueuleton à c... partout.* Dans les assommoirs, on les appelle les malins qui n'ont pas froid aux yeux.

Nous pourrions multiplier les exemples.

Oui, plus de patrons négligents qui se moquent des notions les plus élémentaires que commande la bonne organisation d'un atelier ; plus d'anciens marchands de bois commettant la bassesse de venir en personne à la porte de leur confrère débaucher les travailleurs en leur avançant de fortes sommes, qu'ils boivent d'abord, et souffrent après pour les acquitter ; plus de ces individus faisant de l'industrie un commerce de marchandises et d'individus ; oui, plus de ces gens-là qui *carottent* le travailleur et qui le font chanter, par une infinité de ficelles indignes et qui poussent à la haine, à l'exaltation et au découragement, et presque toujours parce qu'ils savent que le travailleur ne peut pas attendre ou qu'il n'a pas de quoi se faire rendre justice.

Nous ne connaissons pas de qualifications assez sévères à donner à ces patrons dissolvants. Combien de travailleurs ont puisé dans ces lâches exploitations ces haines farouches poussées jusqu'au délire et à la frénésie ! Nous devons tous les flétrir et les ramener au silence, quand ils viennent se plaindre des ficelles des sublimes ou de leur inconduite, dont ils sont souvent la cause principale.

17. Le chansonnier des sublimes

Une chanson devient populaire quand la masse de la classe laborieuse la chante ; or, pour qu'elle ait un succès, il faut que cette chanson résume le sentiment actuel des travailleurs.

En 48, pendant la courte période où la nation s'appartint à elle-même, les chansons politiques, sublimes échos des sentiments qui battaient dans tous les cœurs, retentirent par toute la France. Mais bientôt l'horizon s'obscurcit, la liberté s'évanouit, et avec elle les nobles sentiments, les mœurs sévères.

La chanson dévergondée, énervante, remplaça les chants patriotiques.

Dans la période de vingt années qui s'est écoulée depuis, le sublimisme, cette terrible marée montante, a pris un énorme développement devant le sombre silence imposé par cette sanglante et monstrueuse terreur ; aussi la chanson bête et stupide eut un succès immense. Avec quel étonnement mêlé de tristesse n'avez-vous pas entendu : *Les Petits Agneaux, Le Pied qui r'mue,* etc. Et aujourd'hui le triomphe que les abonnés des cafés-chantants font aux cantatrices du bock et du tabac ne vous étonne-t-il pas ?

Pour nous, le succès de ces platitudes ne nous surprend pas. Comment, depuis vingt ans, vous avez étiolé, énervé, annulé l'âme du travailleur, vous lui avez laissé les bras et un peu de tête, vous en avez eu peur ; au lieu de l'habituer à discuter ses affaires et la chose publique, vous lui avez dit : « Tu n'as rien à y voir. » Il est alors tombé dans la platitude et la débauche. La France se ressentira longtemps de ces vingt années d'abrutissement.

Est-ce que les travailleurs n'accueilleraient pas ces turpitudes avec indifférence, si leur esprit était occupé par les grandes questions qui les intéressent ?

S'il n'y avait pas un public approbateur, il n'y aurait pas d'auteurs.

Mais, le sublimisme grandissant, les chansons de la gaudriole malsaine auront encore de beaux succès.

Un chansonnier est chanté de préférence par les travailleurs, c'est l'auteur des *Petits Agneaux,* ce salmigondis de bastringue, de tapage. Il a écrit le chant des sublimes par excellence, sous le modeste titre d'*Une noce à Montreuil.*

Nous vous donnons ce chant national des sublimes.

1ᵉʳ COUPLET

Enfants, dis-je à deux confrères,
Nous avons bon pied, bon œil,
Au lieu d' flâner aux barrières,
Si nous allions à Montreuil ?
Allons, viv'ment qu'on s'embarque.
J' possède un' couple d'écus.

REFRAIN

Tapez, tapez-moi là-d'ssus,
  Ça sonn' le monarque.
Tapez, tapez-moi là-d'ssus,
  Et n'en parlons plus.

2ᵉ COUPLET

A Charonn' c'est l' moins qu'on entre
Boire un p'tit coup chez Savart ;
Mais l'un d' nous s' sent mal au ventre
En avalant son nectar.
Savart, craignant qu'i n' s'insurge,
Dit en r'versant un coup d'ssus.

Tapez, tapez-moi là-d'ssus,
  C'est bon, mais ça purge.

Tapez, tapez-moi là-d'ssus,
Et n'en parlons plus.

3ᵉ COUPLET

Nous y v'là. Bonjour, la mère,
Fricassez-nous un lapin.
— Bah ! fait's-en sauter un' paire,
Histoir' de goûter vot' vin ;
Nous somm's en fonds, comm' dit c't autre,
Les trois n' s'ront pas superflus.

Tapez, tapez-moi là-d'ssus,
 Ça s'ra chacun l' nôtre.
Tapez, tapez-moi là-d'ssus,
 Et n'en parlons plus.

4ᵉ COUPLET

Tu cri's à casser les vitres.
Voyons, de quoi te plains-tu ?
A trois nous n'avons qu' douz' litres ;
Vrai, nous aurons l' prix d' vertu.
Moi, je n' quitte pas la guinguette
Qu' mes goussets n' soient décousus.

Tapez, tapez-moi là-d'ssus,
 Qu'on m'ont' la feuillette.
Tapez, tapez-moi là-d'ssus,
 Et n'en parlons plus.

5ᵉ COUPLET

Allons, qui prend la parole ?
L'un ou l'autr', ça m'est égal.
Mais n' chantez pas d'gaudriole,
J' trouv' ça trop sentimental.
Chantez, le vin nous excuse.
D' Martin les r'frains les plus crus.

Tapez, tapez-moi là-d'ssus,
  N'y a qu' ça qui m'amuse.
Tapez, tapez-moi là-d'ssus,
  Et n'en parlons plus.

6e COUPLET

Deux époux d' la rue Saintonge
Sont avec nous dans la cour.
L' mari boit comme une éponge,
Et la femm' cri' comme un sourd.
Avec quell' rage elle contemple
Les pichets qu' son homme a bus.

Tapez, tapez-moi là-d'ssus,
  Faut faire un exemple.
Tapez, tapez-moi là-d'ssus,
  Et n'en parlons plus.

7e COUPLET

J' suis amoureux quand je chante,
Et qu' j'ai pompé mon p'tit coup ;
Aussi j' vois bien qu' la servante
N'est pas déchirée du tout.
Ses p'tits yeux gris semblent dire
De certains appas charnus.

Tapez, tapez-moi là-d'ssus,
  Ça m' fait toujours rire.
Tapez, tapez-moi là-d'ssus,
  Et n'en parlons plus.

8e COUPLET

C'est fini, faut s' mettr' en route.
Allons, somm's-nous disposés ?
Quand nous aurons bu la goutte,
Tous nos gros sous s'ront usés.

Quand vous s'rez dans vot' domaine,
Sur vos divans étendus,

Tapez, tapez-moi là-d'ssus,
  En v'là pour la s'maine.
Tapez, tapez-moi là-d'ssus,
  Et n'en parlons plus.

Cette superbe chanson termine dignement les chapitres qui précèdent.

Mais le lundi ils auront *mal aux cheveux,* et la fameuse *Loupe,* sur l'air de *La Fille à Dominique,* que vous leur chantez, monsieur Charles Colmance [1], les prendra ; elle leur fera rompre l'attache de leurs tabliers, et c'est en chantant vos refrains qu'ils iront s'abrutir.

Vous êtes entraînant et moralisateur ; on est heureux d'examiner votre poésie. Un couplet de votre *Nez culotté* pour juger :

  Or, savez-vous pourquoi cet homme est blême ?
      Pourquoi ses yeux
      Sont toujours soucieux ?
  Pourquoi sa vie est un vaste carême ?
      Pourquoi son cœur
      Est triste et sans vigueur ?
      C'est que l'entêté,
    Suivant un absurde système,
      A mis de côté
    L'or ou l'argent qu'aurait coûté
      Un nez culotté.

Vous ne savez pas que de larmes de honte, de misère coûte un nez culotté, à quelle extrémité le travailleur est arrivé, dans quelle dégradation infâme ce manque d'or et d'argent a précipité des individus.

C'est une spécialité chez vous, vous chantez tous les vins,

---

1. M. Colmance était un ami intime du fameux Savart, surnommé *Savart l'Esprit.* Ce débitant de bleu et de bons mots a souvent inspiré le chansonnier.

Le Piqueton, La Gaudriole, La Loupe, Le P'tit Bleu, J' t'enlève le ballon, La Mère Chopine, Mon premier poche-œil, etc. Nous avons parcouru votre moralisateur recueil, et nous n'avons pas hésité à écrire en tête le titre mérité de *Chansonnier des sublimes.*

Ecoutez, monsieur Colmance, cette invitation au gai travail, et mesurez la distance qui sépare votre *Loupe* de ce splendide refrain du *Travail plaît à Dieu.*

> *Enfants de Dieu, créateur de la terre,*
> *Accomplissons chacun notre métier.*
> *Le gai travail est la sainte prière*
> *Qui plaît à Dieu, ce sublime ouvrier.*

1ᵉʳ COUPLET

> *Des fleurs l'abeille épuise le calice*
> *Pour nous donner le plus pur de son miel.*
> *Le Christ mourut, adorant son supplice,*
> *Pour nous ouvrir un chemin vers le ciel.*

2ᵉ COUPLET

> *Le rossignol chante pour la nature*
> *Et trouve asile dans son temple fleuri.*
> *L'ouvrier pose au palais sa toiture :*
> *Ne doit-il pas y trouver un abri ?*

3ᵉ COUPLET

> *L'avare, pauvre au sein de la richesse,*
> *Augmente, augmente et compte son trésor.*
> *Cœur sans pitié, sans amour, sans tendresse,*
> *Il meurt de faim les deux mains pleines d'or.*

4ᵉ COUPLET

> *Savants, rêveurs, artistes et poètes,*
> *Instruisez-nous, chantez, rêvez tout bas.*

Un saint labeur sort de vos riches têtes,
Le nôtre sort de nos robustes bras.

5e COUPLET

Par vos travaux, enfants de la patrie,
Peuple et soldats, soutenez le pouvoir.
Mais en retour de leur sang, de leur vie,
Chefs du pays, faites votre devoir.

6e COUPLET

La fourmi garde, le bon riche donne
A l'indigent qui ne peut épargner.
Le travailleur n'accepte pas l'aumône :
Ce qu'on lui donne, il aime à le gagner.

TISSERAND [2].

---

2. M. Tisserand, comme M. Colmance, était un ouvrier très distingué dans sa partie. M. Agricol Perdiguier, dans son livre si instructif sur le compagnonnage, cite beaucoup de chansons faites par les travailleurs, dans lesquelles le patriotisme, la dignité et la fraternité sont glorifiés avec une inspiration remarquable.

18. Le chômage

Dans l'examen de ce grave et sérieux sujet, le sublimisme, nous nous sommes trouvé en présence de cette famine de l'industrie, de cette terrible calamité du travailleur : le chômage ; devant les dégradations, les souffrances des travailleurs, nous voyons les moyens capables d'y mettre un terme, mais à une condition, c'est celle d'avoir du travail.

Avec le travail organisé, on tuera le sublimisme ; avec le chômage, le sublimisme croît et grandit.

Dans l'état actuel, plusieurs circonstances amènent le chômage.

La première condition indispensable au développement des travaux, c'est la sécurité ; personne n'ignore que, dans les moments d'agitation, les capitaux sont impressionnables et très peureux ; à la moindre alerte, ils se retirent des entreprises ou n'y entrent pas ; de plus, les besoins se restreignent. Ce sont les travailleurs qui supportent le plus sensiblement ce contrecoup.

Qui produit l'agitation ? Les travailleurs.

Pourquoi ? Parce que leurs aspirations ne sont pas satisfaites, ni dans la voie certaine qu'ils réclament.

Que faut-il faire ? Leur donner les moyens de les satisfaire.

Quels sont ces moyens ? Les moraliser en les instruisant (dans le chapitre « Les Apprentis », le sujet sera approfondi) ; leur laisser la liberté de se grouper, de s'entendre, de s'associer de toutes les façons ; en un mot, faire tout ce qu'il est possible pour les faciliter, les aider dans cette voie. Les agitations ne seront plus à craindre et nous aurons la sécurité.

Nous entendons mettre en doute l'efficacité de ces mesures ; on nous dit : « Mais les aspirations des travailleurs communistes développées aux tribunes publiques, mais les demandes insensées et absurdes des agitateurs violents et audacieux, comment pourrez-vous les satisfaire ? »

Quoi ! vous avez peur parce que soixante-quinze ou cent individus ont des idées qui s'éloignent de la vérité, vous tremblez ; nous nous trompons, vous ne tremblez pas, vous demandez simplement la répression.

Laissez-les faire, ces théories ne sont pas dangereuses devant l'impossibilité de leur application ; elles ne prennent de l'importance que quand on les persécute. Si ces apôtres ont de rares adeptes, c'est que le travailleur n'a pas les institutions plus sérieuses qui lui font défaut ; le jour où il les aura, il rira du communisme, comme le font sans doute les maîtres de cette doctrine, quand ils descendent en eux-mêmes et qu'ils pèsent le lourd bagage des mauvaises habitudes qu'ils ont prises dans les mœurs actuelles et quand ils pensent aux durs sacrifices à faire pour s'en débarrasser.

Nous écoutions un jour un phalanstérien organiser la phalange ; après avoir mis les eaux, le gaz, les bains, les bibliothèques au casernement harmonique, nous lui dîmes : « Vous, les organisateurs, vous habiterez le premier étage. » Il répondit avec un aplomb imperturbable : « Nous, les intelligents, nous habiterons la campagne. » Après la comédie, la bouffonnerie.

Nous pensons, au contraire, que c'est une bonne chose que toutes ces théories puissent se produire au grand jour, et nous regrettons que les gens sensés ne veuillent pas les discuter.

Tant que le travailleur n'aura pas les moyens sérieux de se débarrasser de ce monstre que nous appelons le sublimisme, il donnera dans tous les systèmes plus ou moins absurdes qui lui promettront instantanément la fin de ses maux.

Une autre cause qui amène le chômage, c'est la trop grande production non proportionnée avec la consommation. Les économistes ont savamment élucidé cette question que nous ne voulons pas examiner. Mais nous pouvons dire que toujours cette désastreuse situation est la conséquence du manque d'entente, d'union et surtout de lumière et de l'ignorance même des travailleurs, car aujourd'hui, sur cent chefs d'industrie, soixante-dix au moins sortent des travailleurs. Sans chercher bien loin les exemples, nous pouvons citer une partie où, sur dix patrons, cinq au moins savent à peine signer leur nom. Les commandes diminuent ; au lieu de chercher à provoquer l'écoulement, ils fabriquent quand même ; pour se débarrasser du stock, ils avilissent les prix et amènent la perturbation, tout en y perdant eux-mêmes. Qu'on le sache bien, la consommation, les affaires, en un mot, sont soumises à des règles que l'on ne peut enfreindre impunément.

Il est très imprudent de fabriquer sans se préoccuper de l'écoulement de son produit dans des conditions rémunératrices ; on ne peut forcer la vente d'un article abondant sur le marché qu'en offrant à la spéculation des bénéfices qui sont les pertes du fabricant.

Provoquer les besoins et fabriquer ensuite, voilà le fait de l'intelligence commerciale. Plus le nombre des aiguillonneurs sera grand après la carapace trempée que nous appelons la routine, plus on arrivera promptement à la percer.

Prenons un exemple dans la mécanique : au début des travaux métalliques qui sont aujourd'hui admis un peu partout pour les constructions de pont, de halles, de marchés, même de maisons et de palais, les serruriers et constructeurs qui, les premiers, se lancèrent dans ces travaux les exécutèrent avec les procédés anciens, c'est-à-dire à la main ; les quelques constructeurs de machines abréviatives finirent, après bien des efforts, à faire prendre quelques-uns de leurs outils ; mais la grande masse résistait.

Plusieurs ouvriers s'établirent et construisirent de ces intelligents engins ; les routiniers, sollicités, aiguillonnés, finirent par comprendre et prirent des machines ; ce que quelques-uns n'avaient pu faire, un plus grand nombre le fit. Et l'on peut dire qu'il n'y a pas aujourd'hui un de ces industriels qui ne possède une ou plusieurs machines.

Suivant les conséquences logiques, les patrons, une fois munis de procédés expéditifs, cherchèrent eux-mêmes à développer leur industrie ; ils provoquèrent l'écoulement de leurs produits en raison du bon marché obtenu par les ressources de leur outillage.

Cet enchaînement produisit naturellement une extension considérable dans le travail ou, pour être plus vrai, une guerre au chômage.

L'instruction, l'entente et le plus grand nombre sont les topiques énergiques qui annuleront le chômage.

Examinons dans leur triste réalité les conséquences du chômage.

Elles sont effrayantes pour les sublimes. Si leurs peines sont grandes en temps d'activité, ils peuvent s'en attribuer la plus grande part ; mais, en temps de chômage, ce ne sont plus des peines, c'est la torture.

Cependant nous pensons que ces peines ne peuvent pas se comparer à celles, souvent supportées avec résignation, qui viennent fondre sur l'ouvrier. Voilà, véritablement, l'homme de travail, d'ordre et de respect, toujours digne de lui-même et de la société. Sa famille s'augmente, mais les bras ne se multiplient pas, les besoins grandissent avec le nombre, la paie ne varie guère ; peu importe, il a du courage et du travail assuré, il répond du reste ; il arrivera, et s'il peut avoir un bon marchandage, comme il *cognera* de bon cœur. Mais une pensée, comme un éclair, lui traverse l'esprit : « Et si le chômage allait me mettre sur le pavé, qu'est-ce que je deviendrais ? Ma femme dans la misère, mes filles sur le trottoir ! » Il cherche autour de lui comment il se retournerait, mais rien, point d'appui, l'isolement. Dans quel étau son cœur se sent serré, il est pris à la gorge, il frissonne, il est tremblant d'émotion ; si une larme peut couler, elle lui dégonfle le cœur. Nous en avons surpris quelques-unes de ces larmes amères, et nous vous assurons que notre émotion n'était pas moins vive que la sienne devant cette sainte souffrance.

Quel bouillonnement dans ce cœur devant cette appréhension ! Mais, quand la réalité arrive, qu'il est remercié par manque de travaux, voyez-le ranger ses outils : il tremble, il pâlit, il a la chair de poule, il ne peut répondre à son voisin qui lui demande ce que le patron ou le contremaître vient de lui dire ; il passe au bureau toucher son argent, il ne peut rien dire, ses dents sont serrées, un torrent de larmes roule derrière ses yeux, le voilà parti. Dans la rue ses jambes fléchissent, il chancelle comme un homme ivre, il arrive chez lui pâle, défait, sa femme devine tout à son air égaré, elle pleure et se jette dans ses bras ; c'en est trop, les sanglots accumulés éclatent, le torrent de larmes s'échappe ; un peu de pression de moins sur le cœur. Ses enfants devinent ses peines par ces larmes qu'ils n'étaient pas habitués à voir, ils s'approchent et viennent le caresser ; les pleurs redoublent, il les regarde avec des yeux hagards et inondés. Lui, passe encore, mais eux ; la triste réalité le tient dans ses griffes hideuses ; appuyé sur la table, les mains dans les cheveux, il reste immobile, on le dirait pétrifié. Tout à coup les poings se ferment, son visage prend un air sombre, il se redresse. Sa femme le regarde, elle voit qu'il vient de prendre une résolution. Mon Dieu ! pourvu qu'il ne soit pas découragé. Doucement, elle lui demande : « Pourquoi ce changement ? » Il ne répond pas, elle lui passe les bras autour du cou et, à travers ses baisers, elle lui demande de la rassurer ; cette affection fait fondre ses lugubres projets. L'énergie qui l'avait redressé et qui le tenait debout disparaît, il se laisse tomber sur sa chaise la tête dans ses mains, et à travers ses sanglots il pousse cette terrible plainte sociale : « Qu'ai-je donc fait pour entrer dans la misère ? »

Quel est l'honnête homme qui ne se sente profondément ému devant ce désespoir immérité !

Oui, on est violemment remué devant cette navrante position ; instantanément vous pensez aux moyens possibles pour éviter ces pénibles souffrances.

Vous vous trouvez arrêté par des obstacles sérieux, votre tête, stimulée par votre cœur, cherche, retourne, examine les moyens pour éviter de pareilles situations. En un mot, voilà comment on devient socialiste. Vous cherchez à répondre à sa plainte pleine de résignation par cette formidable question du siècle : que faut-il faire pour éviter la misère ?

A-t-on abusé devant cette bourgeoisie timorée de ce qualificatif ? Socialiste.

Prenez-le à part ce boutiquier, ce rentier, exposez-lui de pareilles situations ; l'émotion le gagne, il devient comme vous, il cherche aussi, il devient socialiste sans le savoir.

Quand en aurons-nous fini avec les mots ?

Y a-t-il quelque chose de plus empoignant que le chômage ?

Y a-t-il une colère, une haine qui ne fondrait devant les sollicitations d'un ouvrier que vous savez digne et qui consent à devenir manœuvre, lui naguère si fier de son métier ! Mais il faut du pain à la maison. Les questions d'amour-propre ne sont pas de saison quand on a du cœur.

Si la raison a fait place à la violence, si le découragement a poussé des individus honnêtes à des actes de vandalisme flétrissables, presque tous ont puisé cette énergie implacable dans des situations décourageantes que l'état social actuel n'atténue ni n'évite.

Nous pensons que le chômage, ce frère du sublimisme, disparaîtra avec les travailleurs grandis.

19. Tableaux comparatifs

Les deux tableaux que nous allons donner, sont le résultat de nos observations et la conséquence du milieu dans lequel nous nous sommes trouvé depuis vingt ans.

Ils ne s'appliquent qu'aux travailleurs dans le fer, partie que nous avons désignée sous le nom général de mécanique.

Sur 100 travailleurs, il y a :

    10 ouvriers vrais

    15 ouvriers

    15 ouvriers mixtes

    20 sublimes simples

     7 sublimes flétris ou descendus

    10 vrais sublimes

    16 fils de Dieu

     7 sublimes des sublimes.

Il y a environ dix parties différentes qui concourent à former l'ensemble de la partie générale ; nous vous donnons le nombre de sublimes et d'ouvriers en général dans chacune d'elles :

		Sublimes	Ouvriers
1.	Modeleurs	40	60
2.	Mouleurs, fondeurs	40	60
3.	Forgerons	75	25
4.	Frappeurs	85	15
5.	Boulonniers	85	15
6.	Chaudronniers, tôliers	75	25
7.	Ajusteurs, monteurs	50	50
8.	Tourneurs, raboteurs, mortaiseurs	60	40
9.	Serruriers	60	40
10.	Manœuvres	30	70
	TOTAL	600	400

Soit pour la partie soixante pour cent de sublimes ; sur quarante pour cent d'ouvriers, plus de la moitié des travailleurs est sublime. Ces chiffres sont le résultat de sérieuses et consciencieuses observations. Que le patron qui occupe de soixante-dix à cent travailleurs fasse des observations pendant une année, s'il renouvelle deux fois son personnel, il arrivera aux mêmes résultats [1].

L'éloquence des chiffres est significative ; on reste anéanti et l'âme navrée quand on compare le progrès immense du fléau ;

---

1. Dans les ateliers de certaines administrations et même dans certaines bonnes maisons où les ouvriers sont bien rémunérés, le nombre des sublimes est moins considérable, ce qui se comprend facilement : on a besoin d'un travailleur. On est bien payé, ou encore les travaux sont propres, faciles et assurés, le sublime qui s'y faufile est obligé de se corriger, sinon on en essaie d'autres jusqu'à ce qu'on ait mis la main sur un ouvrier. Nous comprenons que certains de ces industriels soient fondés en venant dire chez nous : « Nous n'avons que dix, quinze ou vingt pour cent de sublimes. » L'exception ne constitue pas la règle, il faut voir l'ensemble, c'est ce que nous avons fait et nous croyons être dans la vérité. La lecture des chapitres précédents prouve suffisamment l'influence d'une bonne ou mauvaise organisation du travail sur le sublimisme.

quand on songe que dans l'espace de vingt années le nombre des sublimes s'est accru de vingt pour cent, soit un pour cent par année.

Si malheureusement, cette marche ascensionnelle continue, on est effrayé des conséquences sociales résultant d'un pareil état de choses.

L'indifférence n'est pas possible en présence de ce mal immense qui menace d'envahir la société tout entière. On éprouve comme un colossal étourdissement ; le sentiment qui domine tout d'abord, c'est la légitime défense ; on cherche une digue à ce flot envahissant ; mais, quand on étudie cet abaissement d'une partie du corps social et que l'on en comprend les causes multiples, cette fiévreuse émotion se calme, ce frisson disparaît ; ce qui vous reste dans le cœur, c'est une espérance ; ce n'est plus une menace, un châtiment, mais une atténuation sincère et profonde. Tout s'efface en présence d'une pareille réalité. Si vos sentiments se sont révoltés aux récits de scènes lamentables, tristes et honteuses, il ne vous reste en présence d'une pareille calamité qu'une pensée, qu'un désir, celui d'entraver, de guérir, si c'est possible ce grand mal.

Nous nous proposons, dans les limites de nos connaissances et de notre expérience, dans les chapitres suivants, de demander au gouvernement, aux travailleurs et aux chefs d'industrie, ce que nous croyons urgent, nécessaire, pour grandir le travailleur. Nos propositions sont toutes pratiques. Nous avons dû examiner d'autres parties que la mécanique pour pouvoir juger la question d'ensemble : les charpentiers, par exemple, que nous considérons comme une partie d'élite. Sur cent charpentiers, il y a quatre-vingt-dix ouvriers et tout au plus dix sublimes.

Savez-vous pourquoi ? Nous allons vous le dire.

Parce qu'ils savent tous lire, écrire et dessiner ; parce que, si un membre d'un atelier flâne ou tue une pièce, le corps entier se regarde comme solidaire du fait. Entendez-vous bien ? Ils sont tous atteints. Pour eux, travailler consciencieusement est le premier devoir ; celui qui faillit à ce devoir ne lèse pas seulement le patron, avant tout il déshonore la partie. Un pareil sentiment est vraiment admirable. S'il animait tous les travailleurs, dans vingt ans le sublimisme serait un mythe. Comparez cet esprit avec celui qui règne dans la mécanique, où une des plus grandes gloires est de couler son patron aux félicitations de tous.

Pourquoi encore ? Parce que, quand ils se réunissent, au lieu d'étaler comme les sénateurs une vaniteuse crânerie, un savoir qu'ils n'ont pas, ils discutent les difficultés du travail, parlent des chefs-d'œuvre de la corporation, des capacités des anciens, des difficultés des travaux actuels ; rendent justice à ceux qui ont bien mérité par leurs talents ; félicitent ceux qui ont fait un travail, un levage ou une translation difficile, et tout cela sans l'*épate* des ouvriers du fer que vous avez vus en œuvre dans les chapitres précédents.

Voilà la classe laborieuse en 1870. Tout ce que nous en avons dit est de la photographie pure et simple. Nous pourrions, sur cent faits cités, mettre à quatre-vingt-dix le nom des héros.

Nous allons maintenant examiner la partie la plus délicate et la plus difficile.

II

1. Réflexions politiques

La fermentation des idées politiques et sociales de ces dernières années a effrayé beaucoup de gens qui, plus peureux que sensés, s'arrangeaient très bien d'un système de silence et de fêtes ; qui, ne faisant rien pour la solution du problème, étouffaient par la force toutes les aspirations légitimes couvant dans les masses et les laissaient dans la douce quiétude de la satisfaction.

Mais quelques libertés nous ont été rendues, aussitôt des théories de toutes sortes se sont produites. La presse à encens s'est empressée de signaler les extravagances des orateurs et, par ses insinuations, est venue troubler le cerveau des partisans de la *tranquillité absolue* [1].

Si vous habitez un quartier populeux, Belleville par exemple, vous rencontrez un de vos amis s'affirmant carrément ami de l'ordre (comme si quelqu'un de sensé voulait le désordre). Il vous aborde et vous dit :

« Vous voilà révolutionnaire, jacobin des Folies ; fréquentez-vous ces clubs de sans-culottes ?

— Nous y manquons rarement.

— Vraiment, vous vous commettez dans ces endroits ? Eh bien, on en dit de belles, là-dedans.

— Quelquefois de bonnes.

— C'est trop fort ; comment, vous ne vous indignez pas quand vous entendez dire que " le concubinage est le seul mariage de l'homme d'honneur " ? (Pré-aux-Clercs, 17 no-

---

1. La *tranquillité absolue,* c'est la mort ; le mouvement, c'est la vie.

vembre.) Que " ce qu'il faut, c'est l'anéantissement de la propriété, et qu'alors il n'y aura plus de fourmis vivant de misère et de scorpions vivant du sang de ces fourmis " ? (Pré-aux-Clercs, 24 décembre.) " La propriété n'existe plus en droit, pourquoi existerait-elle en fait ? Voilà pourquoi nous voulons la supprimer complètement. " (Pré-aux-Clercs, 2 janvier.) " Aussi ai-je voué à la bourgeoisie une haine profonde. Je la déteste. " (Redoute, 26 novembre.) " Ce n'est pas avec de l'or, c'est avec le fer que les questions seront résolues. " (Belleville, 17 janvier.) Comment, vous ne bondissez pas quand un orateur vient froidement vous dire que, " si la force et la violence sont complètement indispensables pour établir le communisme, il ne faut pas craindre d'en user " ? (Belleville, 30 janvier.)

— Vous parlez comme *Le Constitutionnel* écrit, vous assistez aux réunions dans votre fauteuil ; c'est inutile de vous emporter si vous ne connaissez que ces quelques phrases des réunions publiques.

— Vous dites que vous y avez entendu de bonnes choses et même très instructives ; c'est sans doute pour s'instruire que les travailleurs écrasent de bravos un tribun qui leur dit : " Laissez venir à moi les petits enfants, afin que, sur la gueule de l'histoire et pour la défense de leurs droits, nous leur affûtions le bec et nous leur aiguisions les ongles. " Voyons, répondez : est-ce avec ce fatras de violences et d'absurdités que vous pensez instruire le peuple ? »

Et il conclut par la phrase sacramentelle :

« Il faut en finir. »

Voilà la seule solution possible suivant lui.

Répondons : nous connaissons un garçon intelligent qui s'est mis dans la tête le projet de faire un chemin de fer de Brest à New York ; des pontons distancés doivent servir de point d'appui au système spécial de train qui fonctionnerait sur ces points d'appui fixés dans la mer. Les embarcadères sont désignés, les devis sont faits, le conseil d'administration est formé, les auxiliaires sont trouvés ; il ne reste plus que les actionnaires à entraîner ; avis aux amateurs de progrès, il en trouvera quelques-uns. Que diriez-vous si la Compagnie des transatlantiques, les Messageries impériales, en un mot toutes les compagnies de transports, venaient demander au gouvernement d'en finir avec le promoteur de ce système ! Vous ririez et vous demanderiez avec raison qu'elles recherchent les moyens d'activer la vitesse de leurs bateaux, d'améliorer la position des voyageurs à bord, que là est le vrai moyen d'aller à New York dans de bonnes et sérieuses conditions.

Il en est de même des théories des réunions publiques : les communistes représentent l'inventeur, les gens sérieux les compagnies. Quand ces derniers se font entendre, ils disent de bonnes et instructives choses.

La question sociale peut se comparer à un moteur composé d'un générateur et d'une machine ; les aspirations des travailleurs représentent la vapeur, il faut la distribuer dans la machine pour donner une force, un résultat, un produit. Mais, si vous vous arrêtez (en politique, s'arrêter c'est reculer) pour vous occuper d'étiquette, de gloriole, de chambellans, de bals et de favoritisme, la vapeur sortira par les soupapes ; comme ce bruit vous dérangera, pour avoir la paix, vous prendrez deux poids de quarante et vous les réduirez au silence [2] ; comme cela, plus de tapage. Un beau jour, pendant que vous serez en train de décorer la poitrine de vos adulateurs, une immense explosion viendra vous surprendre. Il ne sera plus temps de mettre la machine en route, il sera trop tard. Les caleurs de soupapes sont des imprudents et des maladroits. Il faut que la machine fonctionne toujours ; quand elle aura tous les perfectionnements, les soupapes ne *gueuleront* [3] plus ; à notre ami, partisan du poids de quarante, nous répondrons : « Il est défendu de caler des soupapes. »

Quittons les théories, et plaçons-nous en présence de l'action. Disons tout de suite que nous sommes convaincu qu'une révolution aujourd'hui serait un reculement. Pourquoi ? Parce

---

2. On surcharge les soupapes des chaudières avec des poids.
3. Expression employée même par les gros bonnets ; cependant quelques-uns trop délicats disent « la vapeur échappe par les soupapes ». Allez donc dire cela à un chauffeur, il vous répond : « Vous voulez dire que mes soupapes gueulent ? »

que les travailleurs ne sont pas préparés pour la faire sérieuse, profitable et exempte de violences et d'injustices.

Profitons du passé pour nous éclairer sur l'avenir. Que s'est-il passé en 48 ? Après les promenades pacifiques du peuple souverain, la question sociale est venue avec ses nombreux systèmes ; le peuple n'était nullement préparé ; chaque théoricien avait des adeptes ; discussion, passion, irritation et désunion, telles furent les conséquences ; nos mœurs n'étant pas formées, l'éducation du peuple n'étant pas faite, la confusion s'explique [4].

Les travailleurs ne comprennent pas que c'est des institutions qu'ils doivent obtenir le résultat ; mais, comme les institutions durables ne s'improvisent pas, chacun formula ses prétentions. Les travailleurs du chemin de fer du Nord, par exemple, demandaient, en 1848, une réduction des heures de travail ; les uns voulaient une heure en moins, les autres deux, et enfin les plus avancés trois. On vota ; nous sommes convaincu que la journée de huit heures aurait été admise si la Compagnie n'avait manifesté l'intention formelle de fermer ses ateliers plutôt que d'accepter une pareille réduction, laquelle aurait forcément amené la fermeture de tous les autres ateliers qui auraient suivi cette règle que les travailleurs voulaient imposer.

Croyez-vous que le peuple de 1870 ne se conduirait pas comme celui de 1848 ? Ce long sommeil de vingt ans ne l'a guère changé ; vous auriez le même résultat, modifié en raison du progrès opéré dans les théories ; les mêmes prétentions se produiraient, et on tuerait le travail. Plus de travaux, on devine le reste. Est-ce que ceux qui prêchent aux travailleurs que la liquidation sociale est le moyen de sortir de la misère se figurent que la masse des sublimes, qui attendra quelque chose de positif, consultera sa raison ? Allons donc ! ils vous liquideront ensuite. Comment, vous faites tous vos efforts pour qu'ils soient bien convaincus que les patrons sont des exploiteurs, les propriétaires des voleurs, puis vous voudriez qu'une fois sou-

---

4. Les jésuites en robes courtes, déguisés en républicains qui firent partie de la Constituante, prononcèrent des discours de personnalités et imaginèrent ce guet-apens, les ateliers nationaux, au lieu de décréter les grands travaux d'utilité publique.

veraine cette masse eût la retenue que commande la justice ?
C'est impossible : ce sont leurs ennemis, vous le lui avez dit,
elle les traitera comme tels.

Heureusement pour la civilisation, les gens sensés, en France,
sont trop nombreux pour que de pareilles théories soient prises
au sérieux et entrent dans le domaine de l'exécution ; mais,
ce qui nous peine, c'est qu'elles entretiennent chez les sublimes
des dispositions malheureuses qui peuvent faire échouer une
révolution pacifique ou la souiller.

Assurément les monceaux de cadavres que produit une
révolution inspirent assez d'horreur pour qu'on abandonne à
tout jamais un pareil moyen. Mais le lendemain est bien autrement terrible, 48 nous l'a appris ; 1870 serait identique, avec
le sublimisme développé : une révolution serait une réaction,
voilà pourquoi le peuple du progrès n'en veut plus. La politique
est une science expérimentale, les gens de raison l'étudient et
en profitent.

Si, contrairement à vos procédés, vous leur disiez : « Voilà
des propriétaires, des exploiteurs qui ont le bien-être, objet
de nos désirs ; entendons-nous, unissons-nous et *exploitons-
nous nous-mêmes...* Plus de pavés, plus de fusils, mais formons
une immense barricade avec cette terrible pierre : le vote. »
Alors, placés sur cette formidable citadelle, vous pourrez jeter
à l'arbitraire cette phrase que vous dites si bien : « Nos adversaires nous regardent le fer à la main ; dès aujourd'hui la
lutte est commencée, et nous ne la cesserons que lorsque
vous nous aurez tous couchés dans la tombe [5]. » (Redoute,
20 janvier.) Cette révolution-là, nous la comprenons, elle est
la vraie, la seule possible ; ce qu'il faut pour qu'elle soit
prompte, c'est l'union. Le jour où les travailleurs seront unis,
tout ce qui pourra les entraver pour arriver au but, ils le renver-
seront à coups de vote. Le vote, c'est le canon rayé, la mi-
trailleuse perfectionnée de la révolution sociale. C'est avec le
vote qu'il faut vaincre toutes les résistances.

---

5. Vous pourriez ajouter : « Nous ne voulons plus de violences dans
les rues, ce qui excuse vos résistances ; nous voulons rester sur le terrain
de la légalité pour la défense de nos droits ; c'est là que nous voulons
lutter jusqu'à la mort. »

Nous savons bien que ce procédé n'est pas goûté par les impatients et encore moins par les milliers de victimes qui ont été maltraitées, ruinées, emprisonnées, déportées pour leur foi politique. Toutes leurs indignations, leurs désirs de vengeance sont légitimes ; mais il faut en faire le sacrifice à cette foi, à cette conviction politique dont on veut le triomphe ; cette admirable abnégation sera la preuve que ce que vous désirez par-dessus tout c'est la réussite ; car elle est là, et non dans une révolution qui, à la vérité, vous ôterait ce gros poids que vous avez sur le cœur et que l'injustice y a jeté en le brisant, mais qui arrêterait le progrès.

Ledru-Rollin disait qu'en temps de révolution la queue menait la tête. La queue, ce sont les sublimes. Quelle que soit la puissance de la tête, dans une révolution, la queue la domine.

Cette terrible queue est ignorante et ingrate ; les plus dévoués lui sont suspects. Aujourd'hui même, n'avez-vous pas le triste spectacle de la désunion ? Quelques proscrits dont le dévouement à la démocratie est à toute épreuve, que les longues années de l'exil et l'expérience de 48 ont rendus forts, et qui conseillent au peuple d'éviter à tout prix l'émeute, qui serait un reculement, sont mis en suspicion par les exaltés de cette queue.

Si vous leur dites : « Mais untel, untel, vous ne pouvez pas les soupçonner ? » Ils vous répondent d'un air mystérieux : « On ne sait pas. »

Sacrifiez-vous donc, allez pourrir sur les pontons, à Lambessa ou à Noukahiva, ou pleurer la patrie absente sur le territoire étranger pendant vingt ans pour vos convictions et votre dévouement à la sainte cause, pour venir ensuite entendre le « on ne sait pas » de la bouche d'intrigants stupides pour qui tous les dévouements, toutes les célébrités sont des contrastes désobligeants à leur nullité et à leur égoïsme.

Rappelez-vous qu'il y a soixante pour cent de sublimes qui ne sont ni unis, ni disciplinés, ni instruits, et vous serez de notre avis, qu'une révolution serait un reculement.

Voilà ce que l'expérience nous a appris, voilà ce que nous disons aux partisans de la révolution par les barricades et le sang. Nous savons bien que notre conviction est d'un léger poids en présence de l'exaltation des esprits. Si elle venait, nous aurions la discorde violente, la guerre civile et une autre dictature, quelque chose de pire encore, les législateurs de la rue de Poitiers [6]. Le sublimisme est donc la première entrave à la question sociale.

Examinons-en d'autres.

Les Français en général comptent peu ou pas sur leur initiative pour résoudre une infinité de problèmes ; ceci s'explique : le gouvernement a toujours voulu prendre la direction de toutes les institutions ; dans toutes les commissions, dans toutes les sociétés, vite un président galonné, décoré ; il s'ensuit que beaucoup de personnes s'éloignent et lui laissent le soin d'administrer ; on ne trouve partout qu'indifférence pour la chose publique ; personne ne veut s'en occuper. Cette espèce de communisme autoritaire qui veut se charger de tout, supporte, en revanche, toutes les malchances de ses entreprises.

Nous pensons que la période du gouvernement providence est passé. Oui, les citoyens peuvent faire de bonnes et utiles choses sans le concours de la livrée administrative ; il faut qu'ils se passent de ces paperassiers hiérarchiques qui savent si bien vous enterrer une affaire dans les cartons d'un ministère. Nous vous dirons ce qu'il faut attendre de cette initiative.

Mais avant nous voulons parler des entraves sérieuses que les siècles d'ignorance et de tyrannie nous ont léguées et qui constituent l'état social de la France actuelle.

La société supporte-t-elle matériellement et moralement un fardeau plus lourd que le sabre ? Certes non. La moitié du budget est absorbée par lui, cent mille de ses plus valides membres sont arrachés tous les ans de son sein pour être immatriculés dans cette grande école où l'on perd l'amour du travail et où l'on puise celui des places.

Tout le monde est d'accord que l'armée est une calamité sociale, et, chose curieuse, tout en convenant du fait, certains individus vous répondent : c'est un mal nécessaire. Nous avons même entendu un homme instruit dire que la guerre était un fléau utile, que c'était le moyen de purger la société de son trop-plein. Si ce n'était odieux, ce serait stupide.

---

6. Sabre, soutane et toge mélangés.

Il y a quelques années, nous avions quatre cent mille hommes sous les armes ; chiffre très respectable. Une nation voisine munie d'un gouvernement ambitieux a augmenté ses armements ; naturellement, nous augmentons les nôtres ; et nous voilà avec douze cent mille hommes ; si demain elle en mettait deux millions sur pied, avec cet heureux système, nous nous croirions obligés de la suivre. Soyez persuadés que nos députés voteraient les subsides nécessaires pour cet équipement et autoriseraient le gouvernement à puiser à pleines mains dans la jeune génération. Mais, si vous leur demandez des fonds pour les écoles, le budget est trop lourd [7], les contribuables sont écrasés, pas d'argent.

Supposez un gouvernement vrai, intelligent, qui vienne dire à la nation : « L'armée est une ruine morale et matérielle pour la France, elle est supprimée ; nous conserverons une partie du cadre et quelques milliers d'hommes des armes spéciales. Mais, afin de nous mettre en état de nous faire respecter de nos voisins, seul et véritable but de l'armée, tous les citoyens valides de vingt à quarante-cinq ans seront au besoin armés pour la défense de la patrie. »

Cette mesure prouverait aux voisins que nous ne voulons ni conquête ni nous immiscer dans leurs affaires. Ils seraient forcés de nous suivre dans cette voie [8].

Nos tacticiens officiels et officieux affectent de sourire de la simplicité de notre proposition : « Il sera bien temps, nous disent-ils, d'armer vos bourgeois, vos ouvriers, vos paysans quand les Prussiens seront à nos portes. — Oui, leur répondrons-nous, les soldats de Valmy et de Jemmapes valaient bien

---

7. Un budget de deux milliards pour une nation de quarante millions d'habitants ne nous paraît pas exagéré en raison de l'état social du pays ; c'est son emploi que nous trouvons mauvais, désastreux et anti-social, et surtout le prélèvement de l'impôt qui se fait arbitrairement.

8. La Prusse a environ douze cent mille hommes à son service qui lui dévorent la meilleure part de son budget, la France en a autant. Si l'une et l'autre se contentaient chacune de cent mille hommes, par exemple, les forces seraient les mêmes ; la chose est trop simple pour avoir du succès. On obtiendrait le même résultat s'il n'y en avait plus du tout, mais nous ne sommes pas aussi cruel ; on ne peut demander la disparition totale de l'armée, sa suppression complète pourrait amener des troubles ; nous ne voulons désespérer ni les perruches à falbalas, ni les nourrices, ni les bonnes d'enfants.

ceux de Solferino, et ces défenseurs improvisés ont fait voir qu'il n'y a pas besoin de passer quatre ou cinq ans sous les armes pour remporter la victoire, et les chefs de vingt-huit ans ont montré qu'on n'avait pas besoin de blanchir sous le harnais pour être vainqueur. » Mais ce n'est là qu'une défaite : l'objection la plus sérieuse que puisse faire à cette proposition un gouvernement monarchique, c'est qu'il ne pourrait plus faire de 2 Décembre.

Pour l'ordre intérieur, la garde civique a montré qu'elle sait le faire respecter.

Examinons les conséquences sociales de l'armée, voyons ce que cette institution produit sur la société.

Nous plaignons sincèrement cet artisan, ce paysan arrachés, l'un à son étau, l'autre à sa charrue, qui sont obligés d'aller passer les six ou sept plus belles années de leur vie dans l'armée. Le jour du tirage est une journée de larmes pour la victime comme pour les parents ; le patriotisme, ce grand sentiment si vivace en France devant la patrie en danger, s'éteint devant cette abdication complète de l'individu condamné de par le sort à prendre la dure servitude. Il sait bien qu'il ne s'appartient plus, il sait bien qu'il est simplement un rouage, un numéro matricule, que son grand chef le ministre de la Guerre fera manœuvrer suivant les caprices du maître ; aujourd'hui à Puebla, ou à Pékin, si ce n'est demain dans les rues de Paris où il faudrait faire le sac d'une maison ; ainsi le veut la discipline. Plus qu'une chose à faire, obéir. Cette pénible condition n'est pas toujours du goût de tous ; il le faut, néanmoins, c'est la condition vitale de l'armée actuelle. Autrement, est-ce que le fils massacrerait le père ? Est-ce que le frère canonnerait frère, mère, sœur ? Est-ce que la cavalerie sabrerait sur les boulevards des centaines de personnes qui protestent contre la violation du droit ? Oh ! non, mille fois non !

Pauvre artisan, tu venais à peine de finir ton apprentissage, tu commençais à gagner ta vie. Pauvre laboureur, tu soulageais ton père qui se fait vieux ; si le sort t'avait épargné, vous vouliez doubler la ferme ; allons, deux bras de moins pour les champs, ils en ont tant à donner. Quand tu auras passé un congé à faire l'école de soldat, à astiquer le fourniment et à passer des milliers d'heures en promenades mélancoliques devant la guérite, tu rentreras dans tes foyers. Comme ces sept années t'auront grandi ! Ton métier, tu l'auras oublié ; le dur travail des champs ne sera plus dans tes goûts. Mais en revanche tu auras appris, dans les chambrées, à faire des conquêtes ; les leçons des vieux pieds-de-banc du régiment te profiteront ; tu en useras. Du désordre de plus dans la commune. Ne pouvant plus continuer une vie où le travail sera négligé, tu demanderas une place. Ah ! oui, une place, voilà qui sera dans tes goûts : le travail, ça ne te connaît plus. La moitié des jeunes gens qui sortent de l'armée ne veulent plus reprendre leur métier, et l'on se plaint des déclassés ; allons donc !

L'armée est le refuge des mauvaises têtes, des indomptables, de ceux qui ne veulent rien faire ; car, sérieusement, peut-il venir à la pensée d'un garçon qui voit dans le travail un avenir certain d'aliéner sa liberté pendant six ou sept ans ? Aussi, les pères de famille qui ne peuvent rien faire de leurs fils les forcent à s'engager ; cette vie de caserne, d'aventures, convient à ces tempéraments ; et celui qui n'a pas pu faire un citoyen devient souvent un bon soldat.

Quelques esprits simples se laissent prendre par l'étalage de l'uniforme ; on veut s'engager dans les hussards, c'est le plus beau costume. Avec ces puérilités, on entraîne quelques-uns ; le gouvernement le sait bien, aussi tous les ans vous voyez des modifications aux costumes [9] ; s'il n'y a pas d'argent pour l'instruction, on en trouve bien pour ces changements.

Nous ne voulons pas parler du vendu, on est trop peiné quand on sait qu'un individu peut se vendre et qu'il y a acheteur.

La vie de garnison est ennuyeuse ; à cet âge d'effervescence, que faire avec le maigre prêt et quand on n'est pas de semaine ?

---

9. Il y a de ces changements qui sont énigmatiques ; on comprend ceux apportés à la capote, au pantalon, aux chaussures, mais il est difficile de saisir les améliorations que nos soldats doivent retirer de la couverture en drap rouge des schakos au lieu de cuir. Comme nous ne sommes pas de la partie, nous nous l'expliquons à la manière du sublime, qui prétend que le paratonnerre du casque prussien est d'une grande utilité en campagne : on pique la pointe en terre, on met le feu dessous et on fait dedans la soupe et le rata. Il y a probablement quelque chose d'analogue que nous n'avons pas saisi.

On fait la cour aux belles de l'endroit, et nos troupiers ont tout ce qu'il faut pour réussir. C'est ainsi qu'ils préparent l'avenir, en semant le déshonneur, en débauchant les filles des travailleurs.

Ce n'est pas l'homme qui est coupable, c'est l'institution qui est mauvaise.

Les honneurs de tout genre ont été tellement prodigués aux militaires par tous les gouvernements absolus que nous comprenons qu'un père de famille vaniteux destine son fils à l'armée ; vite à Saint-Cyr ; le chauvinisme, si ardent en France, ne fait pas défaut ; l'uniforme plaît aux jeunes gens ; puis, on est si bien accueilli par le beau sexe ! Malheureusement, l'imagination des jeunes filles les aveugle souvent, et fait taire en elles la voix de la raison et du jugement. Et cependant y a-t-il une position plus triste que celle d'un sous-lieutenant sans fortune, et marié sans avoir même touché la dot réglementaire, si surtout la famille s'augmente ? Le brillant uniforme du soldat peut frapper l'imagination d'une pensionnaire, mais ne séduira que difficilement une demoiselle de bon sens. Aussi presque tous les officiers restent célibataires.

Puis vous venez parler de famille, de vertu, quand l'état social force des individus d'en être l'antipode. Que d'intelligences se sont annulées dans ce noble métier ; que de bonnes natures se sont changées ! Les conséquences produites par l'état militaire de la France sont des entraves à la solution de la question sociale ; les temps sont proches où elles disparaîtront.

Examinons-en d'autres ; cherchons les résultats sociaux obtenus par cette entrave que nous nommons la soutane.

La majorité des Français suit les habitudes et rites de la religion catholique, apostolique et soi-disant romaine.

Ce qui est assez surprenant, c'est que l'Etat reconnaisse des religions, et ce qu'il y a de plus sérieux c'est qu'il en paie les ministres avec les fonds du budget. Toujours le même système, se mêler de tout, comme si les questions de foi le regardaient. Les législateurs viennent vous dire qu'il faut une religion au peuple ; que le devoir essentiel, premier, d'un gouvernement, c'est d'inculquer à la nation les principes de morale.

Si quelqu'un est profondément convaincu de cette nécessité, c'est nous. Oui, il faut une religion au peuple, une religion d'honnêteté, de travail, d'union, de courage, de fraternité la religion du Décalogue surtout, une religion d'honneur, de respect et d'estime. Oui, nous la demandons avec fièvre, cette religion qui redresse, qui grandit, nous la désirons profondément enracinée dans le cœur du peuple. C'est le devoir social, capital, d'un gouvernement. Mais cette religion a-t-elle quelque rapport avec les cérémonies, les mystères, les dogmes que les religions connues pratiquent et enseignent ? Ces questions-là regardent chaque individu et non l'Etat.

Non seulement l'Etat solde les ministres, mais il fait et entretient les églises, les temples, s'occupe des nominations dans la hiérarchie sacerdotale, puisque ce sont ses employés ; il fait plus, il force les instituteurs, ces sérieux auxiliaires, à apprendre aux enfants un *Credo* en dehors duquel il n'y a pas de salut. Il faut que ces dévoués instructeurs du peuple fassent apprendre à la jeunesse *L'Histoire sainte. La fable du fruit défendu n'est guère morale,* et *le peuple hébreu protégé par Dieu,* ce créateur de tous les êtres, pour massacrer les Philistins à sa plus grande gloire, n'inspire pas un sentiment bien élevé de la justice céleste. Et cet âge du monde, ces six mille ans de la création, que deviennent-ils, quand le jeune homme apprendra la géologie, et que la science lui démontrera qu'il faut quarante mille ans pour former un bloc de charbon ? Non, ce n'est pas au maître d'école à faire répéter le catéchisme ; non, il ne doit pas recevoir une mission officielle pour bourrer l'esprit de ses élèves de tous ces mystères incompréhensibles d'un seul Dieu en trois personnes, de paradoxes comme celui de l'incarnation dans le sein d'une femme, vierge et mère tout ensemble, de ce nouveau dogme proclamé en plein XIXe siècle : que sainte Anne a conçu la mère du Christ sans péché. Que répondriez-vous au bambin s'il venait vous demander : « Comment l'a-t-on su ? » Vous seriez certes bien embarrassé. Vous lui parlez de la foi ; la foi n'est pas une preuve, c'est une confiance, tout le monde ne l'a pas ; l'esprit humain est chercheur, il ne croit profondément que ce qui lui a été démontré. Les religions n'ont rien à faire à l'école.

Voulez-vous, prêtres, que nous vous disions pourquoi vous

tenez tant à ce que l'on vous confie la jeunesse ? Nous allons le faire, et on verra que vous êtes l'entrave la plus formidable à la question sociale, et que la soutane sera peut-être la plus longue à déraciner.

A cette religion de fraternité que vous avez reçue des apôtres, vous avez substitué la plus formidable association : un communisme comme jamais l'homme n'en verra de semblable. Il est tellement enraciné qu'il a survécu à toutes les tourmentes ; après des siècles, il est vivace, très vivace, au milieu des peuples civilisés, qui ne peuvent se débarrasser complètement de ces formes dans lesquelles ils ont été élevés ; ce qui prouve la puissance de son organisation, ce chef-d'œuvre incomparable. Pourquoi cette force ? C'est parce que vous avez pris l'âme du peuple, et que vous l'avez atrophiée avec des superstitions. Vous poursuivez, avec une persévérance implacable, un but : la domination universelle.

Vous avez un moyen, la religion ; une discipline, l'obéissance aveugle ; une méthode infaillible, l'abrutissement ; vos sujets, la femme et l'enfant.

L'homme dit à sa compagne : « Pense à la vie » ; la femme qui sort de vos mains lui dit : « Pense à la mort. »

Au travailleur courbé sous la misère, vous dites : « Ayez confiance dans la bonté divine, craignez les feux de l'enfer, pensez au ciel. » L'esprit du siècle lui répond : « Instruisez-vous, unissez-vous et travaillez. » L'instruction et l'union de vos fidèles ignorants, voilà votre destruction certaine. Vous le sentez si bien, en présence du progrès qui gagne même quelques-uns de vos éminents membres, que vous allez proclamer l'infaillibilité du pape pour essayer de rattraper la force qui vous échappe.

Non, ce que vous enseignez au peuple n'est pas fait pour le grandir, mais pour l'abrutir. Non seulement vous ne rendez pas les services pour lesquels la nation vous paie, mais vous produisez l'effet contraire. Vous avez la main partout, vous dirigez, vous dominez dans les hautes sphères gouvernementales ; mais vous n'avez plus le souffle assez puissant pour éteindre ce grand flambeau qui doit vous consumer et vous faire disparaître : le progrès. La lumière et la liberté, voilà ce qui doit vous détruire.

Une autre entrave, que nos sublimes nomment la toge, a des conséquences peut-être non moins actives que les deux précédentes.

Nos magistrats sont chargés d'appliquer la loi. Le profond respect dont ils sont entourés est une preuve que le peuple est profondément pénétré de l'importance de cette sécurité sociale, la justice. Cependant, tout le monde sait que des personnages importants peuvent influencer la magistrature, surtout dans les questions politiques. Et, dans les campagnes, qui n'a pas entendu le paysan prôner tel ou tel personnage parce qu'il a fait exempter son fils de la conscription, ou dire qu'on lui a donné un coup de main dans un procès ? Aussi les travailleurs vous disent très bien, en parlant d'individus sous le coup de la loi, mais protégés par une main puissante : « Il n'y a pas de danger qu'il soit condamné, il connaît quelqu'un qui a le bras long. » Pour eux, celui qui n'a pas de protection et pas d'argent ne peut se faire rendre justice. Cependant, tous les Français sont égaux devant la loi.

Ces idées, qui ont cours parmi le peuple, ne sont pas exagérées ; la protection, cette lèpre éminemment française, est cultivée et pratiquée ; ces coups de main, ces passe-droits, sont très mauvais : ils accumulent dans l'âme des travailleurs des haines qui sont autant de puissants leviers dangereux dans les jours d'effervescence.

La justice est trop longue et ruineuse ; le dicton qu'il faut gagner dix procès pour être ruiné est malheureusement une vérité. Pour remédier à ce mal, il faut deux choses essentielles : la magistrature élective et la gratuité de la justice. Nous savons bien que cette belle institution, l'assistance judiciaire, rend de bons services aux travailleurs, et surtout aux femmes de sublimes, qui trouvent un recours contre le droit que la loi avait conféré à leur mari. Mais ce n'est pas suffisant. Comment ! le travailleur, qui n'a que sa journée, ne peut, faute d'argent, se faire rendre justice ? S'il a droit, cependant ? Il hésitera encore pour entamer son procès, il criera au privilège, il subira l'injustice, et vous en ferez un exalté.

Voilà pourquoi les sublimes appellent ces trois institutions des lèpres capitales.

Le sabre, parce que l'armée prend au peuple ses enfants,

les enlève au travail, démoralise la famille et augmente le nombre des déclassés.

La soutane, parce que la grande association le domine et l'abêtit.

La toge, parce que la justice est trop chère et ne possède pas la parfaite indépendance que donne l'élection, et que le favoritisme est encore une puissance.

C'est l'avis de tout le monde, qu'il y a à faire pour modifier ce qu'il y a de défectueux pour la société dans ces trois institutions, et que le moyen d'y arriver c'est de commencer.

Il ne faut pas attendre ; attendre en politique est un crime social.

Si vous craignez des perturbations trop vives en présence de mesures radicales, faites-les progressivement, mais faites-les.

Pour l'armée, diminuez-la tous les ans de dix mille hommes ; organisez par contre dix mille citoyens ; dans quelques années, vous obtiendrez le résultat désiré.

Pour la soutane, dégagez-vous, laissez la liberté pleine et entière, organisez un système d'instruction primaire intelligent et qui devienne général ; que l'instituteur, au lieu d'être à la remorque du goupillon, soit, avec le maire, le plus honoré de la commune. Vous verrez dans quelques années diminuer l'influence de la fameuse puissance, qui ne vous soutient qu'autant que vous faites ses affaires ; vous n'aurez plus de ces décisions municipales attentatoires à la liberté [10], et que les conseillers municipaux ne prennent que parce que M. le curé le veut et qu'il a le bras long.

Pour la toge, abandonnez au suffrage universel, ce souverain

---

10. Nous tenons à citer un fait très ordinaire qui vous montrera la puissance de la griffe ultramontaine. En 1847, nous quittions un petit village de la Franche-Comté, où nous sommes né ; après treize ou quatorze années de vie parisienne dans la grande fournaise de la besogne, nous choisîmes le jour de la fête patronale, le grand saint Maurice et ses compagnons, qui se fête en septembre, pour aller nous retremper ; trop heureux, nous nous réjouissions de voir nos braves compatriotes s'ébattre sur le pré, comme autrefois ; il était deux heures, les jeux, les banques, les musiques se taisaient ; nous avisâmes le garde-champêtre, qui nous dit que la fête ne commençait qu'après vêpre, tels étaient la décision et les ordres ; nous ne pûmes rien répondre, mais mentalement nous nous dîmes : « Bienfaisant régime impérial, je te bénis ; maintenant, paysans francs-comtois, chantez la liberté. »

reconnu aujourd'hui [11], le soin de nommer les magistrats ; supprimez ces lenteurs décourageantes, et surtout ces monceaux de papiers timbrés qui coûtent si cher le kilogramme, il y en a au moins les deux tiers de trop ; simplifiez les lois : elles sont si nombreuses qu'il n'y a pas un avocat, un jurisconsulte qui en connaisse le quart ; diminuez cette armée de paperassiers qui s'ennuient dans les nombreux bureaux administratifs ; rémunérez bien ceux qui resteront et demandez-leur du travail et de l'obligeance pour le public. Alors le travailleur qui sera obligé de passer à tous les guichets pour ses affaires ne trouvera plus cette indifférence de certains commis qui font si bon marché de leur temps.

Citons un exemple : un compagnon dut se rendre un jour à un ministère pour faire régulariser des pièces. A dix heures précises, il était là ; l'employé arriva, leva son guichet, prit son journal et son petit pain. Notre travailleur lui présenta les pièces et détailla l'objet de sa demande.

« C'est bien », répondit le personnage, et il continua à lire et à manger.

Un quart d'heure après, l'ouvrier lui dit : « Je suis là, monsieur.

— Je sais bien que vous êtes là. »

Un autre quart d'heure se passe ; alors, indigné de voir l'individu continuer à lire, il l'apostropha :

« Etes-vous là pour me signer mes pièces ou pour lire votre journal ? »

Une altercation s'ensuivit ; l'ouvrier sut se contenir et alla trouver le chef, qui adressa de justes observations à son subalterne.

Mais supposez un fils de Dieu ; il n'aurait pas eu cette sagesse et se serait fait arrêter ; probablement ce cas s'est

---

11. Quand on pense que les ministres de Louis-Philippe se sont laissé renverser pour avoir refusé le suffrage universel, on est fixé sur leurs capacités, quand on a pu juger les résultats obtenus par le gouvernement impérial, par la savante manœuvre de cet ignorant et maladroit enfant qui finira par marcher.

présenté. Vous devinez l'effet produit sur les camarades par une arrestation ainsi motivée ; admettez une révolution, et vous verrez ce que ce compagnon est capable de faire. Que de haines et de désirs de vengeance se sont accumulés dans l'âme des travailleurs, haines et désirs de vengeance provoqués par ces tyranneaux au petit pied.

Oui, il faut que tous les fonctionnaires qui sont en contact direct avec le public [12] soient choisis parmi les plus patients, les plus bienveillants ; ils doivent être animés de sentiments d'abnégation et d'obligeance pour être en rapport avec un public qui se compose de tempéraments si divers.

Voyez un employé de mairie, hautain, dur, suffisant, recevoir un travailleur, presque toujours ignorant, qui vient réclamer des pièces soit pour un mariage ou pour tout autre objet ; s'il lui manque quelques documents, au lieu de les lui spécifier avec bonté, lui dire brusquement : « Il me faut ça », et à toutes ses questions ne donner que des réponses sèches, il va, il vient, il ne sait pas. Quelle différence avec cet employé bienveillant qui l'accueille avec douceur, lui explique ce qu'il faut faire, comment il doit s'y prendre. Entendez le travailleur dire du premier : « Il n'y a qu'un tas de *mufes* là-dedans » ; mais pour l'autre : « A la bonne heure, voilà un bon garçon, il fait bon avoir affaire à lui. »

Certes, l'administration recommande la bienveillance, l'obligeance à ses employés ; mais allez donc rendre doux un individu violent ; il faut les choisir spécialement.

Un travailleur qui a passé par les mairies, les tribunaux, les administrations en un mot, revient toujours avec une certaine quantité de fiel dans l'âme. Aussi tout ce que le gouvernement fera pour diminuer les démarches et faciliter aux tra-

---

12. Ce que nous disons des fonctionnaires avec le public s'applique plus spécialement aux directeurs de nos établissements publics, mairies, hôpitaux, écoles, etc. Ainsi un directeur, nous parlant des cent élèves qu'il recevait tous les ans, nous disait qu'il y en avait au moins cinquante à renvoyer à leurs parents. Il vient d'être décoré, ce paternel directeur, qui disait à la mère d'un élève : « Si vous voulez m'embrasser, je permettrai à votre fils de sortir. » Non, de pareils misérables ne sont pas faits pour inspirer le respect.

vailleurs l'exécution des devoirs sociaux qu'ils sont obligés de remplir dans la vie sera un énorme bienfait.

Voilà, à notre avis, l'ensemble des réformes à apporter dans la société pour faciliter la solution de la question sociale. Ce que nous demandons au gouvernement, c'est qu'il gouverne le moins possible ; qu'il laisse à l'initiative individuelle tout ce qui n'exige pas strictement son action, et dans ce cas même qu'il lui facilite, au lieu de l'entraver par une série de mesures, l'accomplissement de ses devoirs.

Nous repoussons donc comme antisocial tout gouvernement qui veut que l'Etat soit tout et l'individu rien.

Ces régimes sont à notre avis l'éteignoir universel.

De tous les systèmes proposés de nos jours, les plus dangereux sont ceux qui réclament et exigent, pour se réaliser, l'intervention du pouvoir ; pour ses créateurs, la direction de l'Etat, et les ressources de l'impôt pour exécuter leurs systèmes et expérimenter sur la société tout entière.

La science économique repousse absolument toutes les combinaisons de tutelle, de dictature qui, sous une forme ou une autre, se proposent d'assurer la prospérité collective au moyen d'un amoindrissement des droits et d'un assujettissement des facultés de l'individu. Elle trouve que le gouvernement est assez chargé de besogne, quand il fait exécuter les lois, maintient l'ordre et la justice et donne l'instruction au peuple, sans qu'on lui impose encore la tâche impossible de distribuer la richesse et de procurer le bonheur commun.

Ceci dit, commençons par le premier devoir social du gouvernement, celui de nous préparer des sujets pour la solution de notre problème.

Examinons comment il faut faire des apprentis.

2. Les apprentis

Plus d'apprentissage dans les ateliers.
C'est l'apprentissage qui fait l'homme.

Jeter un pont sur la Manche pour relier l'Angleterre au continent serait un travail matériel immense et possible, qui demanderait énormément de capitaux, de soins, d'études et de persévérance, en un mot une lutte gigantesque de l'homme avec les éléments ; pour mener à bonne fin cette énorme besogne, une fois sérieusement arrêtée, tout serait mis à contribution : sciences, expériences, intelligences, puissances, moyens de toutes sortes ; avec le temps, et malgré les déboires les plus imprévus on y arriverait.

Un pareil résultat serait superbe.

Faire des hommes est, au point de vue moral et social, un grand travail, doublé d'une grande mission, d'un noble but, difficile, lent, mais possible. Arriver à ce résultat si impérieux, si désiré, ce ne serait plus seulement superbe mais grandiose, splendide, admirable, rassurant et chrétien. Or, pour cela, que faut-il ? Apporter la même persévérance les mêmes ressources, la même opiniâtreté que vous apporteriez dans le travail matériel, colossal dont la réussite ne fait aucun doute.

Question sérieuse s'il en fut ; constituer une éducation qui développe l'âme d'abord, l'intelligence ensuite ; faire entrer dans les mœurs, imprimer dans le cœur des jeunes générations ces beaux sentiments qui élèvent, le respect des grandes et belles choses, développer la dignité qui grandit, qui monte, qui réconcilie l'homme avec lui-même dans les désastres, en faire des cœurs qui croient à la vertu, qui la pratiquent, l'honorent, la glorifient et l'admirent : voilà une entreprise sérieuse et difficile.

Entraver, arrêter, guérir, si c'est possible, le mal que nous vous avons fait toucher du doigt c'est ce que nous vous dirons dans les chapitres suivants, concernant les travailleurs faits. Mais, pour les jeunes natures, nous ne devons pas laisser se creuser ces ornières que le vice et les mauvaises habitudes ont tracées dans le cœur des aînés, car on ne les comble jamais, ou du moins très difficilement.

Pour atteindre ce but, trois moyens principaux s'offrent à nous :

1. L'instruction donnée dans nos écoles primaires ; c'est la construction des pièces de la machine humaine, de l'unité sociale à produire.

2. L'instruction par les écoles professionnelles ; c'est le montage de la machine.

3. La Société amicale, qui la soutient, l'éclaire, l'appuie et la stimule dans son fonctionnement, pour obtenir bien-être et moralité.

La première condition pour préserver la jeunesse, c'est de l'instruire ; et, plus la somme d'instruction sera grande, plus la solution sera facile. L'intelligence de l'homme est un rouleau indéfini qui se développe par l'instruction ; plus la page est grande, plus les moyens sont nombreux. L'instruction représente les machines qui servent à façonner un homme vite et bien.

Malgré les résistances intéressées et les plus énergiques de certaines personnes qui n'ont trouvé dans le développement intellectuel que le chemin des dégradations, nous sommes convaincu, appuyé sur des preuves incontestables, que c'est par l'instruction qu'on parviendra sûrement à moraliser le peuple et à inculquer dans son esprit les idées de progrès. Les statistiques judiciaires ne démontrent-elles pas péremptoirement que le nombre des délits et des crimes décroît à mesure que l'instruction se répand davantage ? Le grand nombre de déclassés, qui inondent les grandes villes, et surtout Paris, ont pu donner à cette accusation un semblant de vérité ; mais gardons-nous de rendre l'instruction responsable de cet état de choses. C'est l'inintelligence des parents qui en est la cause. Voyez, en effet, le plus humble laboureur, s'il remarque chez son enfant une belle écriture ou quelques dispositions pour l'arithmétique, vite il fait des sacrifices, non dans le but d'en faire un agriculteur instruit — pour lui, un cultivateur est une bête de somme qui en conduit d'autres, on est toujours assez savant pour labourer ou ferrer des chevaux —, mais pour le pousser sur la route où vous rencontrez tous les déclassés, qui donnent raison aux arguments cités plus haut. Mais, s'il comprenait que, plus un travailleur est instruit dans une partie, plus il y apportera son intelligent concours, et plus cette partie se développera, si chaque père de famille était bien pénétré que les connaissances que son fils aura acquises en physique, en chimie, dans le dessin, voire même en musique, ne l'empêchent pas d'en faire un ouvrier alors vous verriez l'abîme des déceptions se fermer petit à petit.

Qu'arrive-t-il avec nos mœurs actuelles ? Prenez un père de famille sensé et ayant quelque aisance ; qu'il vienne dire à son fils : « Tu as maintenant quinze ans, tu ne retourneras plus à l'école ; je veux te faire apprendre un métier ; d'abord, parce que, lorsqu'on sait un métier, on devient un homme solide, ensuite, parce que, si tu es intelligent et laborieux tu pourras te faire une position et celles qu'on se fait à soi-même sont bonnes et durables. » Certes, il tiendrait là un raisonnement sage. Mais la mère, les grands-parents, les tantes, les oncles, etc. interviennent : « Ah ! c'était bien la peine de lui faire faire des études pour en faire un ouvrier ; ne voilà-t-il pas une belle perspective ! »

La femme boude, les parents murmurent : « On voit bien qu'il n'aime pas son fils. » L'homme faible cède : « N'en parlons plus ; il sera avocat ou médecin, notaire ou vétérinaire ; à moins que vous ne vouliez pas vous séparer de lui ; alors vous en ferez une gélatine ou un ours. »

L'avenir des enfants entre les mains des parents sublimes, ou qui, élevés eux-mêmes dans l'ignorance, ne comprennent pas le prix de l'instruction est bien autrement à plaindre. Pour eux, l'enfant, c'est la gêne, la misère ; la mère est obligée de travailler pour faire face aux besoins les plus pressants, pendant que son homme fait le crâneur aux assommoirs. A peine peuvent-ils marcher qu'on les met à l'asile, ou on les confie à quelque vieille femme. Ils grandissent, on en envoie quelques-uns à l'école ; qu'ils s'y rendent ou non, c'est fort indifférent ; à dix ou douze ans, le sublime trouve que le *faignant* peut bien gagner le pain qu'il mange, on le met chez un fabricant qui lui donne un franc ou un franc vingt-cinq par jour pour faire un métier abrutissant, dix ou douze heures par jour ; et il faut qu'il rapporte ce qu'on lui donne, sinon les taloches marchent. Voyez-vous ce petit être, attelé, pendant douze heures, après un découpoir : comme il respire la santé ! Ces petites figures livides vous donnent le frisson. Le matin, la mère lui donne un morceau de pain et quelques sous ; dans les environs des ateliers, sur les trottoirs, vous remarquez des groupes de jeunes gens jouant à pile ou face l'argent de leur déjeuner, et souvent leur morceau de pain ; ce sont des fils de sublimes qui *tirent une loupe* et travaillent pour l'avenir. Il grandit ainsi dans ce milieu ; à quinze ans, il envoie *dinguer* ses parents, s'il n'est pas à la Roquette ou à la Conciergerie.

Il y a cependant quelques natures exceptionnelles qui résistent, l'exemple des parents, les bons instincts aidant. Les cas sont malheureusement très rares, et nous n'avons jamais pu nous expliquer cette résistance en présence des procédés infaillibles des sublimes.

L'ouvrier vrai, l'ouvrier, même l'ouvrier mixte comprennent autrement leurs devoirs de pères. Ils s'appliquent, dans leur intérieur, à ne donner à leurs enfants que des exemples de vertus (le bon exemple est fructueux pour les enfants) ; comme il y a ordre et économie dans le ménage, la mère consacrera tous ses soins à leur éducation ; ils seront l'objet des bonnes attentions qu'une mère dévouée peut seule donner.

Aussi l'école est fréquentée régulièrement ; le soir, le père fait répéter les leçons, surveille les devoirs, et s'instruit même en aidant à l'instruction de son fils. Mais à douze ans il faut entrer en apprentissage. Le contrat est passé. Il veille à ce que son fils fréquente les écoles du soir pour continuer l'instruction qu'il a commencée dans l'école primaire ; et s'il doit rester à demeure chez son patron il pose pour conditions dans le contrat d'apprentissage que l'enfant viendra tous les dimanches se retremper dans les caresses et les bons exemples de ses parents. Le commencement est excellent, voyons ce qu'il va faire.

Tout le monde sait que c'est à l'âge de la puberté que l'intelligence s'assimile le plus facilement les bonnes ou mauvaises choses, et les vices pris à cet âge sont les plus enracinés. Ainsi, une mauvaise éducation jusqu'à douze ans peut encore se redresser facilement, mais celle prise de douze à dix-sept est inextirpable.

C'est donc l'apprentissage qui fait l'homme.

Voyons comment on fait actuellement les apprentis.

Supposons le fils de l'ouvrier dans un atelier où il n'y ait que des ouvriers et que le patron n'ait que lui comme apprenti. On lui montre les premiers éléments, très bien ; on lui donne une pièce à faire ; l'enfant sait bien qu'il ne peut pas la faire comme l'ouvrier, son voisin et professeur ; il travaille machinalement, il lui manque l'émulation, ce puissant levier de l'apprentissage. Prenez, par contraire, dix jeunes gens, donnez-leur à chacun la même pièce à faire, et vous verrez la différence dans l'activité et dans le désir de mieux faire que son voisin. L'apprentissage sans l'émulation est un apprentissage qui se traîne. Mais les travaux augmentent le patron embauche du monde, un sublime vient ; un bon professeur de plus. Quelques jours après, trois, quatre ou cinq sublimes et vrais sublimes ; l'éducation se perfectionne ; attendez, vous verrez le sujet qu'ils vous fabriqueront.

Certains sublimes simples placent leur fils en apprentissage pour quatre ans, par exemple, à une condition, c'est que le patron se chargera de tout ; c'est un débarras. Au bout de deux ans, le père sait que son fils commence à ne pas mal travailler, et qu'il pourrait gagner sa vie ; il cherche une querelle au patron, et les prud'hommes sont appelés à statuer. Souvent les sublimes sont condamnés à continuer l'apprentissage, après enquête faite par un prud'homme ; mais quelquefois aussi ces griefs allégués sont légitimes. Il y a des patrons qui prennent des apprentis pour en faire des domestiques, des bêtes de somme, de cinq heures du matin à neuf heures du soir. Aussi, tous les prud'hommes ont pris la surveillance de certains apprentis, et s'assurent que les patrons leur montrent bien leur métier.

Dans la mécanique on fait peu d'apprentis, c'est la province qui comble les vides. On prend des jeunes gens et on les paie ; c'est plus commode, on n'a pas de responsabilité et ça rapporte. Du moment qu'ils font leur besogne, peu vous importe qu'ils fument, qu'ils chiquent, ce n'est pas votre affaire, ils sont considérés comme les autres travailleurs. Nous vous assurons qu'ils sont précoces pour tout, pour le travail comme pour les vices. L'espièglerie du gamin de Paris est proverbiale, elle se développe dans l'atelier. Un fait : un patron avait confié une mortaise à faire, dans une grande et mince poulie, à un jeune apprenti passionné pour le théâtre ; pensant sans doute au dénouement d'*Antony,* qu'il avait vu jouer la veille, il brisa la frêle poulie ; le patron, fort mécontent survint, le gourmanda vertement. Le gamin, se reculant d'un ton tragique, lui dit : « Elle me résistait, je l'ai assassinée. » Le patron ne put s'empêcher de rire.

Quand ils font rire c'est bien ; mais écoutez la conversation de cet apprenti, que sa maigreur effrayante a fait appeler le Fils du Squelette, racontant ses prouesses du lundi, il avait à peine seize ans ; un sublime le questionnant : « Qué'qu't'as donc fait hier, t'as l'air tout *gondolé* [1] ?

— N' m'en parle pas, nous devions aller hier avec Tripe Sèche [2], Frit dans l'Huile et Saute dans le Beurre voir jouer *Le Glacis de lance* et *La Rigolade f... le taf* [3] au théâtre, ils ont mieux aimé aller à la *Patte de chat* [4] ; mes articulations sont *grippées* [5]. »

Le sublime en riant : « Tas de crapauds ! »

Le gamin reprenant : « C'est rien *toc* [6], ma vieille, pour chacun vingt *ronds* [7] nous avons vu Ida, la femme à la bouteille,

---

1. Mal fichu.
2. Devenu célèbre dans le procès de Blois par ses révélations.
3. *Le Verre d'eau* et *La joie fait peur.*
4. Maison de prostitution.
5. Une pièce est grippée quand elle ne peut plus fonctionner.
6. Drôle.
7. Vingt sous.

ça passait comme une lettre à la poste ; c'est rudement rigolo, nous n'avions pas encore vu ça. »

Ne vous semble-t-il pas entendre un libéré des chiourmes de Toulon : c'est rigolo tout de même, cette infecte exhibition. Il est impossible à Paris d'avoir d'autres résultats, quand on sait qu'il y a soixante pour cent de sublimes dans les travailleurs.

Le sublimisme est une greffe qui prend toujours sur de jeunes sujets, c'est comme un fluide, il pénètre quand même ; quels que soient les soins de certains patrons consciencieux, la lèpre finit presque toujours par tomber sur les apprentis.

Ceci ne veut pas dire que nous excusions les négligences, les dédains de certains patrons qui précipitent les apprentis dans le gouffre. Non ! Mais tout ce que l'on peut leur demander est insuffisant pour les garantir.

Ce qu'il faut donc, c'est l'apprentissage dans l'école professionnelle, là vous formerez des hommes tout en faisant des ouvriers.

Nous sommes de l'avis du grand philosophe Rousseau, nous pensons que tous les hommes devraient connaître un métier, riches ou grands, pauvres ou petits. Pour nous, un homme qui connaît un métier est étayé. Qu'une catastrophe le ramène à zéro, il a encore dans les mains cent sous par jour. Prenez un membre de la pléiade des gens à place ; le voilà sur le pavé ; ils sont cent pour une position, la misère arrive, il descend dans la cuvette. Un métier, c'est la colonne vertébrale de la dignité. Oui ! que toute la jeune génération apprenne un métier ; que tous les hommes aient goûté aux difficultés et aux satisfactions du travail manuel ; c'est une pharmacie qui est ouverte dans tous les pays.

Nous entendons le ricanement de ces vieilles nobles étiolées, suite de races qui suent le scrofule à pleines cuillerées et qui meurent d'anémie faute d'exercice. Il ne faut pas, parce qu'on descend des croisés, croire qu'il suffise de se draper à l'antique dans ses écussons, ou de récurer ses vieilles ferrailles, pour être quelque chose dans le siècle du travail. Dans cinquante ans, tout cela dormira au musée de Cluny. Maintenant, de la besogne de toutes les façons, sans cela, rien.

Mais voyez-vous monsieur le vidame consacrant quelques

heures par jour à salir des ongles rosés ? Mais où serait le mal ? Il y a des métiers qui pourraient satisfaire cette coqueluche que vos ancêtres vous ont cédée ; il y a des métiers soi-disant beaux. Tout en apprenant le latin et le grec, est-ce que le fils du prince tel ou tel croirait descendre en consacrant quelques instants de son temps à apprendre la ciselure ou la bijouterie, l'horlogerie, l'orfèvrerie ou l'optique ? Pensez-vous que ces exercices lui donneraient les pâles couleurs et que cela nuirait au développement de la soi-disant noblesse de France ? Nous en avons vu de beaux échantillons aux courses ou sur le boulevard ; il en faudrait au moins deux pour remplir le blindage de François Ier [8], qui est au Louvre. Un bijou à retourner serait peut-être trop lourd pour ces pâles machines dont tous les joints *ferraillent,* et vous voulez qu'elles tiennent la pression que réclame ce siècle ? Est-ce que son cœur a de la course, à ce petit crevé, est-ce que son intelligence se développe avec ses occupations ? Il ne connaît que le banc de *Terre-Neuve* [9], les courses, le bois et les bains. Ces petits vidés passent leur vie en compagnie d'intrigantes badigeonnées qui les finissent et les ruinent. Quel autre résultat si ces intelligences et ces capitaux étaient employés aux nobles et grandes choses ! De la dégradation de moins, de la grandeur et du bien-être de plus. Ne nous fâchons pas, madame la baronne, vous continuerez à apprendre à vos fils à faire quelques pirouettes dans un salon, à flûter leur voix ; ces petits talents de société leur serviront mieux pour leur avenir qu'un métier ; ce dont nous nous occupons ne vous regarde pas.

Nous ne nous serions pas étendu aussi longuement sur ce sujet si, dans les régions gouvernementales, on ne tenait pas si grand compte de tous ces hochets, de tous ces titres et de l'argent, qui sont le thermomètre des positions. Or, quand les pieux sont battus, que les premières pierres sont posées au grand monument du travail, nous pensons que ceux qui sont placés pour diriger ou conseiller son long achèvement, auraient bien pu, sans déroger, le connaître.

---

8. Armure de François Ier au musée des Souverains, salle spéciale où vous trouvez le chapeau, la tabatière, le rasoir, la redingote grise, etc., du choléra social du commencement du siècle.

9. Voir au chapitre du sublime des sublimes.

Malheureusement, nous sommes, en France, assez simples pour croire que messieurs les marquis, ducs, comtes, etc. (souvent nullités complètes), sont des hommes considérables parce qu'ils ont un nom et de la fortune, que nous les nommons députés pour faire nos lois et discuter toutes les grandes mesures économiques qui doivent nous grandir.

Ce que nous venons de dire s'applique à tous ceux qui sont à la tête, en un mot à l'état-major général soit gouvernemental, soit administratif.

Examinons maintenant si un métier nuirait à ceux qui l'organisent, le surveillent, le font exécuter : l'ingénieur, l'architecte, le patron. C'est ici que le besoin se fait impérieusement sentir.

Mais, nous direz-vous, est-ce que vous croyez que, pour être bon et intelligent patron, architecte ou ingénieur il est nécessaire de savoir forger une pièce ou ravaler un mur ? Non, mais nous pensons qu'ils seraient meilleurs.

Voyez-vous ce jeune homme, qui, à vingt-cinq ans, est bachelier ès lettres, ès sciences, très bien ; s'il était bachelier en travail cela serait encore mieux. Son père veut se retirer des affaires, il lui cède son établissement ; il occupe quelques centaines de travailleurs ; son ingénieur, ses chefs d'atelier viennent lui parler de difficultés dans la besogne ; c'est de l'hébreu pour lui, il n'en a qu'une vague idée ; les ouvriers lui adressent des réclamations : « Voyez le contremaître, ce n'est pas mon affaire. » Quel attrait voulez-vous qu'il ait ? Ce n'est pas dans son éducation.

Aussi que voit-on ? C'est que peu de fils succèdent à leur père. Et nous nous plaignons que notre industrie n'est pas la première du monde ! Voilà un ancien ouvrier qui a mis trente ou quarante ans à créer une importante maison industrielle ; il faut de grands capitaux pour la faire marcher ; s'il veut, après une longue existence consacrée au travail, prendre un repos justement mérité, il ne trouve pas d'acheteur assez riche pour reprendre son industrie ; on liquide ou la maison tombe.

Sur dix de ces industriels, huit au moins font apprendre à leur fils tout autre chose que leur métier. La position dite libérale a seule de l'attrait pour eux. Ils veulent pour leur enfant un emploi qui le pose ; son fils lui fera plus d'honneur que s'il était comme lui travailleur industriel. Il abandonne à un autre le soin de créer à nouveau. Voilà une cause de notre infériorité.

Pour l'architecte et l'ingénieur, le besoin de connaître le métier est encore plus évident. Voyez-vous un ingénieur étudiant une machine, bonne comme principes et impossible comme exécution ? Si, dans ses études, il avait été dirigé par l'expérience [10] acquise en pratiquant lui-même, le travail aurait été complet.

Nous n'aurons donc une bonne et sérieuse organisation du travail que lorsque tous ceux qui le dirigent connaîtront, par la pratique même du métier, ses entraves et ses difficultés ; qu'ils sauront, de plus, concilier les exigences du travail avec les droits de l'humanité, et que, si pour le bon ordre de la maison ils doivent établir un règlement, il sera basé sur la justice. Mais on ne sera profondément animé de ces sentiments que si l'on a été soi-même en présence des aspirations des travailleurs.

Ces considérations suffisent pour établir d'une manière incontestable la nécessité de l'apprentissage par l'école professionnelle.

Il y a en France trois écoles professionnelles d'arts et métiers : l'une à Châlons-sur-Marne, les autres à Angers et à Aix ; il en est sorti, depuis leur création environ douze mille élèves ; nous sortons d'une de ces écoles.

Examinons les résultats obtenus par ces trois écoles professionnelles par excellence. Elles ont produit de cinq cents à mille ingénieurs ou grands industriels, nous ne dirons pas distingués, mais les plus distingués entre tous ; quinze cents à deux mille patrons de maisons qui, par leur organisation et leurs produits, soutiennent dignement l'honneur de l'industrie. Quatre mille au moins sont les collaborateurs les plus actifs et les plus éclairés des grands établissements industriels. Les autres

---

10. Nous connaissons un ingénieur d'une grande administration, qui ne se rend pas une fois l'an dans les ateliers. Ce qu'il y a de plus renversant, c'est qu'il a fait faire les études d'une succursale où on a englouti des centaines de mille francs, et qu'il n'a visitée qu'une ou deux fois en passant. Si l'on pouvait tout raconter au sujet de ce personnage, on crierait à l'invraisemblance ; cependant il passe pour un ingénieur très distingué, et pourquoi ? Parce que c'est un paperassier habile qui tourne bien un rapport. Si l'on savait combien il y en a de ces célébrités de carton !

sont dans des ateliers ou bureaux d'études, où ils complètent par la pratique, et tout en apportant leur intelligente collaboration, leur apprentissage en attendant que ce perfectionnement leur permette de suivre leurs aînés.

Voilà ce qu'elles ont produit ; qui a jamais parlé de ces résultats ?

En 1850, des représentants du peuple [11] ont osé dire que les Ecoles d'Arts et Métiers étaient inutilement trop nombreuses et qu'elles ne produisaient que des découragés. Combien le digne défenseur des écoles, M. Corne [12], est vengé aujourd'hui que la période d'activité industrielle que nous venons de traverser a permis aux élèves de montrer ce que l'on peut attendre de ces écoles professionnelles !

Tous les philosophes, les législateurs, les écrivains qui parlent de l'instruction n'ont pas l'air de se douter de leur existence ; ils ne citent que l'école professionnelle de Mulhouse qui ait atteint le but ; ils font valoir avec emphase les écoles que les grandes entreprises ont fondées : le Creusot, Graffenstaden, etc., qui sont certes une amélioration, mais incomplète au point de vue moral à cause du contact de l'apprenti et du travailleur fait. Quand en finira-t-on une bonne fois avec ces capacités plus grandes obtenues par l'apprentissage dans les ateliers [13] ?

Vous vouliez supprimer une école, parce que chaque élève coûtait à l'Etat trois mille francs ; mais vous ne teniez donc nul compte de la dignité de la France ? La nation ne regrette pas d'avoir inscrit trente à quarante millions à son budget, en soixante ans, quand elle a obtenu un pareil résultat. Prenez

---

11. Il faut les vouer à l'admiration publique, ces législateurs qui demandaient la suppression d'une partie du crédit des écoles. Les principaux sont MM. Randot, Benoit d'Azy et Berryer. (Séances des 26 avril 1850 et 26 juillet même année.)

12. M. Corne, industriel dans le département du Nord, a bravement défendu les écoles, MM. Charras et Dumas l'ont fortement appuyé.

1er vote : 358 pour le crédit réduit, 277 contre ; 635 votants.

2e vote : 210 pour le crédit réduit, 381 contre ; 591 votants.

13. Beaucoup d'hommes d'élite qui s'occupent d'écoles d'apprentissages demandent l'externat, s'appuyant sur les bienfaits de la vie de famille ; nous déclarons que, pour les enfants des travailleurs parisiens, l'externat peut seul donner des résultats sérieux.

garde qu'en lui reprochant ces quelques millions qui l'ont grandie elle ne vous demande compte de certains milliards que vous avez gaspillés pour l'abaisser.

Mais, ce qui nous confirme dans les bons résultats à obtenir des écoles professionnelles que nous réclamons, c'est que, sur les douze mille élèves il y en a au plus deux pour cent qui deviennent des sublimes.

Pourquoi ? Parce qu'on y entre à l'âge où l'homme se fait ; parce qu'un esprit de droiture et de dignité domine, que l'émulation y est vivace, et qu'une fois sortis de l'école les élèves retrouvent dans la Société amicale leurs anciens amis ; l'émulation se continue, la fraternité se pratique, l'isolement n'existe pas, les chutes sont très rares.

Et vous voudriez que nous restions indifférent en présence du sublimisme qui croît, nous qui avons profité des bienfaits des écoles et qui avons pu apprécier leurs heureuses conséquences ! Comment ! trois écoles ont fait des hommes dignes, intelligents, de fils d'ouvriers, de paysans, de marchands, de négociants et d'industriels et elles ne produiraient plus les mêmes résultats pour la génération présente ? Nous nous sommes dit : « Voilà le moyen, ce n'est pas un rêve, les résultats sont là, l'expérience est faite, il ne s'agit pas de le demander, il le faut. »

Voyons ce que l'on fait dans ces écoles qui nous serviront de types, à quelques variantes près, dans le programme des études. On y travaille environ onze heures et demie par jour ; sur ce total, sept heures sont consacrées au travail manuel ; ce n'est ni trop ni trop peu ; il ne faut pas que les jeunes gens se dégoûtent par un temps trop prolongé dans le travail manuel ; si le temps consacré audit travail était plus court, on arriverait difficilement au but de faire des ouvriers.

L'autre partie du temps est consacrée aux mathématiques, au dessin, à la grammaire, à l'écriture, à la comptabilité [14].

Et vous pensez que c'est avec un pareil programme que l'on peut faire des demi-savants et des découragés ! L'expérience démontre que cette pensée est absurde.

_____

14. L'histoire de France, non écrite par un encenseur, serait très urgente dans les écoles.

Nous avons dit que le gouvernement avait des devoirs sociaux à remplir ; le premier de ces devoirs envers les travailleurs, c'est de les instruire en les moralisant, au moyen des écoles professionnelles ; le deuxième, c'est de leur rendre la justice prompte, facile et gratuite.

Nous voudrions pouvoir nous passer du gouvernement pour arriver aux résultats que nous entrevoyons, mais, en présence de l'indifférence, et surtout du manque d'habitude que nous avons dans les questions d'entente et d'initiative, nous demandons au gouvernement ces deux devoirs.

Si ceux qui nous gouvernent, quels qu'ils soient, veulent fermer l'ère des bouleversements, il faut qu'ils entrent franchement et grandement dans la voie de l'éducation et de l'instruction [15].

Cette conviction admise, il faut au premier exercice du budget inscrire trente millions pour la création dans les environs de Paris de dix Ecoles professionnelles pour les métiers qui occupent le plus de travailleurs. Les deux premiers crédits serviront à la construction des écoles, les seconds seront applicables à la formation des apprentis. Tous les ans, le budget augmentera le crédit appliqué aux Ecoles professionnelles pour en accroître annuellement le nombre, une ou deux à la fois, soit à Paris ou dans les centres de métiers spéciaux, jusqu'à ce que toutes les industries aient leur école d'apprentissage.

Nous donnons un aperçu des dix premières écoles à fonder [16]; nous donnerons ensuite le programme d'admission et des études :

---

15. Nous ne parlons pas de l'instruction primaire ; il est trop évident que tous les enfants doivent la recevoir.
16. Cette nomenclature n'est qu'un aperçu ; certaines modifications peuvent y être apportées.

1re école professionnelle à Clichy ou à Asnières

DU FER

Division
des métiers
{
1. Ajusteurs, monteurs
2. Forgerons
3. Chaudronniers, tôliers
4. Serruriers
}

Durée de l'apprentissage : trois ans.

Etudes spéciales en dehors du programme : la cinématique, le croquis et le dessin des machines. Sciences enseignées à des doses proportionnées à l'âge des apprentis.

2e école professionnelle à Saint-Ouen ou à Saint-Denis

DE LA FONTE

Division
des métiers
{
1. Modeleurs pour la pièce mécanique, modeleurs pour la pièce d'ornements
2. Mouleurs, fondeurs
}

Durée de l'apprentissage : trois ans.

Etudes spéciales : la minéralogie, le dessin linéaire et d'ornements.

3e école professionnelle à Nogent-sur-Marne

ou à Joinville-le-Pont

DU BOIS

Division
des métiers
{
1. Menuisiers
2. Ebénistes dans le meuble ordinaire
3. Ebénistes dans le meuble de luxe
4. Sculpture sur bois et ornements
}

Durée de l'apprentissage : trois ans.

Etudes spéciales : l'essence des bois, le dessin linéaire et d'ornements.

4e école professionnelle à Charenton ou à Saint-Maur

DU BRONZE

Division
des métiers
{
1. Mouleurs, fondeurs, fondeurs de cloches
2. Racheveurs
3. Monteurs
4. Ciseleurs

Durée de l'apprentissage : trois ans.
Etudes spéciales : sur la composition des métaux employés, le dessin d'ornements.

5e école professionnelle à Boulogne ou à Meudon

DES INSTRUMENTS DE MUSIQUE

Division
des métiers
{
1. Ouvriers travaillant dans le piano
2. Instruments en cuivre
3. Instruments en bois
4. Luthiers

Durée de l'apprentissage : quatre ans.
Etudes spéciales : la musique, le dessin d'ornements et linéaire.

6e école professionnelle à Bicêtre ou à Montrouge

DU CUIR

Division
des métiers
{
1. Tanneurs
2. Corroyeurs
3. Mégissiers
4. Cordonniers

Durée de l'apprentissage : trois ans.
Etudes spéciales : sur le cuir, le tan, un peu de chimie, le dessin linéaire.

7ᵉ école professionnelle à Courbevoie ou à Suresnes

DU VÉHICULE

Division
des métiers
{
1. Charrons
2. Carrossiers en caisses
3. Carrossiers en ferrures
4. Selliers, harnacheurs [17]

Durée de l'apprentissage : trois ans.

Etudes spéciales : sur tous les véhicules anciens et modernes, le dessin linéaire et d'ornements.

8ᵉ école professionnelle à Auteuil ou à Billancourt

DU VÊTEMENT

Division
des métiers
{
1. Tailleurs
2. Gantiers
3. Chapeliers
4. Fourreurs

Durée de l'apprentissage : trois ans.

Etudes spéciales : sur les vêtements anciens et modernes, le dessin académique et d'ornements.

9ᵉ école professionnelle à Ivry ou à Choisy

DE LA BIJOUTERIE ET DE L'ORFÈVRERIE

Division
des métiers
{
1. Bijoutiers en or et argent
2. Bijoutiers en doré, en doublé et en plaqué
3. Bijoutiers en corail, en écaille et en jais
4. Orfèvres
5. Lapidaires

---

17. Cette partie se rattachant plus au véhicule qu'au cuir, nous l'avons placée dans cette école.

Durée de l'apprentissage : quatre ans.

Etudes spéciales : sur les pierres, les métaux employés, un peu de chimie, le dessin d'ornements.

10ᵉ école professionnelle à Vanves ou à Issy

DE L'OPTIQUE

Division des métiers
{
1. Lunetiers
2. Ouvriers dans l'instrument de mathématiques
3. Ouvrier dans le baromètre, le thermomètre
4. Ouvriers dans la longue vue, la jumelle, le télescope
}

Durée de l'apprentissage : quatre ans.

Etudes spéciales : la physique, cours sur la lumière, le dessin linéaire.

A côté de ces dix écoles, on peut, chaque année, compléter celles qui manquent : la lampisterie, la ferblanterie, la reliure, la gravure sur bois et sur métaux, la passementerie, la lithographie, la typographie, etc.

Voyons maintenant le programme d'admission.

Les écoles professionnelles sont gratuites, la pension et le trousseau sont aux frais de l'Etat [18].

Tout jeune Français ayant douze ans révolus au moins et quatorze au plus peut y être admis par voie de concours ; cette forme est pour le commencement.

Une commission sera chargée, le 1ᵉʳ septembre de chaque année, d'examiner les candidats, les classer par rang de mérite et déclarer leur admission.

La rentrée se fera le 1ᵉʳ octobre suivant.

Le candidat devra savoir lire, écrire et connaître les quatre règles de l'arithmétique et le système métrique. Ceux qui vou-

---

18. Nous pensons qu'un apprenti coûterait à l'Etat deux mille cinq cents francs pour toute la durée de son apprentissage.

dront être interrogés sur leurs connaissances en dehors du programme pourront le faire savoir, il leur en sera tenu compte pour le classement.

Ce programme, fort simple, peut être facilement rempli par un jeune garçon de douze ans.

Tous les instituteurs, payés par l'Etat ou privés, sont chargés de tenir un programme à la disposition des parents, qui devront, avant le 1er juillet, avoir fait inscrire leurs enfants comme candidats à la mairie de leur arrondissement.

Le programme des études sera moins élevé que celui des écoles d'Arts et Métiers ; mais pour la distribution des heures de travail et du travail il sera le même. Puisque nous avons des modèles, il est inutile d'entrer dans de plus amples détails.

Examinons d'abord les résultats que nous obtiendrions si nous avions ces dix écoles.

En premier lieu, le progrès serait lent ; ainsi les premiers élèves ne pourraient sortir que dans cinq ou six ans. A ce moment, on déversera dans la ruche parisienne mille à quinze cents jeunes gens bien commencés et en état de gagner leur vie ; ils n'auront pas la pratique aussi habile qu'un ouvrier, mais soyez certains qu'au bout d'un an ou deux il ne sera pas un ouvrier ordinaire, mais un sujet exceptionnel. Nous affirmons qu'il sera aussi fort qu'un apprenti qui aura fait le même temps dans un atelier.

Ce qui nous donne cette assurance, c'est que nous y avons passé. Tous nos jeunes camarades qui sortent des écoles d'Arts et Métiers sont capables de gagner trois ou quatre francs par jour — la journée d'un bon ouvrier est de six à sept francs. Soyez persuadé que, dans un an ou dix-huit mois, deux ans au plus, il atteindra ce chiffre, et dans quelques années il sera contremaître ; ce qui lui manquait d'habileté, de tour de main, il l'a pris aux ouvriers ses voisins, il devient aussi fort qu'eux dans le travail manuel ; il lui reste la partie scientifique, qu'il a puisée aux écoles, qui le rend supérieur à l'ouvrier qui ne connaît que le métier proprement dit.

Nous pourrions citer des milliers d'exemples à l'appui de ce fait. Tous les ans, mille à quinze cents ouvriers [19], dans

19. Le nombre ira en augmentant chaque année.

l'industrie parisienne, se perfectionnent et se terminent.

Ce qui fait progresser une partie, c'est l'intelligence de ses membres ; ainsi, au lieu de quelques rares intelligences qui font avancer la partie, le nombre s'en accroîtra, et ces mêmes intelligences qui viendront concourir à son amélioration s'appliqueront à son écoulement. Beaucoup s'établiront et réussiront, parce qu'ils auront ce qui constitue le bon patron, administration et connaissances pratiques, sans parler des associations.

Y a-t-il un métier qui réclame plus de capitaux pour s'installer que la mécanique ? Il y en a peu. Eh bien, sur les douze mille élèves sortis des Arts et Métiers, quinze cents à deux mille ont créé de bonnes maisons, et tous, ou presque tous, à la force du poignet. Où ont-ils puisé cette force ? A l'école professionnelle.

Est-ce de l'utopie cela ? S'il vous fallait des noms, il y en a des plus connus. Voilà ce qu'elles savent faire, les écoles que nous réclamons, et si la mécanique a fait des progrès les écoles d'Arts et Métiers en ont une bonne part à leur actif.

Examinons maintenant les objections ; elles sont nombreuses.

La première est la plus difficile à vaincre, c'est celle d'inscrire au budget trente millions. Mais un pays qui vit avec un armement ruineux, dont la dépense se chiffre par centaines de millions [20], armement destiné à faire exécuter les idées et les caprices d'un seul, plutôt qu'à faire respecter la nation ; un pays qui, pour une seule guerre, vote d'enthousiasme un milliard, lorsque le résultat le plus net et le moins incontestable de cette guerre est d'enlever à l'agriculture, à l'industrie, au commerce et aux arts les hommes les plus valides et les mieux constitués, pour les livrer à une mort presque certaine ; ce

---

20. *Grosso modo,* un soldat coûte au budget mille francs par an ; un apprenti coûterait deux mille cinq cents francs : mille soldats de moins, quatre cents apprentis de plus. Battrions-nous des mains si un jour nous avions une Chambre législative qui vienne dire : « Au lieu de demander cent mille hommes à la nation, nous voulons en former cent mille ; nous votons deux cent cinquante millions pour faire des hommes. Au lieu des millions de la guerre, nous votons les millions de la paix. » Dire que nous nous berçons encore de ces illusions-là !

pays reculerait devant une dépense de trente ou quarante millions destinés à assurer l'avenir de la France et à la placer, par son industrie, à la tête de toutes les nations de l'Europe !

Mais vous ne savez pas qu'avec ce milliard on aurait pu créer des masses d'écoles professionnelles et les doter pendant vingt ans, et que l'on aurait la plus intelligente et la plus morale organisation de travailleurs qui se soit jamais vue ? Ce n'est pas cette vraie gloire que veulent nos députés ; il leur faut la soi-disant gloire dont le piédestal est un monceau de cadavres. N'en avons-nous pas assez de ces grands carnassiers qui passent à la postérité avec le sang de millions d'hommes sous les ongles ? Cette gloire-là, nous la repoussons ; nous l'appelons la désolation, sinon le crime.

Vos refus, vos réticences seront vaincus, parce que la nécessité fait loi ; nous aurons dans ce siècle des écoles professionnelles encore une fois, parce qu'il le faut [21].

La deuxième objection vient de certains esprits intéressés ou étroits qui prétendent qu'un homme instruit ne veut pas travailler manuellement, que ses connaissances le portent soi-disant à des aspirations trop élevées, que l'on fait des découragés et des déclassés, et qu'alors, au lieu d'atténuer le danger, on le multiplie. Nous comprenons leur théorie parce que nous connaissons leur but. Ils veulent perpétuer leur domination ; et leurs moyens les plus sûrs sont l'abêtissement, la superstition et l'ignorance.

Non, l'école professionnelle ne produit aucun de ces fâcheux résultats. Au contraire, elle développe la raison, le jugement ; l'instruction amène l'analyse, la lumière. Alors tout ce fatras du droit divin de délégations d'en haut, d'infaillibilité de races exceptionnelles, de privilèges de naissance, croule quand on le passe à la cornue de la raison. Distillez toutes ces niaiseries, qui ont causé bien des malheurs, il ne reste plus que tyrannie, mensonge et vanité.

Oui ! nous comprenons la violence avec laquelle vous repoussez l'école. Mais celle du catéchisme, du miracle, du

---

21. Il faut que les ministères de l'Instruction publique et des Travaux publics soient ceux qui emploient la plus grande part du budget.

Domine salvum, vous ne la détestez pas ; le chapelet, pour vous, doit primer le livre.

Pour les esprits étroits, qui ne veulent pas voir la place immense que le travail a pris dans la société depuis cinquante ans et qui puisent leurs arguments dans les mœurs léguées par les siècles de corvées, d'abrutissement, où le travailleur était considéré comme une bête de somme, nous comprenons que pour ces esprits, un homme instruit ne doive pas travailler manuellement.

Heureusement que ce beau temps est passé, le parvenu n'est plus dédaigné que par eux ; devant les gens sensés, l'homme arrivé par son travail et son intelligence vous dépasse de la distance qui sépare son mérite de votre nullité, et il vous dit fièrement : « Je suis venu à Paris en sabots, j'ai créé, développé une industrie ; je suis arrivé au bien-être, à la considération, en un mot, j'ai servi mon pays. » Il y a cent ans, il aurait mendié un titre, il aurait rougi des dédains des grands ; aujourd'hui, il s'affirme, il s'en fait gloire, et malgré vous, il a votre admiration. Voilà ce qui prouve que la place du travail est bien prise.

Vous pensez qu'un homme instruit ne peut pas être ouvrier ; mais visitez des ateliers des manufactures, vivez parmi les travailleurs, et vous trouverez par centaines des travailleurs, non seulement instruits, mais capables de vous embarrasser, sinon de vous clouer, sur une infinité de questions qu'ils connaissent très bien. Ils sont aujourd'hui des centaines ; avec les Ecoles professionnelles, ils seront des centaines de mille.

Voilà le fait heureux, à moins que cette instruction ne vous déplaise et ne nuise à votre considération, échafaudée sur des privilèges qui protègent votre nullité et votre paresse.

Dans le siècle du travail, il faut des preuves et du mérite pour être considéré ; le temps des courbettes, des intrigues et des protections s'évapore.

Dans le siècle du travail et de la justice, on n'est pas grand parce qu'on descend des Montmorency ou des Rohan, on est grand quand on est l'enfant de ses œuvres, on est grand quand on s'appelle Washington, Rousseau, Watt, Voltaire, Galilée, Raphaël, Lamartine, Parmentier, Hugo, Jenner, Arago ou Jacquart, etc. Voilà des majestés que nous reconnaissons et devant lesquelles nous nous inclinons ; mais, devant vos grandeurs de pacotille, nous n'avons plus que le rire. Avouez que cette galerie des souverains du peuple répond dignement à vos galeries d'omnipotents, de sabreurs et de dévots dont vous proclamez si hautement la gloire, et de l'apologie desquels vous saturez l'intelligence de nos enfants.

La troisième objection vient des industriels, qui pensent que les produits fabriqués dans les écoles pourront leur faire concurrence. L'exemple des congrégations et des prisons leur servent de point d'appui.

La première réponse à donner, c'est que les élèves n'ont point pour but la grande production, but des prisons et des congrégations. Les élèves doivent apprendre à faire manuellement le métier auquel ils se destinent, et nous pensons que les produits d'un enfant de treize à quatorze ans, qui n'a jamais travaillé, ne doivent pas valoir grand-chose. Ensuite, peu encombrants, ce ne sont pas des ateliers de production, mais des écoles. Ainsi le produit des écoles d'Arts et Métiers, qui nous servent de modèle, s'élève à quelques centaines de mille francs ; la mécanique fait un milliard d'affaires par an, c'est une goutte d'eau dans un tonneau ; l'objection n'est pas sérieuse.

On ne manquera pas de nous dire : « Vous voulez appliquer une part du budget à créer des écoles professionnelles pour l'industrie, et plus des deux tiers de la nation est agricole. » L'objection n'en est pas une, bien sérieuse du moins.

D'abord, les écoles professionnelles industrielles sont ouvertes pour tout le monde, pour les laboureurs comme pour les artisans. Si un cultivateur veut lancer son fils dans l'industrie, il saura où l'envoyer pour ne pas en faire un sublime, mais un ouvrier. Ensuite, les écoles industrielles sont un commencement, il en faudra pour l'agriculture ; il y en a déjà, il en faudra davantage, ceci ne peut pas faire de doute, et dans cette question moins que dans toute autre.

Maintenant, si l'industrie du pays prospère, est-ce que le laboureur ne s'en ressent pas ? Est-ce que le bien-être d'un côté ne réagit pas sur l'autre ? Est-ce que le produit façonné ne fait pas écouler le produit brut ?

L'équilibre se fait, c'est incontestable. Nous avons parlé de l'industrie parce que nous la connaissons ; nous avons vu le mal qui la rongeait, nous exposons ce qui nous semble un bon remède pour la guérir.

Dans notre dernier chapitre, nous vous ferons voir que la question agricole est liée pour ses progrès et sa solution à la question industrielle, et que le succès de l'une assure celui de l'autre.

L'école professionnelle, voilà le merveilleux commencement ; mais, pour les résultats obtenus, la Société amicale des anciens élèves les a complétés et stimulés.

A l'école, l'émulation est vivante pour la meilleure place à la sortie ; dans la Société amicale, elle se continue pour une bonne position : les exemples des camarades, les conseils, les appuis des aînés vous tiennent là, militant. Il faut dire toute la vérité, les résultats n'auraient peut-être pas été aussi grands ni aussi rapides sans le fraternel complément de la Société amicale.

Tous les samedis, on vient après son travail, on voit les amis, on parle de ses travaux, on apprend ce que les autres font ; on est heureux, quand on obtient de l'augmentation ou la confiance de son ingénieur, de son patron ou de son contre-maître, de le raconter ; ces petits succès amènent des félici-tations, ça rend plus actif ; la bonne plaque de fondation que l'on a prise à l'école se solidifie et soyez persuadés que ce qui sera édifié dessus sera solide.

Comme ces bienfaisantes fréquentations vous donnent du nerf : « Comment, un tel est arrivé et je n'arriverais pas ! » Et dans les défaillances, comme on se redresse : « Je descends, mais que dira tel ou tel ? je n'oserai plus me présenter au cercle, mes amis me refuseraient la main ; non, il ne faut pas que je tombe. » Prenez le travailleur dans son isolement actuel, il descend avec indifférence, ce puissant levier amical lui man-que, il marche sur sa dignité comme sur sa conscience.

Aussi, une des principales conditions de réussite des écoles que nous réclamons, c'est que les élèves à leur sortie doivent constituer immédiatement une Société amicale, où ils conti-nueront les bonnes relations puisées à l'école.

Voilà pour l'effet moral de l'individu. Voyons, vis-à-vis de la famille, les conséquences. Prenons un fils de sublime simple : le voilà parti de l'école et admis comme ouvrier dans un atelier ; il rentre le soir dans la famille, l'exemple du père est mauvais ; lui, qui a pris d'autres habitudes, en est touché, il est comme un moralisateur ; le père qui en est fier, le craint ; ça fait de la peine à son garçon quand il se *pocharde,* la mère est heureuse quand, le samedi soir, elle le voit se disposer à aller à la réunion de ses anciens camarades ; avec quelle joie elle dit à sa voisine : « Voyez-vous, notre Etienne, c'est un garçon comme il faut. » Le dimanche, il se promène avec ses sœurs, il instruit son jeune frère, ou bien toute la famille l'écoute raconter ce que l'on fait à l'école, ce que deviennent ses camarades, ce à quoi il pense arriver, il a du prestige sur eux ; aussi, s'il dit à son père : « Veux-tu que, dimanche, nous allions à l'exposition ? » celui-ci est fier de son fils, il l'accompagnera.

Nous citons un exemple : un sublime simple travaillait dans un atelier comme forgeron, son fils était à l'atelier comme ajusteur ; le jeune garçon, fort intelligent, bonne nature, fut pris en amitié par le patron qui le mit au dessin et en fit son contremaître au bout de quelque temps. Pendant cet intervalle, son père avait quitté et était allé travailler en province ; il revint, au bout d'un certain temps, se mettre sous la direction de son fils. Le sublimisme avait fait des progrès et la gêne était à la maison ; six mois après cette reprise, le fils était allé demeurer avec ses parents, et le père était devenu un ouvrier. Qui avait opéré cette transformation ? Le fils qui s'était fait l'ami de son père : tous les dimanches, ils sortaient ensemble, et nous pouvons vous assurer que la journée et la soirée ne se passaient pas devant le comptoir. Un jour, nous entendions le père nous dire qu'il avait passé quatre heures de sa journée du dimanche au Conservatoire des arts et métiers.

Nous ignorions sa transformation, un léger sourire avait accueilli sa narration, il devina notre pensée et nous dit : « Vous riez parce que vous croyez que c'est comme dans le temps ; c'est fini, maintenant. La mèche pour percer le trou de la persévérance est forgée ; demandez plutôt à l'ami Mastoc que voilà. » Mastoc nous dit : « C'est vrai, son Eugène y a acheté et payé une conduite. » Cet exemple nous a souvent fait réfléchir aux bonnes conséquences produites dans une famille par l'élévation d'un de ses membres.

Oui, nous avons une foi ardente dans la solution du problème social ; notre conviction inébranlable est que l'Ecole professionnelle est le premier, l'indispensable et le plus solide commencement. Si, depuis vingt années, nous avions eu ces écoles, que de milliers de travailleurs y auraient puisé ce bon commencement, cette solide éducation, les travailleurs de 1870 seraient méconnaissables. Non seulement l'organisation du travail serait près de s'achever, les droits, les devoirs des travailleurs seraient déterminés, mais encore le travail, les progrès, les améliorations, les débouchés se seraient développés dans une proportion énorme.

Comptez le nombre des ouvriers que nous aurions pu faire avec ce que nous ont coûté l'expédition de Rome et son entretien ; à raison de deux mille cinq cents francs par ouvrier, nous aurions presque achevé notre éducation. N'est-il pas pénible de voir dépenser les fonds publics, pour recevoir en pleine figure l'outrage et le mépris ? Il est vrai que c'est en latin ; les coups de lanières du *Syllabus* sont mérités.

Mêlons-nous de ce qui nous regarde.

Plus l'outillage est perfectionné, mieux le travail se fait et plus économiquement.

Plus les producteurs sont intelligents, plus ils sont aptes à trouver des débouchés à leurs produits.

Les écoles professionnelles sont les ateliers où l'on fabriquera les outils pour résoudre la question sociale.

3. Les syndicats

Nous venons de donner le moyen de faire des ouvriers, nous allons examiner ce que les travailleurs actuels doivent faire.

Grouper, unir les travailleurs d'une même partie, est un moyen pour éclairer et résoudre les questions qui les intéressent ; ils l'ont bien compris.

Nous avons à Paris, en 1870 : trois ou quatre cents sociétés coopératives de consommation, plus de cent sociétés coopératives de production — deux cents sociétés d'épargne et de prêts mutuels — une soixantaine de sociétés de résistance ou de solidarité — soixante chambres syndicales d'ouvriers — et beaucoup d'autres groupements, bibliothèques populaires, cercles d'enseignements, etc.

La chambre fédérale est une création qui devra toutes les unir. Certes, voilà un bon commencement qui a eu déjà de bons effets, très utiles pour les travailleurs intelligents, qui ont compris que dans l'entente seule était le moyen d'améliorer la position.

L'Etat providence a voulu se mêler des syndicats, afin d'avoir, comme d'habitude, la haute main sur tout ; mais, comme les travailleurs n'aiment pas le collier, ils se montrèrent très réservés pour l'initiative gouvernementale. Ils préférèrent s'organiser eux-mêmes ; ils n'aiment pas voir l'Etat fourrer le nez dans leurs affaires, ils ne réclament qu'une chose : la liberté.

Nous aussi, nous avons pensé que ces unions devaient, pouvaient aplanir beaucoup de difficultés préjudiciables aux deux parties en présence dans le travail. Non, le patron n'est pas un ennemi, ce n'est le plus souvent qu'un travailleur plus intelligent que les autres ; ceux qui prêchent la désunion, ceux qui croient se grandir en rabaissant les autres sont des sublimes et rien d'autre. Ceux qui procurent le travail et ceux qui l'exécutent doivent être unis. Il est très logique que ceux qui l'exécutent veuillent le donner le plus cher possible et, réciproquement, ceux qui le procurent cherchent à l'obtenir le meilleur marché.

Cet antagonisme produit les grèves. Voyons d'abord si elles profitent à ceux qui les font et à ceux qui les subissent ; évidemment non. Le travailleur sans ouvrage, c'est la gêne, la misère au logis. L'atelier fermé, c'est la perte, sinon la ruine ; la grève est donc un mal.

Comment fait-on une grève ? Les travailleurs d'une partie trouvent que les travaux, ou le prix de la journée, ne sont pas assez payés, ils chargent trois ou quatre d'entre eux d'aller trouver le patron et de lui soumettre leurs prétentions ; certes, c'est le plus élémentaire des droits. Après discussion, le patron, qui a le droit de refuser, en use ; alors la grève est commencée. Chacun croit avoir la justice pour soi. Ils aiment donc mieux souffrir que de s'entendre.

La même chose aurait-elle lieu s'il existait dans toutes les parties des syndicats de patrons et d'ouvriers ? Prenons une partie quelconque, les menuisiers par exemple ; il est admis que chaque ouvrier devra fournir ses outils, habitude ancienne du métier. Entre eux, ils conviennent que c'est un abus, et ils ne veulent plus les fournir. La réclamation est très juste, on désigne un atelier, le plus important par exemple, et les délégués vont trouver le patron, qui refuse d'abord. Pourquoi ne s'entendent-ils pas ? C'est que les délégués ne peuvent pas faire des concessions, ils sont engagés : tout ou la grève. Par contre, le patron s'entête, et les deux parties y apportent de la passion ; ce n'est donc pas le moyen de s'entendre.

Avec les syndicats, la question prendrait une tout autre tournure. Le comité du syndicat des ouvriers stipulerait la demande au syndicat des patrons ; deux commissions, composées d'un même nombre de membres, en formeraient une qui serait chargée d'examiner le pour et le contre. Dans une masse de faits, ces commissions aplaniraient des difficultés ; mais, dans les questions importantes, elles ne seraient pas d'accord, c'est certain. Alors la commission exposerait la question devant le grand conseil des prud'hommes, et leur décision serait acceptée.

Malgré les intérêts différents, en face des membres de cette commission, l'entente serait plus possible, parce que, la mesure à prendre n'étant pas imposée, la passion serait moins vive, l'entente pourrait se faire.

Quelques journalistes avaient proposé de soumettre les différends des grèves au conseil des prud'hommes ; nous ne sommes nullement de cet avis, malgré la compétence des prud'hommes pour les questions générales concernant le droit ou leurs parties propres. Nous pensons que la grève, qui a souvent pour base une question concernant le métier proprement dit, sera mieux examinée par une commission composée de membres de cette partie. Ce que l'on doit faire, c'est prendre les prud'hommes comme tribunal de dernier ressort, qui statuerait, si la commission n'avait pu arranger l'affaire. Mais, avant tout, c'est aux commissions des syndicats de patrons et d'ouvriers de la partie à chercher à résoudre le différend. Les prud'hommes seraient appelés après.

Les grèves, sans les passions vives qui sont la conséquence de la manière de les exécuter, peuvent presque toutes être évitées. Encore une école que les travailleurs doivent faire.

Nous citions la réclamation des menuisiers : les ouvriers prétendaient avec raison que, dans aucune partie où l'outillage est un peu considérable, les ouvriers ne fournissent leurs outils ; qu'ils ne contractaient vis-à-vis du patron d'autre obligation que celle d'échanger leur travail purement et simplement contre un salaire convenu. Du reste, c'est le patron, presque toujours, qui supporte les conséquences de cette résistance à la demande des ouvriers. L'un d'eux nous disait un jour : « Le patron croit qu'il ne paie pas pour les outils que nous avons, mais les trois quarts sont faits en *perruque*[1] dans la boîte, ils lui reviennent plus cher que s'il les fournissait », ce qui est vrai, à part les fers et les lames. Le travailleur prend le bois et fait son outil au compte de la maison. S'il est aux pièces, il remet son désir pour le moment où il sera à la journée. Le chef d'établissement, qui ne paie pas les outils, croit qu'ils ne lui coûtent rien. Ça passe dans le total des journées. De son côté, le patron compte sur l'embarras du déménagement des outils (il y a des ouvriers

---

1. *Faire une perruque* : c'est faire un outil pour soi.

qui en ont une charretée), pour retenir le compagnon chez lui.

Faites donc faire une grève, pour de pareilles résistances.

Nous savons bien que certaines réclamations sont absurdes : n'a-t-on pas vu des travailleurs demander le droit de déterminer le nombre des apprentis ! Ils croyaient sincèrement que c'était un moyen de faire augmenter leur salaire. C'est tellement attentatoire aux principes de liberté qu'ils vocifèrent qu'on ne discute pas de semblables prétentions. Ils veulent vous imposer le droit de faire chez vous ce qu'il leur plaira, ils nommeront vos contremaîtres, détermineront le nombre de vos apprentis, pourvu qu'ils ne veuillent pas vous donner votre prêt. Partisans de la sainte liberté et du droit, ne soyez pas si pressés ; quand vous serez en association, vous pratiquerez tout cela comme vous l'entendrez. En attendant, admettez que ceux qui sont à la tête des ateliers, et seuls responsables, ont au moins la faculté de les diriger comme ils l'entendent, et qu'ils ont des droits qu'il faut un peu respecter pour être juste ; ne trouvez donc pas mauvais que les patrons s'organisent à leur manière, pour ne pas se faire *passer en lunette*.

Pensez-vous que de pareilles prétentions, discutées par les commissions des chambres syndicales, n'auraient pas été éliminées, et que les demandes justes qui accompagnaient ces propositions et qui ont été repoussées n'auraient pas été admises ? Certainement si.

Si toutes les parties avaient des chambres syndicales (nous pensons qu'elles en auront bientôt toutes), il y aurait, suivant nous, de très bonnes mesures à prendre.

Nous tenons à en exposer une au sujet du livret ; nous la donnons sans autre prétention que celle de la croire capable de bons résultats [2].

Le livret de police actuel doit être supprimé, les affaires de travail n'ont rien à voir avec la police. Ceci bien entendu, examinons si le livret certificat que nous proposons ne serait pas d'un bon effet.

Quand vous embauchez un travailleur, vous lui demandez

---

2. Cette question, quoique très secondaire, a un but assez sérieux au point de vue du travail et surtout des travailleurs, pour que nous ne nous occupions pas des objections des purs, qui pourront nous rappeler le bon vieux temps des jurandes, des maîtrises, etc.

chez qui il a travaillé, combien de temps il est resté dans les maisons qu'il vous désigne. Si c'est un sublime, il vous dira souvent des mensonges ; mais, si c'est un ouvrier, il saura bien vous dire : « Voyez les signatures de mon livret, elles ne sont pas nombreuses ; j'ai fait trois ou quatre maisons au plus, en six ou huit années. » L'examen vous confirme que vous avez un travailleur d'ordre et de mérite devant vous ; vous pouvez lui confier de la besogne ; vous en aurez toute satisfaction.

Mais, si vous embauchez le sublime sans livret, d'abord vous ne savez pas qui il est ; certes, cette réflexion a bien sa valeur dans les travaux où les pièces à façonner sont coûteuses et où la matière est de haut prix. Il nous semble qu'il est rudimentaire de connaître, soit par des amis, soit par un certificat, soit par son livret, la personne que vous embauchez ; ce que nous demandons, c'est une pièce qui fera disparaître ces inconvénients.

La chambre syndicale d'une partie délivrerait à tous les membres de la partie, sur la présentation de deux parrains faisant partie de ladite chambre, un livret-certificat dont nous donnons un modèle :

CHAMBRE SYNDICALE DES **FORGERONS** Rue. . . , , Nº. . . ——— MARTIN (PIERRE-JEAN) FORGERON Né à Paris (Seine), le 15 janvier 1832. Paris, le 17 décembre 1869. Le Président de la Chambre, **X.**	*(CHAMBRE SYNDICALE DES FORGERONS — cachet)* *Entré le.* . . . . *Sorti ce jour* . . . . *Paris, le.* . . . . (Signature du patron.) ——— *Entré le* . . . . *Sorti ce jour* . . . . *Paris, le* . . . . . (Signature du patron.)

Sur la première page, l'en-tête donne l'adresse de la chambre syndicale ; plus bas, le nom du travailleur, le lieu et la date de sa naissance, sa profession et la date de la délivrance du livret-certificat ; les autres pages porteraient deux entrées et deux sorties chacune, le timbre de la chambre serait placé sur toutes les pages, qui seraient numérotées. A l'entrée, le patron porterait la date, sa signature et son cachet ou son adresse ; il rendrait le livret au travailleur, qui viendrait le faire signer à sa sortie.

Quelles seraient les conséquences de cette mesure, c'est que l'inspection du livret vous dirait à qui vous avez à faire, et le temps que l'ouvrier reste ordinairement dans les ateliers vous fixerait. La chambre syndicale des patrons inviterait tous ses membres à l'exiger.

Le livret-certificat servirait aux ouvriers, mais ne serait pas très agréable aux vrais sublimes qui changent souvent d'atelier. Comme le livret ne pourrait être exigé que moralement, ceux qui n'en auraient pas seraient facilement jugés.

Si les patrons, de concert avec les ouvriers, prenaient cette salutaire mesure et qu'ils tinssent à son exécution, on aurait bien vite raison de ces coureurs d'ateliers, qui en sont la lèpre et qui n'ont d'autre excuse que leur sublimisme pour expliquer leurs changements [3].

Outre les bons résultats, pour les questions de travaux, les chambres syndicales peuvent donner des facilités aux travailleurs pour se procurer de l'ouvrage.

Quand un patron aurait besoin d'un travailleur, il écrirait à la chambre syndicale, et celle-ci indiquerait le nom et l'adresse des ouvriers sans travail qui préalablement seraient venus se faire inscrire.

Les assemblées générales annuelles, pour la nomination du comité et les discussions des questions à l'ordre du jour, dans les réunions bi-mensuelles, initieraient le travailleur à la ma-

---

3. Mais, nous dira-t-on, c'est une organisation pour créer des suspects, c'est affreux. Avec le livret actuel, on le fait. Pensez-vous que, si la mesure avait été bien suivie par tous les patrons, beaucoup de travailleurs qui sont devenus sublimes le seraient aujourd'hui ? Non. Quand le sublimisme aura disparu, le livret disparaîtra ; jusque-là, avec le travail comme nous l'avons, il est utile.

nière de traiter et de résoudre les questions qui le concernent ;
il verrait qu'il ne s'agit pas de déblatérer contre des mesures
prises, mais qu'il faut les approfondir [4].

Nous devons faire suivre ce chapitre de quelques réflexions
qui nous ont paru nécessaires.

Avec les chambres syndicales, on arrivera à l'entente pour
toutes les questions en litige entre les patrons et les ouvriers,
sans avoir besoin de recourir à cette nuisible chose, la grève.
Mais, pour l'entier succès de cette entente, il faut des chambres
syndicales non seulement à Paris, mais dans toute la France.

Les syndicats doivent être, pour les travailleurs faits, non
pas la société secrète des régimes passés, où l'on élaborait les
moyens de prendre l'Hôtel de Ville, le Palais de justice ou les
Tuileries, mais la société au grand jour où on composera le
picrate pour faire sauter le sublimisme. Tous les membres d'une
partie doivent être titulaires de leur syndicat, ils doivent tous
être compagnons du devoir, de l'entente, de la lumière et du
droit ; en 1870, on ne conspire plus que pour cela. Plus d'initiés,
plus d'épreuves, plus de profanes, tous unis ; les syndicats doivent être la franc-maçonnerie des travailleurs.

Dans une étude sur les travailleurs, il est nécessaire de parler
de deux sociétés tolérées (tolérance qui n'est autre chose que le
grappin gouvernemental, système connu) qui ont une certaine
influence bienfaisante sur les travailleurs qui en font partie :
c'est la franc-maçonnerie et le compagnonnage ; l'une s'occupe
des questions élevées, l'autre entre plus dans les questions
techniques ; la fraternité est la base des deux. Nous ne faisons
partie ni de l'une ni de l'autre ; nous pourrons donc en parler
en toute franchise.

Les hommes de cœur entrent dans une société fraternelle
plutôt pour rendre des services à leurs semblables que pour en
recevoir. Il y a cinquante ans, nous aurions désiré faire partie
de la franc-maçonnerie, aujourd'hui que le progrès acquis permet de rendre les mêmes services, nous pensons que bien des

---

4. La nuance est tellement sensible entre un travailleur qui fait partie
d'une société quelconque et celui qui vit isolé que nous engageons les
penseurs les plus solitaires à s'entretenir cinq minutes avec un travailleur ;
nous sommes certains qu'ils ne s'y tromperont pas.

dévouements peuvent se produire sans passer par quelques formes qui, quoique naïves et insignifiantes, répugnent à beaucoup. Un bataillon d'élite voudrait modifier profondément ce qui peut froisser et empêcher, comme ils le disent, la franc-maçonnerie de tomber sous « la conspiration du ridicule ». Nous n'avons pas à nous occuper de savoir si la société, se débarrassant de ces formes, serait finie, mais bien de savoir si elle rend des services aux travailleurs. Oui, la franc-maçonnerie rend de sérieux et bons services à l'ouvrier qui en fait partie : elle dissipe les brouillards de son intelligence, elle lui apprend à discuter, à analyser ; elle supprime l'isolement, elle le place dans le cercle de l'attraction, ce grand aimant qui doit solidariser toutes les molécules sociales. Oui, elle en fait un citoyen. Voilà pourquoi elle a toutes nos sympathies les plus sincères. Mais, nous direz-vous, le nombre des travailleurs qui en font partie est bien faible relativement, c'est plutôt une société bourgeoise. De plus, la maçonnerie ne recevra que les ouvriers et laissera en dehors de ses bienfaits le gros boulet de soixante pour cent de sublimes. Certes. Mais nous voyons le rôle de cette société d'une autre manière pour la grave question qui nous occupe. Supposez que, dans le syndicat d'une partie, il y ait dix ouvriers francs-maçons. Eh bien, ceux-là qui savent discuter dirigeront l'assemblée et formeront les autres à cette difficile école pour les travailleurs, celle de savoir écouter et analyser. La franc-maçonnerie doit faire tous ses efforts pour s'adjoindre beaucoup d'ouvriers, qui seront dans les syndicats les instructeurs des autres. Voilà une mission réelle et salutaire.

Le compagnonnage touche plus directement notre sujet. Nous ne voulons pas entrer dans l'examen des luttes, souvent terribles, que se livraient les enfants de Salomon de maître Jacques et Soubise, les aspirants et compagnons ; mais nous voulons examiner le bon appoint que doivent nous apporter les compagnons pour nos sublimes ; car eux aussi n'en veulent pas : il faut être travailleur d'élite pour être reçu, on ne confie le Devoir qu'à des hommes droits et dignes. Le compagnonnage d'il y a une quarantaine d'années pratiquait la solidarité partielle, tous les *devoirants* étaient frères entre eux, les *gavots* frères entre eux ; mais les compagnons du Devoir exécraient

les compagnons du Devoir de Liberté ; les bons drilles repous-
saient les renards de Liberté ; des haines implacables et très
enracinées existaient parmi les travailleurs d'une même partie,
même chez les plus sages. Quand on pense qu'Avignonnais la
Vertu, cet homme de cœur et d'élite qui a passé sa vie pour
amener l'union de tous les compagnons, n'a pu se débarrasser
complètement de ce vieux levain (nous venons de lire sa
réfutation du livre de François le Dauphiné), que M. Agricol
Perdiguier le prenne en bonne part ; eh bien, sous ces arguments
on retrouve le *gavot*. Il est vrai que M. Chovin le combat en
devoirant acharné. Que deviennent ces petites questions en présence de cette vaste association, l'union de tous les travailleurs
par les syndicats ?

Que de bonnes choses dans le compagnonnage ! Quelle bonne
école l'aspirant fréquentait ! Comme il redressait celui qui dé-
viait ! Et dans le travail le patron était forcé, en présence de
l'union, de respecter la justice ; mais, par contre, il trouvait
aussi appui contre les membres qui le lésaient, le droit et le
devoir étant exécutés. Ce que nous réclamons n'est pas autre
chose que ce que le compagnonnage pratiquait d'une manière
exclusive et même égoïste ; nous le demandons pour tous. Tout
en étant compagnon, que le travailleur soit du syndicat de sa
partie ; ouvrez le cercle de vos bienfaits ; ces pauvres sublimes,
il ne faut pas les exclure, ils sont aussi des frères qui, plus
que tous autres, ont besoin d'être soutenus, éclairés, je dirai
mieux, *éclissés* par les camarades.

Nous ne savons quel est le nombre des compagnons, mais
nous serions heureux de les voir déteindre par le syndicat sur
leurs camarades d'atelier.

Voilà le rôle social et fraternel que ces deux sociétés peuvent remplir dans la question sociale ; il excuserait les quelques
reproches dont on les accuse. Nous savons que cette question
a été sous le maillet de quelques loges. Puisse-t-elle aboutir !
Nous le désirons sincèrement.

En politique, changer les hommes qui dirigent, c'est peu, il
faut que le peuple, ce grand lapidaire, meule ce diamant qu'on
appelle l'administration, cette inertie, puissance énorme qui
a vaincu les plus absolus. On nous a raconté que l'empereur,
lors de sa visite à la Croix-Rousse, à Lyon, décida que les forti-

fications seraient rasées. Un des membres de la camarilla, qui connaissait la lenteur des procédés administratifs, avait prévenu les canuts. Ceux-ci, munis de pelles et pioches, firent, séance tenante, une tranchée ; sans cette énergique mesure, ils auraient sans doute attendu des années.

Et nos braves marins, lors de la campagne de Crimée, qui prétendaient que les vaisseaux de l'Etat étaient faits pour les combats et non pour transporter les troupes ! Et le premier coup de pioche dans le Champ-de-Mars, pour l'installation du bâtiment de l'Exposition de 1867, a-t-il été long à venir ? A-t-on dû enchemiser des dossiers, compulser des lois, ouvrir des tiroirs et des cartons, épingler des notes, retrouver des circulaires ? C'est à en donner la fièvre. Y a-t-il quelque chose de plus renversant que ces empêchements déterrés pour empêcher la construction d'un deuxième chemin de fer dans le bassin de la Loire ?

Vous pouvez changer les hommes, si vous ne changez pas le piano administratif, vous aurez toujours les mêmes airs. Voilà où il faut toucher pour la question politique ; pour la question sociale, c'est sur le sublimisme, cette mauvaise matière première, que les syndicats doivent travailler.

Voyons comment les choses se passent. Voici une partie bien organisée à Paris ; le syndicat propose une augmentation de salaire, la seule prétention légitime du travailleur ; l'article fabriqué dans cette partie se fait aussi en province. Il est évident que, si vous en augmentez le prix de revient à Paris, vous tuez cette partie, à l'avantage des fabricants de province ; alors vous avez le chômage pour les ouvriers parisiens ; au lieu d'être un avantage pour eux, c'est un mal. Mais si dans le centre provincial concurrent il existe un syndicat qui se trouve en rapport avec le syndicat fédéral, qui ne doit être en somme qu'une commission d'union chargée de coordonner les besoins de tous les autres, en même temps qu'une augmentation sera réclamée à Paris, elle le sera aussi dans ce centre ; les positions respectives restant les mêmes, la mesure sera bienfaisante pour les travailleurs. Voilà pour le pays. Mais l'étranger, nous dira-t-on, viendra vous inonder de ses produits parce que la main-d'œuvre chez lui est meilleur marché. L'objection a été depuis longtemps prévue et résolue par le moyen que nous préconisons. Le système fédéral international composé de délégués des syndicats fédéraux étrangers fonctionne, et son but tout démocratique est fort bien tracé : équilibrer les salaires de façon que les prix de main-d'œuvre ne puissent avantager les uns au détriment des autres et n'admettre que la supériorité dans les moyens de production et la facilité de se procurer les matières. Une nation qui aura ces deux éléments possèdera la seule, légitime et juste supériorité ; mais, si elle la doit à l'avilissement du prix de main-d'œuvre, elle éteint chez elle l'initiative tout en nuisant aux autres.

On nous dit que l'Internationale est devenue une machine politique, qu'au lieu de conserver sa vraie mission, les assises du travail, elle est l'instrument des passions politiques, et même l'agent de l'aristocratie anglaise pour organiser les grèves dans les centres industriels qui lui font concurrence. Nous ne savons si ces accusations sont justifiées, nous n'y avons vu qu'un grand et puissant moyen qui, pratiqué dans le sens que nous le comprenons, donnerait de bons et sérieux résultats.

Ces grands et démocratiques moyens ne sont pas à l'état de projet, ils sont commencés ; oui, là est le contrepoids sérieux que les libres-échangistes auraient dû aider, pousser et développer pour éviter les ruines imméritées qui ont été la conséquence du traité de commerce, cet acheminement vers le libre-échange, cette justice.

Pourquoi notre gouvernement providence ne les a-t-il pas pris en main, ces salutaires moyens ? Parce qu'il sait bien qu'une fois groupés les travailleurs seront la citadelle où s'abriteront le droit et la justice, et qu'avec de pareils défenseurs unis ils seront imprenables.

Les chassepots sont bien forts, mais il y a quelque chose de plus puissant que les chassepots, c'est le droit.

Que dit-il, le droit ? Il repousse les privilèges, il ne reconnaît que le talent et le mérite, parce qu'il est la justice.

Aveugles ceux qui ne voient pas que les questions sociales sont en ébullition, qu'il faut s'en occuper, et que tous les citoyens doivent y apporter leur concours et leurs lumières.

Si, au contraire, vous voulez l'étouffer, faire comme ces personnages qui, ne voulant pas se donner la peine d'étudier une question et formant leur opinion sur quelques phrases stupides débitées par quelques communistes, demandent qu'on en finisse avec tous ces utopistes (réflexions aussi égoïstes qu'abominables), savez-vous ce qui arriverait si vous pouviez réussir ? Vous n'auriez pas résolu le problème, vous l'auriez compliqué.

Le gouvernement de Décembre est sorti de la légalité pour se donner le droit de sauver la France. Il y a bientôt vingt ans de cela. Quel pas a-t-il fait faire à la solution du problème social ? Consultez-vous, et examinez la situation que vous créerait la mort de l'empereur qui devait tout sauver. Eh bien, vous auriez la *sarabande* [5] dans la rue, les sublimes seraient là avec les aspirations que vous connaissez. Sauraient-ils écouter la voix de la justice ? Non ! et la situation serait plus mauvaise qu'avant. Vous n'avez donc rien sauvé.

La France a subi ce gouvernement de dépenses, de militaires, de chambellans et de moines pour se retrouver après vingt ans en présence des mêmes questions. Pourquoi ? Parce que vous avez cru pouvoir étouffer la question sociale. On n'essaie pas de supprimer un fleuve, on endigue ses rives, on creuse son lit afin d'éviter les inondations. Les révolutions sont comme les inondations, elles sont terribles et bienfaisantes. Avec le suffrage universel vrai, il n'en faut plus, elles seraient des reculements. Les moyens de les éviter, ainsi que les guerres, ces lèpres du vieux monde, c'est de pousser les travailleurs dans ce groupement colossal dont la première pierre est le syndicat partiel.

Voyez-vous un million d'Anglais, un million de Français, autant d'Allemands, Italiens, etc., liés solidairement par le syndicat international, constituant une formidable association pour délibérer et juger les questions du travail ! Nous concevons très bien que les monarques s'émeuvent d'une pareille puissance — il pourrait se faire qu'elle ne s'occupât pas exclusivement du travail —, ils ne pourraient pas aussi facilement déclarer la guerre, cette sanglante comédie qui sert à les poser ; les soldats du travail pourraient jeter leurs outils dans la balance ; les récoltes de gloire seraient moins fréquentes, et les peuples ne s'en plaindraient pas.

Admettez dans votre pensée les syndicats composés de tra-

---

5. Les sublimes et le fond de la cuvette.

vailleurs sortis des écoles professionnelles ; on n'a pas besoin d'être prophète pour prédire la solution du problème.

Les travailleurs groupés et instruits, c'est le blindage de la société contre les boulets de l'arbitraire d'en haut et d'en bas.

C'est dans le syndicat que l'embryon de l'association se formera. Quand les travailleurs auront appris à examiner, que les plus intelligents les auront formés à leurs devoirs et éclairés sur leurs droits, qu'ils sauront s'étayer, ils seront bien près d'atteindre par l'association ce but si nécessaire, la possession.

Que tous les possesseurs actuels, que la peur rend injustes et quelquefois féroces, se donnent la peine d'étudier les questions sociales, ils se convaincront qu'à côté de quelques énergumènes qui se font les apôtres de théories malsaines il y a des applications justes, possibles et salutaires.

Le peuple est un grand enfant qui bégaie ses besoins, il les fait sentir grossièrement, brutalement, quelquefois avec haine et colère ; ces besoins sont légitimes, il faut que les aînés lui fassent son éducation et ne le laissent pas croupir dans son ignorance. Mais, si vous ne voulez pas vous en occuper, et que vous pensiez qu'avec la force seule vous en aurez raison, un beau jour vous apprendrez que vous étiez sur un volcan ; vous n'aurez pas assez d'imprécations pour flétrir ce terrible et maladroit adolescent qu'on appelle le peuple.

Tout le monde à la question sociale, et l'ère des bouleversements sera fermée.

4. Les prud'hommes

Les syndicats que nous venons d'examiner sont un puissant moyen pour l'élucidation des questions, et ils permettront, quand les travailleurs sauront s'en servir et tiendront à en faire partie, d'éviter la grève, cette lèpre de la désunion. Avec les syndicats bien compris, on pourra organiser les ateliers sur les bases du droit et de la justice par l'entente réciproque des patrons et des ouvriers.

Pour juger les différends actuels, il existe une institution démocratique s'il en fut ; elle doit être conservée et améliorée pour faciliter aux travailleurs la connaissance de leurs droits. C'est le conseil des prud'hommes.

Les conseils des prud'hommes ont été constitués pour terminer, par la voie de la conciliation, les différends qui s'élèvent journellement soit entre les fabricants et leurs ouvriers, soit entre des marchandeurs, chefs d'ateliers, compagnons ou apprentis. Les membres qui composent le conseil sont nommés par le suffrage universel. Disons de suite que peu de travailleurs se préoccupent d'exercer ce droit, et nous ajouterons que beaucoup de patrons sont aussi négligents.

Le conseil des métaux se divise en cinq catégories, il est composé d'un président et d'un vice-président nommé par l'Etat ; de treize patrons nommés par les patrons et de treize ouvriers nommés par les ouvriers ; d'un secrétaire et d'un commis secrétaire. Ces deux derniers sont seuls rémunérés, les fonctions sont gratuites.

Quinze à vingt fois par mois, un patron et un ouvrier siègent de midi à trois ou quatre heures, suivant le nombre des causes, pour concilier les différends. S'il n'y a pas eu entente, les parties sont renvoyées devant le grand conseil qui se compose du président, de trois patrons et de trois ouvriers. Le grand conseil se réunit en audience quatre fois par mois et décide en dernier ressort pour les questions qui ne peuvent être soumises au tribunal de commerce.

Deux huissiers sont attachés au conseil pour la signification des jugements.

La convocation se fait au moyen d'une lettre qui est remise à la personne réclamante, laquelle la remet à la partie adverse ; une somme de trente centimes est perçue par le secrétaire. Une petite caisse a été constituée par la générosité des prud'hommes pour payer les trente centimes à ceux qui ne peuvent les donner.

Avant d'examiner les quelques modifications à faire à l'institution pour la rendre encore meilleure, nous ne pouvons assez féliciter tous les honorables membres qui composent le conseil des prud'hommes, pour le zèle et la justice avec lesquels ils s'acquittent de leur mission, car non seulement ils font tous leurs efforts pour concilier les parties entre elles, mais encore ils se rendent sur les lieux, appellent les parties chez eux, vont dans les ateliers voir les pièces sujet de la discussion, se chargent de la surveillance des apprentis et s'assurent, par des visites fréquentes, si certains patrons exécutent bien les décisions prises par eux, quand le différend leur a été soumis. Cette ennuyeuse mission est remplie avec beaucoup de zèle et de conscience ; nous connaissons des prud'hommes qui négligeraient plutôt leurs affaires personnelles qu'une question pour laquelle ils ont été délégués, soit par un de leurs confrères, soit par le conseil. Le dévouement, ce bon sentiment, ne fait jamais défaut en France. Nous aimons à rappeler que la charge est purement honorifique.

La première modification à faire serait de confier la nomination du président et du vice-président à l'élection. Qu'est-ce que le gouvernement a à voir dans les questions de travail ? Il n'a qu'une chose à faire, c'est de s'assurer que la loi est exécutée ; procurer le local, faire maintenir l'ordre et procurer des ressources pour son entière gratuité. Pense-t-il qu'un président sanctionné par tous ses confrères ne serait pas aussi honorable que celui de son choix ? Non ! là n'est pas la question ; le gouvernement veut se mêler de tout et avoir sous sa main la haute direction des institutions qui pourraient, à un moment donné, ne pas être de son avis. Laissez donc nommer les prud'hommes, les maires, les magistrats par le suffrage universel, les élus tiendront à satisfaire l'opinion publique, cette entêtée qui a toujours raison, et ne chercheront pas, dans une obéissance peu digne, à plaire à ceux qui les nomment.

Les trente centimes de convocation doivent être supprimés, car il ne faut pas croire que cette légère dépense empêchera le travailleur de demander justice. Tous ceux qui vivent parmi les travailleurs savent que, pour ces sortes de questions, ils sont prêts à tous les sacrifices. Cette faible contribution n'a donc aucune raison d'exister.

Une modification très sérieuse, c'est l'augmentation des membres des conseils ; il est urgent d'en doubler le nombre, sinon de le tripler. La première raison, c'est que le conseil ne représente pas toutes les parties générales, car nous ne voulons pas dire que celles de détails doivent être représentées, elles peuvent facilement se rattacher à d'autres. Mais les parties importantes ne sont pas toujours représentées d'une manière suffisante : ainsi la mécanique n'est représentée que par un ou deux membres. Pour les questions de droit, un juge éclairé peut porter une décision ; mais pour les questions techniques il faut être du métier pour statuer. L'augmentation des membres du conseil aurait l'avantage de pouvoir porter à quatre les membres du bureau de la conciliation au lieu de deux.

La conciliation est en quelque sorte la plus importante des fonctions du conseil, puisque sur vingt convocations on en renvoie deux ou trois en moyenne au grand conseil. Si l'un des deux membres, patron ou ouvrier, ne peut, pour un cas pressant, se rendre à l'audience, un seul se charge de décider ; or, malgré l'intelligence et le bon jugement de celui qui juge, il peut arriver des erreurs ; s'ils étaient plusieurs, ce qui aurait échappé à l'un serait relevé par l'autre. Chaque partie a des habitudes ; ce qui peut être admis dans une ne s'applique pas à l'autre ; et le prud'homme, qui prend une décision suivant sa conviction, rend dans ce cas une décision mauvaise, ce qui fait dire à l'ouvrier ou au patron qu'il est mal jugé et que les prud'hommes ont des préférences. Les prud'hommes sont une excellente institution pour rendre la justice dans les questions de travaux ; il faut les développer dans le sens que nous signalons, afin que tous les intéressés sachent que devant ce simple tribunal on y proclame le droit et qu'on y rappelle au devoir ceux qui s'en écartent. Avec un nombre triple des membres actuels, par exemple, on pourrait siéger en conciliation tous les jours ; le travailleur qui quitte une maison saurait le lendemain à quoi s'en tenir sur sa réclamation.

Nous désirerions que la conciliation se tînt le soir de sept heures à dix heures ; le travailleur pourrait dans la même journée terminer son différend, et il ne serait pas obligé de perdre son temps pour des choses de peu d'importance dans lesquelles il croit avoir droit. Une autre bonne conséquence de cette mesure c'est que la journée des prud'hommes, qui est ordinairement une journée d'*assommoir* — et l'on sait s'il est bienfaisant pour les habitués —, serait par là évitée. Avec les séances le soir, la journée serait consacrée au travail et la soirée à la justice.

Pour les patrons qui voudraient bien se dévouer à cette ennuyeuse mais bienfaisante mission, nous savons que le sacrifice que nous leur demandons serait d'un léger poids auprès de leur dévouement. Mais pour ceux qui pensent qu'ils ont déjà assez de travaux, sans consacrer leurs soirées aux prud'hommes, pour d'autres dont les négligences portent un sérieux préjudice au travail et aux travailleurs, et qui se font gloire de n'avoir jamais été aux prud'hommes, non par suite d'une bonne organisation de leurs ateliers, mais parce que leur paresse ou leur indifférence les font passer par les exigences des travailleurs — les ficelles que nous avons signalées se renouvellent souvent au préjudice des deux intéressés —, pour ceux-là, s'ils ne sont pas contents de se déranger de leurs soirées pour les convocations de leurs compagnons, ils prendront vis-à-vis de leurs travailleurs les mesures d'ordre et de justice que réclame le travail ; alors ils n'auront pas à se déranger.

Nous avons dirigé pendant dix ans une spécialité dans la mécanique ; peu de patrons ou de travailleurs étaient allés aux prud'hommes, on aimait mieux subir toutes les exigences et les pertes occasionnées par les lubies des compagnons que d'aller au conseil. Frappé du désordre et des préjudices que de pareils procédés apportaient au travail, et surtout aux travailleurs, nous prîmes des mesures, qui furent soumises plusieurs fois aux prud'hommes, lesquels sanctionnèrent notre organisation. Un travailleur croyait-il avoir raison, nous lui donnions souvent les trente centimes pour les frais de convocation et nous comparaissions devant la conciliation ; là le travailleur apprenait son droit, et surtout son devoir ; il reprenait son travail et les amis savaient qu'il fallait se conformer au règlement.

Nous tenons à exposer les mesures principales à prendre pour avoir une bonne organisation d'atelier, qui non seulement est avantageuse pour le patron, mais surtout pour les travailleurs. Il faut prendre la société comme elle est, et non pas comme on la voudrait ; il faut, comme on dit en mécanique, travailler avec son matériel et l'améliorer ; mais, si l'on veut le changer tout d'un coup, le travail sera interrompu, et il faudra faire de grands sacrifices, ce qu'on ne peut pas toujours supporter.

Actuellement, quand des commerçants, des fabricants font des affaires, le vendeur dit à l'acheteur : « Voilà ma marchandise, j'en veux tant ; le paiement sera fait au comptant ou à terme. » Après l'entente des deux parties, il est évident qu'il y a contrat entre elles. L'exécution loyale de ces contrats constitue les bonnes affaires. De même, quand un travailleur vient vous offrir son travail, il peut en déterminer le prix. Vous acceptez, par exemple, et vous lui dites : « J'accepte votre offre, à la condition que je vous paierai soit tous les huit jours, soit tous les quinze jours ; je demande en outre que vous me donniez le travail régulièrement et suivant les règles que je vous soumets. » Si le travailleur accepte, vous avez un contrat dans le même genre que le contrat commercial cité plus haut. Si les deux parties le remplissent exactement, personne n'a rien à y voir. Le travailleur donne le travail comme il entend et le patron l'accepte dans les mêmes conditions. Si le contrat n'est pas exécuté, les prud'hommes statuent sur le différend et la base du droit est le contrat même.

Combien de fois n'avons-nous pas entendu parler des droits ! Ainsi un ouvrier a le droit de se faire payer tous les jours ; un ouvrier a le droit de fixer le nombre d'heures de sa journée. Certainement il a ce droit, c'est incontestable, personne de sensé ne peut le mettre en doute ; mais les patrons ont bien aussi le droit de ne pas accepter. Au nom de la liberté tant proclamée, celui-ci est aussi sacré que l'autre. Mais, si c'est le droit d'imposer vos exigences, nous le repoussons, et nous lui donnons son vrai nom : la tyrannie.

Nous entendons les soi-disant amis du peuple nous dire que le travailleur est bien obligé de passer par les exigences du patron, que sans cela il mourrait de faim. Certes, si les mesures sont arbitraires, il est pénible au travailleur de s'y soumettre, contraint par sa position précaire ; mais, si ces mesures sont sages, justes et salutaires, quelle sérieuse objection pouvez-vous faire ? Sans vouloir anticiper, regardez les associations ; celles qui ont prospéré ont été obligées de prendre des mesures d'ordre tellement sévères que pas un patron n'aurait voulu les adopter ; nous les donnerons dans les chapitres suivants. Les associés ont compris que pour réussir il fallait que le travail fût organisé. Oui, pour bien organiser un atelier, il faut un règlement simple et juste. Il faut le faire exécuter coûte que coûte.

Que doit-il contenir ? Nous allons vous le dire et vous donner les raisons à l'appui. C'est le contrat sur lequel les prud'hommes auront à juger :

1. Nul ne sera admis dans votre établissement sans un livret-certificat. Il est urgent qu'un chef d'atelier sache s'il a à faire à un ouvrier ou à un sublime. Sans le livret, un travailleur qui a de la besogne dans une maison va souvent essayer dans une autre, sans prévenir son patron qui compte sur lui ; si la nouvelle maison ne lui va pas, il retourne dans la première, sans que les deux patrons s'en doutent. Chez l'un il a apporté un retard ; chez l'autre il a passé du temps à s'installer, à faire des outils ; en somme, deux préjudices qui auraient été évités si le patron avait exigé le livret pour embaucher.

2. Les heures d'entrée et de sortie seront déterminées suivant les saisons, et affichées dans l'atelier. On donnera les latitudes nécessaires pour éviter aux retardataires la perte d'une demi-journée.

Pour nous, un travailleur peut arriver aussi bien à l'heure qu'à l'heure et cinq minutes.

Quand on commence à six heures du matin, faites une seconde rentrée à sept heures ; il ne faut pas qu'un ouvrier qui s'est réveillé trop tard perde sa demi-journée. Nous savons que les sublimes en profiteront très souvent ; mais le contremaître peut leur signifier que l'entrée est à six heures, et qu'il ne tolère pas tous les jours l'entrée à sept heures ; que la mesure est prise pour les exceptions et non pour en user régulièrement.

Si vous ne tenez pas sérieusement à l'exécution de cette bonne mesure, que les choses se passent comme chez le patron sublime, et qu'on puisse entrer à toute heure — on est en train de boire la fameuse goutte du matin, une demi-heure de plus ou de moins, le sublime sait qu'il peut commencer quand ça lui plaira — presque toujours, vous ouvrez la porte aux *bordées* ; c'est par là qu'elles commencent. Au contraire, le travailleur, qui sait qu'il ne peut pas rentrer une fois l'heure passée et ne tient pas à perdre une demi-journée, quitte, au grand regret du marchand de vin.

Voyons les suites de ces absences : si c'est un ouvrier qui conduit une machine nécessitant un four, il faut jeter le feu, car si l'on met un autre compagnon à sa place ce sont souvent des disputes entre eux, en un mot, la discorde ; si c'est un chef monteur, un riveur, un forgeron, qui ont tous des aides, ceux-ci sont obligés d'attendre. Les voyez-vous arriver à huit ou neuf heures pour commencer ? Pendant ce temps, les aides, qui n'ont rien à faire, donnent souvent le branle, et la *loupe* fait son effet, la boîte est sens dessus dessous. La fabrication des sublimes se fait de plusieurs manières, en voilà une : manque d'ordre du patron.

3. Qu'aucun de vos travailleurs, pour quelque motif que ce soit, ne puisse quitter son travail sans en prévenir qui de droit, sous peine d'exclusion.

Quoique l'imagination des sublimes soit féconde, un chef d'atelier fait au métier voit de suite si la demande est fondée ; si la *loupe* l'a mordu, le refus et quelques sages observations le remettent presque toujours ; encore une bordée de sauvée et, à la paie, le plus satisfait, c'est le travailleur. S'il avait eu la faculté de suivre son caprice, la journée se serait passée aux *assommoirs* et aurait entraîné celle du lendemain, et pendant ce temps le travail, souvent pressé, attendrait.

4. Faire sa paie tous les deux samedis.

Plusieurs manières de faire la paie sont en pratique dans les ateliers ; examinons-les.

Si vous payez tous les jours vos ouvriers, sur dix il y en aura six qui mangeront tout ou une partie ; d'autres écorneront la journée chez le marchand de vin. Les sublimes aiment ce système ; ils viennent préparer leurs outils pendant un jour ou deux, le soir le *zinc* chaufferait la poche, ils *prendraient la cuite,* et le lendemain ils auraient *mal aux cheveux.* Un autre sera embauché à leur place, il refera les outils, ceux-là ne sont pas à sa main, et ainsi de suite ; bon moyen de les ramener au travail. Les sublimes trouvent le moyen de boire sans argent ; si vous leur en donnez tous les jours c'est les faciliter, les pousser dans cette voie.

Malheureusement, la classe laborieuse, en général, n'entend rien à l'épargne ; ses détestables mœurs et son ignorance en sont cause. Si un vrai sublime travaillait avec de l'argent dans sa poche, nous crierions au miracle.

Dans la mécanique, et à Paris, si on faisait la paie tous les jours, le sublimisme se développerait avec une rapidité effrayante.

La paie tous les mois avec acompte au milieu du mois, ne profite qu'aux ouvriers qui ne prennent pas d'acomptes ; alors ils ont une somme ronde, qui leur permet de faire soit un placement ou tout autre emploi. Pour le sublime, elle est plus nuisible que la paie tous les quinze jours ; il prend comme acompte à peu près ce qui lui est dû ; il *carotte* sa femme sur le montant de ce qu'il a pris ; le reste sert pour les extra du comptoir.

Régler des comptes au bout d'un mois, quand on a un nombre assez considérable d'ouvriers, est trop long ; les erreurs sont plus faciles, la mémoire n'est pas aussi présente. Nous n'admettons pas cette question d'écritures, de balances mensuelles. Nous connaissons une maison occupant quinze cents ouvriers qui pratique la paie tous les deux samedis et qui s'en trouve très bien.

La paie tous les samedis a aussi de graves inconvénients ; le fameux lundi de paie se répéterait trop souvent. Le montant de six jours n'est pas assez important pour faire face à la bombe du terme, par exemple, et pour y arriver la femme du sublime est obligée d'économiser sur plusieurs semaines. Les sublimes qui sentent de l'argent à leur bourgeoise font ce qu'ils peuvent pour lui en soutirer ; tandis que, avec le produit de la quinzaine du terme, elle peut le payer tout d'un coup, il n'y a plus à y revenir.

La paie tous les quinze jours est, suivant nous, la plus belle, et nous ajouterons la plus morale. Saint-lundi n'a lieu que vingt-six fois l'an, c'est déjà bien assez ; en quinze jours, il y a du rattrapage. Ainsi l'ouvrier mixte, qui est dix à douze jours sans argent, travaille consciencieusement. Si tous les travailleurs étaient comme l'ouvrier vrai, tous les genres de paie seraient bons.

Il y a une objection : mais celui qui vient de chômer et qui n'a pas d'argent ? Alors il faut pratiquer le moyen des bons, soit de un franc cinquante ou deux francs, et prévenir les marchands de vin voisins que tous les quinze jours ils seront soldés, par vous, sur la présentation de ces bons. On ne délivrera ces bons que pendant les deux premières quinzaines qui suivront l'embauchage, afin de forcer le travailleur à la prévoyance. Gardez-vous bien de donner de l'argent, le sublime travaillerait le matin ; une fois le prêt en poche, l'après-midi se passerait à l'assommoir. Même avec le système des bons, on ne peut obvier aux abus. Pour pouvoir aller rejoindre les amis, il y en a qui vendent les bons au rabais.

5. Pas d'acompte, le bon ou la paie. L'acompte c'est autant de moins dans son budget et autant de plus pour l'empoisonneur. Votre règlement doit le spécifier.

6. Tout ouvrier qui désirera quitter l'établissement peut le faire immédiatement, mais il attendra la paie pour les sommes qui lui sont dues ; réciproquement, s'il est remercié, il devra quitter tout de suite, mais avec le paiement de ce qui lui sera dû.

Il est clair qu'un patron ne peut pas plus forcer un ouvrier qui tient à le quitter qu'un ouvrier l'obliger à le garder malgré lui : mauvais résultat pour les deux parties.

Mais examinons le côté salutaire de la question du paiement. Supposez qu'il *fasse soif* : « Donner une belle journée comme ça au singe, c'est embêtant ; si nous allions à Montreuil ? Comment faire ? Pas un radis. » Ils sont cinq ou six dans l'équipe, la *loupe* les a mordus, il est dix heures du matin ; un sublime se dévoue, puis il en a assez de c'te boîte-là : « Patron, je vous quitte, mon père est à l'article de la mort », ou « ma femme est en couche. » Nous en avons connu un qui accouchait sa femme tous les deux mois. Si ce moyen ne prend pas, il vous insulte ; alors vous le renvoyez et vous le soldez.

Il avance de l'argent aux autres ; voilà toute l'équipe à Montreuil, sans concurrence du lendemain. Préjudice pour le travail et préjudice plus grand encore pour eux [1]. Si vous ne l'aviez soldé qu'à la paie, l'équipe aurait travaillé ; au lieu de manger le lapin sauté et de *béquiller* la paie à *pied de vigne,* le jour de *sainte-touche* on aurait touché davantage. C'est une excellente mesure, très profitable aux travailleurs.

Cet article devra être complété par cette mention : « Tout ouvrier qui refusera de faire un travail, ou emploiera des moyens grossiers ou violents pour se faire renvoyer, sera considéré comme désirant quitter l'établissement. »

7. Tout ouvrier qui s'absentera pendant un laps de temps déterminé, sans avoir prévenu qui de droit, sera considéré comme ayant quitté volontairement l'établissement et ne pourra exiger ce qui lui sera dû que le jour de la paie.

Supposons qu'un travailleur qui conduit une de vos machines, dont le produit est nécessaire pour donner de la besogne aux autres compagnons, se mette en bordée ; il ne vous a pas prévenu ; vous ne pouvez cependant attendre indéfiniment ; vous en embauchez un autre ; faudra-t-il, quand il lui plaira de revenir, renvoyer le nouvel embauché ? Certes, non. S'il sait qu'en manquant il peut avoir son argent, il manquera ; dans le

---

1. Nous prions le lecteur de bien observer que, ce que nous tenons surtout à démontrer, ce sont les bonnes conséquences que doit en tirer le travailleur.

cas contraire, il sera plus réservé et se tiendra à son ouvrage.

Oui, toutes ces mesures sont nécessaires et très salutaires.

L'envie de *tirer une bordée* prend un sublime ; mais, n'ayant pas d'argent, il rentre travailler, et le lendemain, la *loupe* étant muselée, le plus satisfait c'est lui ; intérieurement, il sent qu'on lui a rendu un service.

Nous connaissons l'opinion des puritains du droit de nos réunions publiques, sur de pareilles mesures : à leurs yeux c'est de l'esclavage au premier chef, de la tyrannie au suprême degré. Voyons, sublime des sublimes, calmez-vous, nous nous mettons sous la protection du règlement des associations des travailleurs ; si vous êtes juste, vous conviendrez que ce qui est bon pour les associations est aussi bon pour le travail exécuté par les patrons.

Que pensez-vous de ce fragment du règlement des associations que nous donnons en entier dans le chapitre suivant ?

« Les règlements d'une association de travailleurs librement acceptés par tous ne sauraient être un obstacle à la liberté du citoyen ; chacun sait que l'ordre et l'économie sont les conditions de la production à bon marché. »

Ce ne sont pas seulement des gens sensés qui ont rédigé ce règlement, ce sont des gens pratiques.

Le règlement une fois arrêté, il faut en faire plusieurs exemplaires et les afficher dans l'atelier ; de plus, afin d'avoir la conviction que le travailleur n'en ignore rien, le transcrire sur un registre et le faire signer en entrant.

Le travailleur accepte librement la loi de l'atelier.

Le patron doit être l'esclave de son règlement.

Alors les prud'hommes n'ont qu'à faire remplir les engagements réciproques ; de cette façon les questions se simplifient.

On s'est toujours fait un monde des prud'hommes ; le patron et l'ouvrier ont tout intérêt à apporter devant ce modeste tribunal leurs différends. L'ouvrier y apprendra ses droits, le patron se pénétrera de ses devoirs et des mesures à prendre pour administrer ses travailleurs, suivant les règles de la justice. Après trois ou quatre séances, le travailleur et le patron seront édifiés sur l'impartialité des prud'hommes, et les préjugés de préférences tomberont. Si vous avez négligé de vous mettre en règle, et que vous n'ayez pris aucune mesure nécessaire pour éviter les malentendus, tant pis pour vous ; on doit être plus sévère pour un patron qui représente un intérêt multiple que pour un travailleur dont l'intérêt est personnel.

Si le sublimisme se développe, les patrons négligents y contribuent pour au moins autant que les patrons sublimes. Que d'affaires qui prenaient des proportions énormes chez le marchand de vin, et que les prud'hommes ont réduites à néant dans une simple conciliation !

Les prud'hommes sont les tribunaux démocratiques du travail ; il faut les développer et les appeler dans toutes les questions touchant le travail.

Avec notre éducation actuelle, sur cent causes soumises à la juridiction des prud'hommes, plus de la moitié concerne les apprentis. Notre projet d'apprentissage supprime tous ces différends.

Une question grave qu'il serait urgent, nécessaire de soumettre au conseil des prud'hommes, c'est l'expertise concernant les accidents ; nous ne voulons nullement mettre en doute les hautes capacités juridiques des experts actuels, mais nous leur dénions formellement la compétence. Nous voudrions que le tribunal confiât aux prud'hommes l'examen des sinistres. Un patron et un ouvrier du conseil et de la partie attaquée seraient délégués ; ils se rendraient sur les lieux, s'éclaireraient sur les causes et circonstances qui ont occasionné l'accident ; ils feraient un rapport qui serait discuté en grand conseil et envoyé au tribunal. Les juges auraient une base véritable pour prendre une décision.

Nous avons entendu un expert, homme fort honorable du reste, ancien officier ministériel, prétendre que les organes d'une machine qui présentent le moindre danger devraient être couverts ; certes, c'était un bon sentiment qui lui dictait sa décision, mais allez donc couvrir les engrenages d'un tour parallèle, il faut les manœuvrer à chaque instant ; autant rendre responsable le patron cordonnier des entailles que l'ouvrier se fait avec son tranchet. Toutes les machines en fonction sont dangereuses, mais nous pensons qu'il y a une certaine limite qu'il n'est pas permis au plus philanthrope de dépasser ; est-ce un ancien huissier qui peut le dire ? Nous répondons : non, c'est à un ouvrier ou à un patron de la partie à décider. Alors on aura de la bonne justice.

Lisez ce fait, vous nous direz si l'on ne sent pas dans ce jugement que la compétence des prud'hommes serait nécessaire.

Un mécanicien vend une locomobile de huit chevaux à un industriel qui, après trois ou quatre années de service, fait changer le foyer par un autre constructeur ; par conséquent, timbrée à nouveau par les employés de l'Etat. La machine est vendue par cet industriel à un fabricant qui s'en sert pendant un temps assez long ; une négligence reconnue du chauffeur, première victime, amène une explosion. Plusieurs morts sont la terrible conséquence du sinistre. Eh bien, le tribunal a condamné non seulement le fabricant, puis l'industriel, mais encore le mécanicien après quatre années de livraison. Si nos magistrats avaient pu se rendre compte de l'effet de leur jugement sur tous les mécaniciens, ils auraient pu se pénétrer combien était salutaire et encourageante une pareille condamnation [2]. Il y a quelque chose d'anormal qui ne tendrait à rien moins qu'à tuer le commerce et l'industrie.

Il faut vivre dans l'industrie, avoir passé par les tribunaux civils pour être convaincu des modifications sérieuses qu'il faut apporter dans les lois, dans les procès de contrefaçon où le concours des praticiens devient aussi nécessaire que celui des légistes. Au tribunal du travail à remplir cette mission.

---

2. Ce n'était pas de l'étonnement, mais de la consternation.

5. Les associations

Avec nos écoles professionnelles, nous constituons des travailleurs instruits. Il est dès lors facile de prévoir non seulement les résultats moraux, mais on devine l'immense développement apporté au travail avec des travailleurs formés dans les écoles.

Avec les syndicats, vous enlacez le travailleur dans la machine du redressement, il est forcé de marcher, l'isolement qui tue n'existant plus, il faudra qu'il apprenne.

Avec les prud'hommes bien constitués, la justice lui est assurée prompte et facile, il sait que ses droits seront respectés.

Voilà trois choses qui sont excellentes pour l'organisation du travail, elles sont l'apprentissage pour arriver au but.

Ce but peut être atteint de bien des manières : par l'individualisme ou l'association.

L'individualisme étant l'exception, nous ne nous occuperons que de l'association.

La première condition pour constituer une association, c'est l'argent, qui entre comme principal associé, et sa part est déterminée soit par un intérêt fixe, soit par un intérêt et une part dans les bénéfices. Cette première condition obtenue, dix, vingt, trente, cent et même mille individus se groupent, nomment leurs chefs, s'organisent et forment une association de travailleurs dont tous les membres partagent les bénéfices. S'il y a entente intelligente et ardeur, l'association prospère et voilà un nombre de possesseurs qui certainement ne seront pas sublimes. Laissant de côté leur ignorance, nous dirons que la question la plus difficile pour eux c'est de se procurer de l'argent ou du crédit. Nous n'avons pas la prétention de discuter cette grave question avec tous les détails qu'elle comporte ; mais nous tenons à l'exposer comme nous la comprenons ; de plus compétents que nous l'ont élucidée à fond. Certains socialistes radicaux la résolvent en supprimant d'un seul coup l'intérêt, ceci est bientôt dit.

Descendons des hauteurs et écoutons leurs raisonnements. Supposez, disent-ils, que tous les ans cinquante mille Français, par leur intelligence, arrivent chacun à amasser une fortune de cent mille francs. Une fois ce capital bien placé, les cinquante mille heureux se retirent du travail et vivent sur leurs revenus. Que produit-il ? C'est un capital de cinq milliards retiré du travail, et cinquante mille parasites de plus puisqu'ils vivent du revenu et non du travail ; mais, comme c'est le travail qui doit payer l'intérêt du capital, puisque pour l'obtenir il faut le livrer aux travailleurs, c'est donc un surcroît de charges sur l'ensemble du travail, et des travailleurs de moins, car la population sous la griffe de l'aigle est resté stationnaire. En d'autres termes, accumulation du capital dans les mains d'une aristocratie financière qui peut seule disposer du travail, puisqu'elle est maîtresse de son élément principal, le capital ; or, en tenant compte des revenus accumulés, on arrive à l'absorption du plus clair des bénéfices que produit le travail. Ainsi un individu intelligent peut gagner, de vingt à trente ans, cent mille francs, se retirer à cet âge, et à soixante ans avoir doublé, quadruplé son capital sans avoir consacré une journée au travail ; les tripotages de bourse aidant, on arrive à des fortunes scandaleuses. Il aurait donc prélevé sur le travail des autres de quoi vivre d'abord, et ensuite le surplus pour arriver à augmenter son capital. Si l'intérêt n'existait pas, qu'aurait-il fait ? S'il avait voulu se retirer, il aurait mangé son capital qui serait retourné au travail, mais en présence de cette diminution peu d'individus valides resteront indifférents ; ils reprendront le travail ; des capitaux et une intelligence active de plus dans la production, développement et progrès. Ce raisonnement nous paraît d'une logique écrasante. Ils pourraient ajouter : les associations que vous proposez, une fois qu'elles auront enrichi leurs membres, retomberont sous le mal que nous signalons. Ceux-ci, devenus possesseurs, voudront aussi jouir du repos garanti par le revenu.

Les associations n'arriveront pas à faire des rentiers ; si elles arrivent à procurer à leurs membres le nécessaire, l'utile et peut-être l'agréable, nous trouvons que le but social sera atteint. Prenons un exemple. Admettez qu'un patron, ayant cent travailleurs et gagnant trente mille francs chaque année, cède son établissement à cinquante de ses ouvriers ; chaque associé recevra six cents francs. On voit qu'il faudrait travailler longtemps pour arriver à être rentier.

Examinons pourquoi il n'est nullement besoin des lois supprimant l'intérêt.

Que voyons-nous dans l'état universel actuel ? Que les peuples les moins travailleurs sont ceux qui paient l'intérêt de l'argent le plus élevé. Ainsi à Constantinople il est de quinze à vingt pour cent, en Espagne de dix à quinze, en Italie au moins de dix. Eh bien, en Angleterre, le pays des affaires par excellence, il est de trois et moins. Pourquoi ? Parce que les affaires donnent des bénéfices, et que ces bénéfices, prélevés sur le monde entier, s'accumulent dans les mains des intelligents de la nation anglaise, et que l'abondance des capitaux n'en permet pas le placement facile. Alors, que font-ils, ces marchands insulaires ? Ils les laissent dans les affaires auxquelles ils consacrent leur intelligence pour qu'ils rapportent davantage. Ils ont donc, par la persévérance dans le travail, constitué le formidable levier, le capital, qui les fait les prêteurs européens par excellence.

Que conclure de ce fait ? C'est que le travail organisé et développé doit produire progressivement la baisse de l'intérêt.

Supposez toutes les industries de la France aux mains d'associations bien organisées, elles feront des bénéfices qui leur permettront d'augmenter leur importance et le nombre de leurs associés ; elles n'auront pas besoin des capitaux empruntés pour marcher. Alors les détenteurs seront bien obligés de se consacrer au travail pour ne pas manger leur capital, et le développement du travail sera immense, puisqu'il sera provoqué par un plus grand nombre, qui aura les éléments principaux qui assurent la réussite, l'expérience et les capitaux. Quand on réfléchit que la chose est possible, on reste émerveillé devant d'aussi splendides résultats. Il y a donc malentendu de la part des socialistes radicaux ; il ne faut pas supprimer l'intérêt, il faut faire le nécessaire pour qu'il se supprime seul ; commencer par le commencement et non par la fin. Voilà le nœud de la question sociale.

Nous vivons avec des mœurs qui sont la conséquence de siècles d'ignorance, nous avons été élevés avec des habitudes résultant de ces mœurs, et vous voudriez d'un coup de décret renverser l'échafaudage qu'un temps si long a dressé ? Non ! c'est impossible. Que faut-il pour arriver à des résultats certains ? Il faut introduire dans les mœurs les mesures qui sont bonnes. On n'instruit pas les travailleurs en une année, pas plus qu'on ne peut constituer des associations sérieuses dans le même temps. Nous repoussons les alchimistes sociaux qui veulent prendre la société tout entière pour expérimenter leurs moyens sociaux. Le bonheur commun ne se constitue pas en un tour de main. Nous allons plus loin, nous les maudissons, ces détenteurs de la panacée, parce qu'à côté d'une idée juste comme celle que nous citons plus haut leur conclusion et leur remède sont immédiats, et qu'ils jettent la peur et provoquent les représailles des intéressés qui se trouveraient atteints par les mesures qu'ils proposent. Prenez leur conclusion, et venez dire que l'épargne est un vice social, ou encore que la république ne sera possible qu'à la condition que la propriété ait disparu et soit remplacée par la possession de l'instrument du travail et la liberté de posséder son produit [1]. C'est cela, plus de propriété, la communauté. Tous les Français n'ont pas le tempérament de se faire moines.

Quel est l'homme sensé qui ne haussera pas les épaules ? Mais les intéressés et les ignorants vous exécreront, et vous nuirez à ceux qui ont des idées pratiques et que l'on confondra avec vous. Il vous est permis de vous draper dans vos ingénieuses combinaisons ; mais, si vous croyez être utiles au peuple et pouvoir faire avancer la question sociale, détrompez-vous : vous

---

1. Conclusions de systèmes que vous avez approfondis, mais que peu de personnes étudient et que nous n'admettons pas. Les deux phrases de Proudhon : « La propriété c'est le vol » — « Dieu c'est le mal », ont plus fait pour renverser la république que toutes les trames des jésuites républicains du 25 Février. Les théories et les discours, voilà notre mal. Les réussites sont bien autrement concluantes.

en êtes l'entrave la plus redoutable et l'épouvantail le plus certain [2].

Comment les associations doivent-elles constituer leur capital ? Le plus sûr moyen, et le plus moral, c'est l'épargne. Supposez trente ou cinquante ouvriers d'une partie ; ils s'entendent pour fonder une association ; ils nomment deux d'entre eux, les plus capables, et l'on convient de souscrire soit cinq francs par semaine pendant un an ou dix-huit mois, pour former le capital nécessaire. Une fois ce capital acquis, ils forment l'association. Trois ou quatre membres seulement commencent avec le gérant, qui est nommé lors de la signature de l'acte d'association. Les travaux marchent, le nombre des ouvriers s'augmente jusqu'à l'embauchage complet des cinquante associés. Si le travail se développe, on prend des auxiliaires qui, après un stage, seront admis comme associés. Nous ne disons pas : « Voilà ce qui devrait se faire », nous disons : « Voilà ce qui se fait », ce qui coupe court à toutes les objections des incrédules.

Certes, c'est long, il se produit des découragements ; mais, malgré l'échec de certaines associations, d'autres ont fort bien réussi. Qu'a-t-il manqué pour l'entière réussite de toutes celles qui avaient pu se constituer ? Le crédit et moins de sublimes.

Que faut-il faire pour éviter ces retours désastreux ? Dominer les sublimes et constituer une caisse collective des associations, une banque du travail.

Examinons sa constitution. Il faut au moins trois années à une association ayant eu des travaux, pour être en plein développement. Son outillage est achevé, sa clientèle est bien commencée, à ce moment elle fait des bénéfices palpables. En administration sage, elle doit en consacrer une part pour l'amélioration de son matériel ou pour augmenter ses marchandises, une autre part pour la caisse collective, le surplus est distribué aux associés. Admettez que cinquante associations fonction-

---

2. Prêcher le communisme en 1870 en France, si l'on est sincèrement dévoué à la cause du progrès, c'est non seulement une maladresse, mais une faute énorme. Aux Etats-Unis d'Amérique, ça se comprend. Les Américains sont taillés pour tout entendre, les Français ont du chemin à faire. Au reste, il y a une grande différence à faire entre un peuple qui boit du vin et celui qui boit de la bière.

nent depuis quelques années, et que ces cinquante groupes aient fondé la banque des associations ; qu'elles consacrent à la formation de ladite banque dix pour cent, par exemple, des bénéfices ; que ces dix pour cent soient versés jusqu'à concurrence d'une somme déterminée par les statuts ; ce n'est pas exagérer d'admettre que chaque association versera au moins mille francs par année. Ainsi, en quelques années, un gros capital sera constitué ; les gérants réunis des cinquante associations nommeront un gérant de ladite banque, qui aura pour but de prendre le papier que les associations auront souscrit ou reçu, remettra les fonds en échange du bordereau, en prélevant seulement un léger droit, qui aura pour but de payer les frais de la gérance. Nul papier ne pourra être négocié par ce gérant, il sera chargé d'en faire opérer l'encaissement ; ni escompte ni commission de banque ne seront prélevés. A part le droit pour les frais, les associations auront créé pour leur usage un crédit gratuit. Il est bien entendu que nulle association ne pourra avoir un découvert supérieur au capital de première mise sans le consentement du conseil de surveillance de la banque.

Que font-elles actuellement ? Elles paient un pour cent au-dessus du taux de la Banque de France, avec un, un demi, un tiers, un quart ou un huitième de commission. Calculez les sommes laissées aux banquiers par une association qui fait trois ou quatre cent mille francs par an, car il y a des associations qui fonctionnent qui ont atteint et dépassé le million [3]. C'est donc grever le travail au bénéfice d'intermédiaires dont il peut très bien se passer s'il arrive à s'organiser.

Nous savons bien que ce que nous proposons n'est pas nouveau, et que cette question a été étudiée à fond par des esprits très compétents. Parmi les solutions qu'ils ont données, il y en a de très ingénieuses ; nous avons été frappé de ces avantages, et nous pensons qu'ils ne doivent pas être négligés par les travailleurs.

Le moyen le plus sûr d'anéantir les objections de ses adversaires n'est pas de prêcher indéfiniment une théorie, mais de

---

3. L'association des ouvriers maçons et tailleurs de pierre.

la mettre en pratique ; le succès est la conclusion la plus déterminante. Nous savons que la chose n'est pas très facile, mais nous sommes convaincu qu'elle est possible. Du moment que des ouvriers ont été assez persévérants pour constituer des associations avec leurs propres ressources, il n'est pas permis de douter de la réussite. Ils ont réussi à constituer des établissements de production, ils sauront constituer leur crédit.

Pour ceux qui n'ont pas la foi dans la puissance de l'association et qui réclament le concours et les ressources du budget, nous leur dirons : « Vous seuls êtes la cause du peu de développement des associations. Sans vos théories, nous n'aurions pas perdu vingt années, et aujourd'hui le problème serait en bonne voie. »

Comment les associations doivent-elles payer leurs membres et répartir leurs bénéfices ?

Dans une affaire commerciale où il y a plusieurs associés, les prélèvements se font par parts égales : en s'associant, les membres reconnaissent que le concours de chacun est nécessaire à la réussite de l'entreprise. Les bénéfices, par conséquent, doivent être également répartis. Mais ce qui peut être logique, jusqu'à un certain point, pour deux, trois ou quatre chefs qui dirigent ne l'est pas pour cinquante ou cent associés qui travaillent manuellement et donnent leur concours direct à la production.

Plusieurs moyens sont en présence :

1. égalité des salaires et des bénéfices ;

2. salaires suivant la production et égalité des bénéfices ;

3. salaires suivant la production et bénéfices suivant la somme de production représentée par la somme des salaires.

Prenons le premier de ces moyens.

Quand nos penseurs sociaux s'élèvent par leur conception dans les régions de l'idéal, ils arrivent, par un sentiment d'égalité et de justice exagéré, à formuler des principes curieux, sinon grotesques. Que pensez-vous de cette formule communiste : « Le travail est pour l'homme une récréation, le paresseux est assez puni de ne pouvoir goûter ce bonheur ; mais il a des besoins, la société doit lui donner les moyens de les satisfaire » ? Avec l'équivalence des fonctions, nous avons le paresseux égal au travailleur. Ce n'est plus de la discussion, c'est de la bouffon-nerie.

D'autres viennent nous dire : « Pourquoi une journée de cinq, huit ou dix francs ? Pourquoi telle ou telle pièce vaut-elle, pour la façon, tel ou tel prix ? Où prenez-vous le droit de fixer, de déterminer la valeur de la main-d'œuvre ? » Nous le prenons dans les habitudes et les mœurs de la société qui se sont formées pendant des siècles. Descendons des hauteurs fantastiques et ren-trons dans la pratique. De toutes les théories sociales qui méri-tent attention, aucune ne nous a paru aussi injuste que celle de l'égalité des salaires et de l'équivalent des fonctions.

Mettez à deux étaux voisins un ouvrier et un sublime, donnez-leur le même nombre de pièces à faire ; l'ouvrier, qui est cons-ciencieux, travaillera plus que le sublime, lequel tirera des *loupes* pendant le travail ; mais, comme son voisin peut servir de comparaison au patron ou au contremaître, l'ouvrier sera traité de *peloteur* : « Il *masse* comme ça, c'est pour le faire balancer » ; il ameutera au besoin les autres contre le soi-disant *mufe*. Les réflexions aidant, l'ouvrier se dira : « C'est vrai, il gagne autant que moi, pourquoi donc en ferais-je plus que lui ? » Ce n'est pas le fainéant qui cherche à suivre le piocheur, c'est le travailleur qui se rapproche du paresseux. Salutaire émulation.

Mais, nous direz-vous, la partie d'élite, les charpentiers que vous nous citez, travaillent avec le principe de l'égalité des salaires. Nous répondrons que, ce qui les constitue d'élite, ce n'est pas l'égalité des salaires, mais bien leur instruction et leur union. Soyez persuadés que plus d'un de ces honnêtes compa-gnons s'est dit : « Si un tel vaut six francs, étant plus actif et plus intelligent que lui, je dois en valoir dix. » Chacun doit être rémunéré suivant sa production, là est la justice. Ce principe est tellement dans nos mœurs que nous tenons à citer quelques fragments de *L'Organisation du travail*, de M. Louis Blanc, le Pierre l'Ermite de l'égalité des salaires.

« Dans chaque atelier social, les chefs seront nommés à l'élection, et la rémunération du travail se fera sur le pied de l'égalité des salaires.

« Aujourd'hui cependant, et provisoirement, comme l'édu-cation fausse et antisociale donnée à la génération actuelle ne

permet pas de chercher ailleurs que dans un surcroît de rétribution un motif d'émulation et d'encouragement, la différence
des salaires serait graduée sur la hiérarchie des fonctions, une
éducation toute nouvelle devant, sur ce point, changer les idées
et les mœurs. »

Après le principe, les restrictions ; il faut changer les mœurs.
Nous affirmons qu'il n'y a pas d'autre motif d'émulation qui
vaille celui du gain. Nous ne pouvons comprendre un ouvrier
qui travaille pour la gloire. Elles sont nombreuses les personnes
vivant dans le travail qui ne comprendront pas l'efficacité d'un
pareil stimulant.

L'éminent écrivain, dans sa théorie des ateliers sociaux, fait
erreur quand il pense qu'une nouvelle éducation peut changer
ce désir d'arriver qui fait partie de la constitution de l'homme.
On peut avec l'éducation changer les mœurs, développer, diriger
les instincts ; les supprimer, jamais ! Le travail avec l'égalité
des salaires, c'est le cheval travaillant à un manège, dépensant
sa force physique dans un même cercle et stimulé par le fouet ;
c'est l'appauvrissement, c'est la négation du progrès, en un mot,
la suppression du marchandage, cette seule et juste solution
du travail rémunéré suivant l'activité et l'intelligence données.

Prenez les deux mêmes travailleurs cités plus haut et, au
lieu de l'égalité des salaires, dites : « Le prix de la façon
de ces pièces vaut tant. » Vous verrez l'effet différent ; l'ouvrier
y apportera non seulement une plus grande activité, il s'ingéniera
pour trouver des moyens qui abrégeront sa besogne, il deviendra chercheur, et nous n'apprendrons rien à personne en disant
qu'une bonne partie des inventions nouvelles est due à l'initiative des travailleurs.

Mais, nous direz-vous, ces avantages acquis ne profitent
pas toujours à celui qui les trouve, c'est souvent le patron qui
en retire les bénéfices. Certes, mais dans les associations elles
lui profiteront doublement, et comme associé, et comme travailleur. En principe, nous n'admettons pas le travail à la
journée ; nous savons bien que l'on ne peut pas mettre tous
les travailleurs au marchandage, mais nous sommes convaincu
que, sur cent parties, on peut en mettre au moins quatre-vingts
aux pièces, ce qui constitue la règle ; les autres sont l'excep-

tion, et avec un peu de bon vouloir on peut en diminuer le nombre.

Nous n'admettons pas les marchandages avec un maximum de journée, dit « à l'anglaise » ; tous les ouvriers savent qu'il est facile de régler son activité pour ne pas dépasser le maximum. Quand un travail peut se mettre aux pièces, nous ne comprenons pas que l'on prenne des hommes à la journée valant quatre, cinq, six ou huit francs pour faire le même travail. Non ! la justice et la logique disent que cette pièce ou ce travail vaut, bien fait, dix, vingt, cinquante ou cent francs ; si un travailleur le fait en un tiers ou moitié moins de temps qu'un autre, il sera rémunéré suivant sa valeur réelle. Voyez-vous ces habiles ouvriers dans l'article de Paris, qui arrivent à gagner dix et douze francs par jour, réglés à cinq ou six francs parce que tel ou tel sublime ne peut arriver à plus ? De pareils résultats ne sont pas admissibles.

Mais, dira-t-on, le marchandage a été un moyen de faire baisser les prix et d'exploiter les travailleurs. Quand les travailleurs étaient dans l'isolement, ces faits se sont présentés, mais depuis quelque temps qu'avons-nous vu ? Les chambres syndicales ont composé des tarifs et les ont imposés aux patrons par la grève, et presque tous ont accepté. Soyez persuadés qu'il leur est impossible de revenir sur cette acceptation, en présence de la solidarité des travailleurs.

Assurés de ce côté, les travailleurs trouvent dans le marchandage le seul juste moyen d'être payés ce qu'ils valent. Par contre, il est la médecine du sublimisme.

Le deuxième moyen : salaires suivant la production et égalité des bénéfices, n'est guère discutable. Pourquoi une logique boiteuse ? Tout l'un ou tout l'autre.

Le dernier moyen, salaires et bénéfices suivant la production, est le seul juste. Les associés arrêtent ensemble un tarif ; tous les quinze jours, chaque associé touche la somme déterminée pour le nombre de pièces faites au prix du tarif, et, à la fin de l'année, les bénéfices sont proportionnés à la somme totale de l'année, comparée à celle des autres, lesdites sommes représentant l'ensemble de la production. Oui, il faut que les travailleurs fassent tous leurs efforts pour arriver aux marchandages qui sont la justice distributive de leur intelligence et de leur activité, car ce qui est bon pour une association l'est aussi pour les autres travailleurs. Plus de petites ou grandes journées ! le marchandage !

Quel doit être le règlement concernant le travail des associations ? Lisez le préambule du règlement d'une association dans le fer, et vous nous direz si les ouvriers qui l'ont rédigé connaissent les sublimes.

« La bonne tenue, l'ordre et l'intérêt d'une association exigent que tous les associés conviennent des règles à établir entre eux pour la bonne exécution du travail, afin que chacun, connaissant d'avance la fonction qu'il a à remplir, s'en acquitte avec conscience et dévouement.

« Les règlements d'une association de travailleurs, librement acceptés par tous, ne sauraient être un obstacle à la liberté du citoyen. Chacun sait que l'activité, l'ordre et l'économie sont des conditions de la production à bon marché, et que celle-ci, dans une société bien ordonnée, est la source du bien-être de tous.

« Tous nos soins doivent tendre vers ce but, qui est celui-là même que nous nous proposons d'atteindre en associant nos efforts. Cependant, si le bien-être est le but que nous poursuivons, nous ne le cherchons pas seulement pour satisfaire aux besoins matériels de nos familles et de nous-mêmes, nous le désirons surtout pour arriver par lui au développement complet de nos facultés intellectuelles et morales pour préparer nos fils à devenir des hommes libres et indépendants par leur travail et leurs connaissances, nos filles à devenir des épouses courageuses et dévouées, des mères tendres et éclairées. En conséquence, les règlements, tout en laissant à chaque associé la liberté complète de ses actes en dehors du travail, doivent cependant réprimer les faits qui seraient de nature à amoindrir la considération que doivent mériter l'association et chacun de ses membres.

« L'ivrognerie est le premier de tous les vices que doit proscrire l'association ; en ôtant la raison à l'homme, elle l'avilit, elle le dégrade et le rend indigne de l'estime de ses concitoyens. Les injures et la violence, en provoquant le désordre et les rixes, engendrent l'antipathie et la haine entre les concitoyens, elles sont antisociales et attentatoires à la dignité de l'homme. Les paroles obscènes chez celui qui s'en sert ordinairement sont une des sources les plus actives de démoralisation pour les jeunes gens, c'est un poison du cœur que tout père de famille doit écarter de ses enfants avec autant de soin qu'il en met à écarter le poison du corps.

« La paresse ne doit pas entrer dans l'association, c'est le frelon qui vient dévorer le travail de l'ouvrier laborieux ; le paresseux doit être chassé de l'atelier comme le frelon de la ruche.

« L'insoumission à la loi commune menace les intérêts de tous. Si l'associé doit être libre comme citoyen, il doit savoir se soumettre à la discipline qu'exige le travail. La garantie de son indépendance est dans sa participation à la confection des règlements ; mais, ceux-ci une fois adoptés, chacun doit s'y soumettre avec respect comme étant l'expression de sa propre volonté et de la volonté de tous. »

L'ivrognerie, les injures et la violence, les paroles obscènes, la paresse et l'insoumission sont bien les vices capitaux qui sont le bagage du sublimisme. Avant de déterminer les règles qui doivent régir le travail, les associés, qui connaissent mieux que personne les conséquences désastreuses de ces vices, ont commencé par les flétrir. On ne peut mieux dire.

Laissant de côté les nombreux articles de détail, nous allons donner les principaux qui concernent l'organisation de l'atelier.

« La journée commence à six heures du matin et finit à six heures du soir ; sa durée est de onze heures de travail et une heure pour le repas, qui aura lieu de onze heures à midi.

« Tout associé doit être à son travail à l'heure indiquée pour l'arrivée et ne peut quitter avant celle fixée pour la sortie ; toutefois, il est accordé cinq minutes de grâce à l'arrivée.

« Une amende de vingt-cinq centimes sera appliquée à tout associé qui ne sera pas à son travail après les cinq minutes de grâce et pour la première heure ; de quinze centimes pour chacune des heures suivantes.

« L'amende sera du double pour le gérant, pour son suppléant et pour le chef d'atelier.

« L'entrée des ateliers est interdite à tout individu non associé ; l'entrée de la maison et de la cour est interdite à tout associé en état d'ivresse ; celui qui s'y présenterait serait, pour la première fois, puni d'une amende de cinq francs, et son exclusion serait proposée à l'assemblée générale s'il s'y présentait une seconde fois ou si même, à une première fois, sa présence avait provoqué un scandale nuisible à l'intérêt de la société.

« Le travail est généralement fait aux pièces et payé suivant le tarif adopté.

« Tout associé dont la conduite serait de nature à compromettre l'honneur, la réputation, le crédit ou l'intérêt de la société pourra être exclu par l'assemblée sur la proposition du gérant ou sur celle de trois membres de la société.

« Les motifs de l'exclusion sont :

« L'insoumission aux règlements et statuts qui sont la loi commune à tous les associés, et auxquels chacun doit se soumettre comme étant la volonté de tous et la mesure d'ordre nécessaire à la conservation des intérêts communs. Les injures graves adressées par l'un des associés à un autre membre quelconque de la société. L'ordre et l'harmonie ayant pour base le respect de chacun envers ses associés, celui qui manquerait à ce respect au point de blesser la dignité et amoindrir la considération d'un membre de la société compromettrait l'harmonie nécessaire et pourrait, pour ce fait, être exclu.

« La violence étant de nature à compromettre l'ordre encore plus que les injures, l'associé qui s'oublierait à commettre un acte de violence envers un coassocié pourra être exclu, et, suivant la gravité des cas, en attendant que l'assemblée ait prononcé sur l'exclusion, il pourra être immédiatement exclu des ateliers par le gérant, sur l'avis conforme du conseil de surveillance.

« L'inconduite, ayant toujours pour conséquence le manque d'assiduité au travail, porte un préjudice certain à l'association, indépendamment de la déconsidération qui en résulte nécessairement dans le monde extérieur ; tout associé qui, par des habitudes d'ivrognerie, de paresse ou tout autre vice, compromettrait la réputation de la société pourra en être exclu.

« La calomnie envers un coassocié, ou même envers une

personne étrangère à l'association, pourra être également punie par l'exclusion.

« L'infraction aux présentes dispositions pourra, suivant la gravité des cas, donner lieu à trois sortes de peines. »

1. l'avertissement donné par le conseil de surveillance ;

2. le blâme infligé par l'assemblée générale ;

3. l'exclusion.

« L'improbité : tout acte d'improbité, soit envers l'association, soit envers un coassocié ou un tiers, sera puni de l'exclusion. »

Voyons, y a-t-il un patron assez féroce pour oser exécuter un règlement aussi sévère ? Non, il n'y a que les travailleurs pour pouvoir être aussi durs. Quand ils ont fait ce règlement, ils connaissaient le défaut de la cuirasse. Ce que nous proposons dans notre chapitre des prud'hommes est loin d'être aussi draconien. Nous sommes heureux de voir que les travailleurs eux-mêmes reconnaissent le besoin d'organiser le travail, et que cette indépendance promise par quelques énergumènes n'est pas plus applicable aux ateliers privés qu'aux associations pour obtenir des résultats.

Nous vous avons dit comment les associations peuvent se former ; nous pourrions vous fournir des chiffres magnifiques sur celles qui ont réussi. Nous avons sous les yeux le tableau de la répartition des bénéfices de celles des maçons et tailleurs de pierre, de 1852 à 1868, et leurs soixante-dix coassociés ; il nous montre les résultats financiers que l'on peut attendre des associations, sans parler d'autres d'une importance moins grande. Nous laisserons de côté les arguments des détracteurs des associations qui peuvent conclure à l'impossibilité de leur réussite, en citant les chutes de celles qui manquaient des éléments nécessaires pour le succès [4].

Une autre question très sérieuse complète notre pensée ; nous tenons à la soumettre aux intéressés. Nous vous disions, dans notre chapitre des apprentis, qu'une des causes de l'infé-

_____

4. On dit aussi, ce qui est arrivé, que des coassociés travaillaient moins pour eux que quand ils étaient chez les autres. Ça ne prouve rien.

riorité de notre industrie était en partie occasionnée par une solution de continuité. La création d'un établissement est longue, sa réussite est la conséquence de l'intelligence, du travail et de la persévérance du créateur de cette maison ; une fois cet établissement de production fondé, agencé et en bonne marche, il ne devrait pas se liquider, mais bien se continuer ; ce qui a coûté tant de peines, tant de temps à créer devrait servir à d'autres. Supposez que nous n'ayons plus que dix pour cent de sublimes, et que les ouvriers sortent des écoles professionnelles. Voici un patron qui veut se retirer, son fils n'a pas les aptitudes nécessaires, il ne trouve pas d'acheteurs assez riches, ou n'ayant pas les capacités pour continuer son affaire. Au lieu de liquider, que diriez-vous de son intelligence, s'il prenait son contremaître et son comptable et qu'il vienne leur dire : « Vous êtes depuis longtemps à mon service, vous avez collaboré à ma fortune, mais comme en affaire il n'est jamais question de fraternité je viens vous proposer une combinaison toute de confiance, qui fera mon affaire et la vôtre. Vous allez fonder une association de travailleurs sous vos deux noms et compagnie ; vous prendrez comme associés les dix, vingt ou trente de mes meilleurs et plus anciens compagnons que je connais et dont voilà les noms. Je vous vends au prix de ... francs, je vous fournis le roulement nécessaire ; vous me rembourserez en tant d'années, vous me paierez l'intérêt de mes fonds, de manière qu'au bout d'un certain temps vous serez possesseurs. Vous constituerez une association qui pourra étendre le nombre de ses membres, et les statuts [5] diront que ceux qui voudront se retirer n'entraîneront pas la chute de l'établissement. » Que diriez-vous de cet industriel ? Eh bien, nous dirons qu'il serait très intelligent pour ses intérêts, car il a autant de sécurité, et même plus, qu'en vendant à un étranger [6], et de plus il aurait fait une bonne action sociale.

Nous soumettons à l'appréciation des hommes sérieux cette solution que nous extrayons du numéro du mois de mars 1870 de *L'Harmonie sociale* :

---

5. Les constitutions de sociétés d'association ne manquent pas.
6. Qui ne donne souvent qu'une partie de l'achat.

« Dans les derniers mois de l'année 1868, la maison Borchert, de Berlin (*Neues Messingwerk*), a été mise par son propriétaire et directeur en actions, de manière à permettre aux employés et ouvriers d'en devenir copropriétaires, et les bénéfices ont été répartis entre le capital et le travail, selon une proportion débattue par les intéressés. Voici comment M. Borchert a procédé. Il a commencé par convoquer tous ceux qui, à quelque titre que ce fût, étaient occupés dans son établissement, et il leur a soumis son plan. Le principe était celui de la participation de tous non pas seulement aux bénéfices, mais encore à la propriété. M. Borchert évalue donc ses établissements, et admet qu'ils représentent un capital de 300 000 thalers. Ce capital, il le divise en 6 000 parts de 50 thalers, qu'ouvriers et employés pourront acheter. Pendant la première année (1868), 600 parts pourront être acquises par ceux qui auront été dans la maison depuis une année. Ceux qui voudront se rendre acquéreurs d'une action auront été dans la maison depuis une année. Ceux qui voudront se rendre acquéreurs d'une action auront à payer 6 thalers le premier mois, puis 4 thalers par mois, pendant les onze mois restants. On sera libre d'ailleurs de s'acquitter en une fois ; on sera libre aussi d'acheter deux, trois, quatre actions ou davantage. Les propriétaires de toutes ces actions constituent une société, qui élit dans son sein un comité de trois membres.

« Une action donne droit à un vote ; deux à trois actions, à deux votes ; quatre à six, à trois ; sept à dix, à quatre ; dix à vingt, à cinq ; vingt à trente, à six, etc. Un comité est élu pour une année. Ce comité, dans la situation provisoire où la société se trouve pendant la première année, est réuni au moins une fois par mois par le directeur, M. Borchert. Celui-ci le met au courant des affaires et le consulte ; plus tard, de voix consultative, il aura voix délibérative, et il se transformera en véritable comité directeur. La société discute elle-même ses statuts et lois, puis se constitue comme elle l'entend.

« Quant à la répartition des bénéfices, voici d'après quels principes M. Borchert a agi. Il conserve à tous ses ouvriers et employés leur salaire convenu. Il propose à la société de rester lui-même directeur de l'établissement avec des appointements de 3 000 thalers. Les appointements divers payés, on prélève sur le bénéfice restant la somme nécessaire pour couvrir les assurances, l'entretien et le renouvellement du matériel, etc. Ce qui reste est réparti, par égales parties, entre les actionnaires d'une part et entre les travailleurs (ouvriers et employés) de l'autre. La somme qui est partagée entre les actionnaires, le dividende, l'est proportionnellement aux actions. Le *bonus* (c'est le nom que M. Borchert donne aux sommes qui seront réparties entre les travailleurs) est partagé entre tous ceux qui travaillent dans l'établissement, proportionnellement à leur salaire, et avec cette particularité que les ouvriers payés à la pièce reçoivent une part proportionnellement moindre que les ouvriers payés au mois, attendu, dit M. Borchert, que les salaires à la pièce sont déjà un tantième prélevé sur la recette brute.

« Dans le cas où il n'y aurait pas de bénéfices à la fin de l'année, on ne répartirait évidemment ni dividende ni *bonus* ; dans le cas où les dépenses dépasseraient les recettes, ce seraient les capitaux des actionnaires qui seraient attaqués les premiers ; il ne pourrait être question de diminuer les salaires. S'il devenait nécessaire de réduire l'importance de l'établissement, on congédierait d'abord les ouvriers non actionnaires. Si des ouvriers ou employés qui sont ouvriers quittent l'établissement, ils n'en restent pas moins actionnaires.

« Je passe des articles de détail en grand nombre, qui n'ont qu'une importance secondaire ; et j'ajoute que toute cette organisation, provisoire pendant l'année 1868, doit conduire, par diverses transitions, les ouvriers et employés de l'établissement Borchert à devenir copropriétaires de l'usine et codirecteurs de leurs affaires par le comité élu qui siège à côté du directeur nommé par eux.

« Tel est le plan que M. Borchert a soumis en 1868 à ses ouvriers. Ceux-ci l'acceptèrent. L'essai fut tenté. Or le succès fut si complet, si étonnant, que, dès la fin de l'année 1869, le nombre d'ouvriers participant aux actions augmenta dans une proportion considérable, et que l'organisation, de provisoire qu'elle était, devint définitive. Je me suis procuré les chiffres du bilan de cette première année. Ils sont curieux et instructifs : 32 ouvriers et employés avaient pris des actions ; ces actions ont rapporté, outre l'intérêt à 5 %, un dividende de 8 %

environ. De plus, le *bonus* rapporta également une somme importante, 10 % à peu près ; ce *bonus* se répartissait entre 63 ouvriers et employés.

« Voici quelques chiffres plus spéciaux : l'établissement paya 21 405 thalers d'appointements et de salaires (sans compter la direction et les employés supérieurs). A ces 21 405 thalers s'ajoutèrent 2 106 thalers de dividende. Les ouvriers touchèrent, proportionnellement à leurs salaires, les uns 14 %, les autres 10, puis 7, enfin 3.

« Si nous défalquons les appointements des employés pour ne prendre que les salaires des ouvriers nous trouvons que l'établissement a payé 20 425 thalers de salaires, plus 128 thalers d'intérêts du capital, plus 1 843 thalers de *bonus,* plus 228 thalers 18 sgros de dividende ; en tout 22 626 thalers 18 sgros. Et nous trouvons encore qu'il a été réparti, dans cette année, en dividende et en *bonus,* 2 073 thalers 18 sgros, sommes qui, avec l'ancien système, ne seraient pas revenues aux ouvriers, mais au seul propriétaire, et qui constituent donc le bénéfice net que les ouvriers ont retiré de cette combinaison : 7 670 francs qui ont été répartis entre 69 personnes et qui ne l'eussent point été autrement. Or cette année 1868 n'a été qu'une année d'essai.

« Je demande maintenant — ces faits étant constatés, ces expériences étant enregistrées, d'autres essais semblables ayant réussi en Angleterre, la question sociale menaçant de se troubler et de se compliquer de passions, de rancunes, d'éléments impurs enfin —, je demande, dis-je, si d'autres établissements ne pourraient pas tenter ce que M. Borchert a tenté à Berlin ; si d'autres industriels ne pourraient pas étudier et soumettre à leurs ouvriers une espèce de constitution comme celle que ce Prussien a étudiée, et qu'il applique ? »

Comme on le voit, la question sociale a une infinité de solutions.

Continuons la nôtre.

Nous pensons que, dans cette époque de sublimisme, aux ouvriers seuls est réservée l'initiative, car nous sommes persuadé qu'une association où il y aurait seulement vingt-cinq pour cent de sublimes ne réussirait pas. Les soupçons, les

défiances, les invectives et souvent les coups de poing ont été
la récompense du dévouement des gérants qui avaient été
nommés à l'élection.

Une fois l'association bien organisée, les sublimes qui y
seront admis seront bien obligés de se soumettre ; du reste, ils
seront tenus de faire un stage comme auxiliaires, ce qui permettra de juger des capacités et de la conduite de celui qu'on
admettra dans l'association. Sur dix associations qui n'ont pas
réussi, les sublimes en ont tué au moins huit. Le sublimisme est
un dissolvant.

Que les ouvriers actuels se lancent dans la voie des associations, et qu'ils ne se bercent pas d'illusions fausses. La fée
encensée dans les réunions publiques par certains cerveaux
détraqués, qui doit verser le bien-être à pleines mains, doit
être mise de côté. Les ouvriers ont du bon sens, du jugement ;
qu'ils analysent la possibilité de pouvoir instantanément changer
leur misère en bien-être, sans commettre des millions d'injustices qui n'auraient d'autre base que la force et qui deviendraient
le crime.

Voyons, supposons que ces législateurs d'occasion puissent,
à la suite d'une révolution qu'ils reconnaissent nécessaire pour
leur procurer la force, donner les fonds aux travailleurs pour
fonder le travail. A vous, les ouvriers, le sentiment de votre
dignité ne vous dira-t-il pas que ce qui vous a été donné n'est
pas légitime, quand vous penserez aux difficultés que vous
avez eues à mettre de côté les économies que vous aviez ? Quand
vous songerez au mal que se sont donné vos parents, pour
amasser les quelques sous qu'ils vous laisseront ? Oui, mille
fois oui ! On ne passe pas facilement l'éponge sur les sentiments de justice d'un honnête homme.

Il en est de même de l'égalité des salaires : si vous êtes
à côté d'un ouvrier plus capable que vous, vous vous direz :
« Il n'est pas juste, tout de même, que je gagne autant que
lui » ; s'il est assez sage pour ne pas s'indigner, vous, vous en
serez honteux. Les moyens actuels sont mauvais, il faut les
abandonner ; il faut prendre les bons, les puissants, que l'expérience a déjà sanctionnés en petit ; l'association, là est le
salut.

Savez-vous ce qui nous afflige le plus dans les théories

des liquidateurs sociaux ? Ce n'est pas la théorie, qu'au nom de la liberté chacun a le droit d'émettre, mais le calme du bon sens, du jugement des auditeurs qui ne font pas, par une désapprobation générale, justice d'absurdités qui ne tiennent pas devant le raisonnement. La justice est un ballon en caoutchouc, on peut par la force l'aplatir ; la pression supprimée, il reprend sa véritable forme. Nous savons bien que soixante-quinze ou cent individus qui demandent la liquidation sociale ne sont pas dangereux ; mais, ce qui nous touche, c'est que certains travailleurs se bercent de ces illusions et ne s'occupent pas des moyens pratiques pour se grandir ; ils attendent.

Laissant de côté la justice, pensez-vous donc que cette bourgeoisie que vous voulez liquider se laissera faire ? Cependant, 48 nous a montré qu'elle ne laisse à personne ce soin ; vous vous dites le peuple, elle pense qu'elle en fait partie, et, comme le peuple est la justice, elle paie de sa personne pour la faire respecter. Non ! il ne faut plus de révolutions de cadavres, il n'en faut qu'une, celle des mœurs ; celle-là est longue, parce que les institutions sont lentes à se développer. La vraie, la seule révolution possible est celle que les mœurs opéreront ; mais les travailleurs doivent ne compter que sur eux-mêmes pour les créer ; et cependant il y a des lois qui entravent la liberté si nécessaire à la création de ces institutions. Avec le suffrage universel, les travailleurs sont armés ; ils doivent se défendre, un coup de vote est plus certain qu'un coup de fusil. Le gouvernement devrait être la résultante de l'opinion publique.

Il y a des *mais* très sérieux dans l'ensemble des chapitres précédents, nous vous en avons montré une partie. Le principal, qui les domine tous, c'est le sublimisme avec ses vices, ses turpitudes, ses désunions, ses ingratitudes, ses éreintements et son désordre qui a étayé l'arbitraire, mais qui sera bientôt obligé d'abdiquer, quand on aura l'union et l'entente que nous entrevoyons.

6. Les assurances

La bête de somme d'avant 1789 qu'on appelait le travailleur était dans un tel état d'abrutissement et d'isolement que les maladies ou les accidents qui le frappaient le réduisaient à la plus terrible misère ; le seul recours qu'il avait était d'implorer la charité.

Quand la grande fournaise eut consumé une partie des privilèges, des abus, des plates niaiseries qui étaient la base du régime sombre que le grand communisme ultramontain faisait peser sur le peuple depuis des siècles, quand la grande tourmente eut porté par sa proclamation le terrible coup de massue à cette rampante domesticité de cour, à cette valetaille titrée qui croyait être grande à force de s'aplatir, après la proclamation des droits de l'homme, le travailleur était debout, la dignité humaine était scellée ; l'ébullition des idées, résultat obtenu par ce triomphe, fut à son comble. Les philosophes, les penseurs, les administrateurs, les philanthropes purent produire leurs généreuses et bienfaisantes idées.

La justice était la base de toutes ces décisions, de ces projets, de ces aspirations ; la solidarité, le moyen de les fixer sérieusement : 89 a mis le peuple sur la voie. Les idées philanthropiques, plus que toutes les autres, ont été à l'ordre du jour ; des abus sans nombre ont été réprimés, mais de puissants rejetons sont repoussés depuis, et c'est à nous de les extirper.

Heureusement, tous les bons grains n'ont pas été écrasés dans cette laborieuse besogne de l'élagage. Quelques-unes de ces généreuses idées sont aujourd'hui en pleine activité. Le peuple dans ses peines, dans sa misère, en face de maladies et des accidents de la vie, n'avait qu'un moyen, la pitié, qu'un recours, la charité. Les partisans de la dignité lui ont appris que c'était de l'humiliation, qu'il y avait des moyens plus honorables de se mettre à l'abri des malheurs imprévus, qu'il ne fallait rien attendre des autres, mais tout de soi-même, qu'il fallait s'entendre, s'unir, se cotiser et constituer par une modique somme mensuelle la prévoyance collective. Ce que l'économie et l'ordre d'un seul n'ont pu faire, le concours de plusieurs le fera. En un mot, il faut constituer des sociétés de secours mutuels, pour venir en aide aux malades.

On les compte aujourd'hui en France par dizaine de mille, ces heureuses institutions, et les services rendus sont incalculables, et ce qu'il y a de plus remarquable c'est que ces secours n'ont rien d'humiliant ; voilà ce que produit le groupement.

Ainsi un travailleur, pour trente-six francs par année, est certain en cas de maladie de recevoir trois francs par jour, les visites du docteur et les médicaments. Il y a loin de cette situation à celle de l'isolement où il faut tendre la main, les hommes de cœur reculent toujours devant une semblable extrémité. Mais ce qui est triste à constater c'est que celui qui s'y résout s'expose à en faire un métier, et souvent l'obole des âmes généreuses sert à nourrir des parasites très valides.

En démocratie, aucune solution n'est possible par la charité. Nous parlons en principe ; nous sommes loin de repousser les institutions, les créations de certains philanthropes riches et généreux qui consacrent une partie de leur fortune au bien-être commun ; loin de là, nous les admirons ; mais nous aimerions mieux que ces institutions fussent créées par tous et qu'on ne les dût pas à la générosité d'un citoyen.

Les sociétés de secours mutuels sont aujourd'hui un fait acquis et sanctionné par la pratique, et les bienfaits en sont reconnus et incontestés ; elles finiront par englober tous les travailleurs. L'examen du développement de ces institutions montre combien les débuts sont lents ; mais, une fois reconnues bonnes, elles se développent rapidement. Voilà de quoi rassurer les impatients. Mais, à côté du bienfait, l'abus se glisse ; ainsi nous avons connu des sublimes qui prolongeaient leur convalescence, se basant sur ce qu'ils gagnaient plus à ne rien faire qu'à travailler ; ils étaient de deux ou trois sociétés qui chacune leur apportait leur rétribution. Heureusement les camarades et amis, membres comme eux des mêmes sociétés, les ramenèrent au travail par leurs sages observations. Dans le groupement sont la sécurité et le plus puissant levier pour agir contre le sublimisme. Si le sublime abuse de la société des secours, au lieu d'une surveillance impossible du comité, il a celle des camarades, qui le surveilleront et lui reprocheront ses manquements. Ainsi, s'il n'assiste pas à l'assemblée générale du syndicat de la partie, et qu'on l'ait vu chez le marchand de vin, on lui adresse de vertes remontrances. S'il ne se présente pas au scrutin pour la nomination des prud'hommes ou des députés, on lui renvoie durement sa négligence en pleine figure ; il n'a plus le droit de se plaindre. S'il a trouvé le moyen de faire un *pouf* à la sociale ou association du manger, ou au boulanger de la coopération, il est tellement serré de près par les camarades qui le suivent pas à pas qu'il est obligé de payer. S'il n'acquitte pas ses cotisations en donnant pour raison sa misère : « Où as-tu pris l'argent pour *t'emplir* pendant trois jours la semaine dernière ? » S'il refuse et se laisse rayer, il est mis au ban et repoussé de tous. Si les travailleurs sont généreux en face des peines imméritées, ils sont pour celles occasionnées par les vices, les mauvais vouloirs, implacables et souvent même féroces. On riait quand des préjudices étaient faits aux patrons ; on ne rira plus quand ils seront supportés par tous. Quand on parle du sublimiste aux apôtres des réformes sociales et qu'on leur demande comment ils agiront pour les obliger aux règles d'ordre qui sont nécessaires dans toute société : ils y seront contraints par la force ; les autoritaires ne reconnaissent que ce moyen sommaire.

Pensent-ils que ce que nous signalons n'est pas mille fois préférable ? La force morale est bien autrement puissante que l'autre. Oui ! quand tous les travailleurs seront groupés, associés pour leurs approvisionnements, leur manger, leurs travaux, leurs tarifs, leurs secours, etc., on sera surpris des immenses résultats moraux et matériels que produira cette organisation. Nous le répétons, là est le salut, le remède ; le sublimisme tombe en présence de ce formidable enlacement du plus grand nombre. Oui ! dans l'avenir, tout le travail sera dans les mains des associations ; l'individualisme n'a pas à redouter cette solution. Tant que le sentiment de la justice ne sera pas éteint chez l'homme, les intelligents et les actifs seront toujours les premiers et les mieux rémunérés. Qu'importe à un homme sensé que le travail soit exécuté par un ouvrier ou par un groupe, du moment qu'il est assuré que, s'il déploie de l'activité, qu'il montre l'intelligence, les droits acquis seront respectés.

Continuons : les travailleurs ont donc constitué des sociétés de secours mutuels pour les cas de maladies ; c'était recourir au plus pressant. Mais d'autres malheurs les frappent qui ne peuvent être compris sous cette dénomination générale, la maladie. Les accidents occasionnés dans les ateliers incombant en partie aux patrons, des sociétés se sont formées en vue de mettre à l'abri de la misère celui qui en est frappé, et des pertes celui qui doit en supporter les conséquences. Ces nouvelles sociétés sur les accidents ont pris depuis cinq ou six ans un certain développement ; elles ne sont pas constituées sur les mêmes bases que les sociétés de secours mutuels. Plusieurs capitalistes forment une société pour assurer le patron avec le concours des ouvriers contre les accidents ; l'affaire rapporte, et l'administration émarge des sommes importantes.

Le gouvernement élabore en ce moment un projet de société générale ayant le même but, et nous croyons que la question des invalides du travail y est à l'étude aussi. Toujours le gouvernement providence ! Malheureusement, nous serons encore longtemps avec ces idées de tout attendre de lui. Prenons les sociétés actuelles, en attendant que les travailleurs puissent, par leur initiative propre, les constituer. Le but est connu : quels sont les moyens ?

Vous avez, par exemple, cinquante ou cent travailleurs ; dans certains métiers, le travailleur est exposé à des accidents graves, même terribles, puisque les cas de mort sont malheureusement assez fréquents. Vous faites avec ladite compagnie un contrat de cinq ou dix ans, vous vous engagez à payer par chaque travailleur un demi-centime à l'heure et à parfaire la différence à la société si l'ensemble des sommes versées par elle pour les accidents a dépassé le montant des prélèvements, différence déterminée au prorata des heures entre tous les patrons assurés.

Nous avons pratiqué plusieurs années l'assurance sur les accidents, et les sommes versées par le patron sont à peu près les mêmes que celles versées par les travailleurs. La société a donc perçu environ un centime par heure, ce qui nous paraît énorme ; mais le fait s'explique quand on examine les dépenses attribuées à l'administration. On prélève donc sur la paie du travailleur environ quinze francs par an pour son assurance contre les accidents, et autant sur le patron par chaque homme.

Dans le cas d'un sinistre, la société donne : pour un accident dont les suites sont guérissables, deux francs cinquante centimes par jour ; dans le cas de la perte d'un membre, une rente de trois cents francs par an, et, dans le cas de mort, une somme de sept mille francs à la veuve ou aux héritiers. De sérieuses objections ont été faites sur ce grave et intéressant sujet ; la plus importante est celle-ci : « Vous patrons, vous êtes responsables des préjudices causés à vos ouvriers quand, travaillant chez vous et pour vous, ils se font des blessures graves. Les travailleurs n'ont donc pas à y concourir. » Voyons si ce qui paraît logique à première vue est bien la vérité, et si l'argument est sérieux.

Il y a quelque part dans le code un article qui dit que celui qui porte un préjudice à autrui lui doit réparation. Prenons dix exemples d'accidents, et si ces dix sinistres ont pour cause l'imprévoyance du patron il sera juste que lui seul en supporte les conséquences. Nous avons été nous-même témoin de ces accidents.

1. Un forgeron, en soudant une pièce, reçoit dans l'œil une paille de fer incandescente. Quatre mois de maladie.

2. Un ajusteur, en mettant dans son étau une pièce de cinq kilos, la laisse tomber sur son pied. Deux mois de maladie.

3. Un mortaiseur, en affûtant un outil, se prend la main dans la meule. Trois mois de maladie.

4. Un frappeur, voulant éteindre son feu, jette un seau d'eau dessus sans avoir soin de se retirer et s'échaude la figure. Un mois de maladie.

5. Un tourneur, en crochetant une pièce, embarque trop son outil et se prend les doigts : amputation de l'index et du majeur. Six mois de maladie.

6. Un raboteur, par un oubli inconcevable, cherche à regarder les marques du tracé sans arrêter la machine ; sa tête est prise entre l'outil et la pièce. La mort !...

7. Un manœuvre, en portant un panier de vingt kilos, trébuche, tombe et se casse la jambe. Huit mois de maladie.

8. Un jeune tourneur, confiant en son habileté, se croit assez adroit pour remettre en marche, sans arrêter la machine, la courroie de commande tombée, et cela malgré les défenses formelles. Le contremaître l'aperçoit mettre l'échelle contre l'arbre, lui crie de ne pas monter ; mais en une seconde il est en haut ; le contremaître rebrousse chemin pour arrêter la machine, il était trop tard, il avait un bras de cassé, et l'amputation dut être faite. Quatre ouvriers avaient été renvoyés pour avoir voulu, contre toutes les défenses, remettre de la même manière leurs courroies en marche.

9. Un perceur eut les doigts pris dans un engrenage de sa machine, lesdits engrenages n'étant pas couverts. Trois mois de maladie.

10. Un poinçonneur est pris dans le volant de sa machine, dont les abords n'étaient pas garantis. La mort.

Ainsi, voilà dix accidents qui sont à peu près les plus généraux qui arrivent dans les ateliers. A part les deux derniers cas, y a-t-il un tribunal, une justice au monde qui puissent rendre le patron responsable de ces tristes préjudices ? Mais, s'il en était ainsi, nous déclarons que tout travail serait impossible, nulle industrie ne pourrait tenir ; les indemnités, les rentes à faire absorberaient souvent au-delà des bénéfices. Le travail serait la ruine ; mieux, ce serait la mort de toute industrie.

Deux cas sur dix seraient attribués aux patrons ; alors, que feront les huit autres ? Et comment soulager la misère qui en est la conséquence logique ? Et puis vous pourriez venir impunément engager les travailleurs à refuser l'assurance contre les accidents, quand ce sont eux qui en profiteront le plus ? Non, une pareille propagande n'est pas celle d'un homme clairvoyant. Laissez-les, pour quinze francs par an, se garantir l'avenir ; si la société de secours mutuels leur donne trois francs par jour de maladie, les deux francs cinquante centimes qu'ils recevront de l'assurance contre les accidents ne seront pas de trop. Dans les métiers périlleux, le travailleur aura la consolation de savoir que, si le malheur vient à le frapper, sa femme et ses enfants seront soulagés.

Nous n'avons pas parlé d'une maladie endémique qui afflige tous les travailleurs se servant du marteau, celle du durillon forcé ; eh bien, les forgerons de pièces spéciales, par exemple, en sont atteints tous les dix-huit mois, deux ans au plus : c'est six semaines à deux mois de bras en écharpe. Pense-t-on que les deux francs cinquante et les trois francs soient exorbitants, quand il y a femme et enfants ? Les arguments ne tiennent pas devant les faits. D'autres objections, très vraies, sont faites au sujet des moyens. Pourquoi le travailleur est-il obligé de s'assurer à la société de secours mutuels et encore à la société contre les accidents ? Certes, il y a là une confusion qui ne s'explique que par notre inexpérience des institutions philanthropiques. Les maladies, les accidents devraient se compléter par les invalidités du travail.

Toutes ces questions s'élaborent dans les cerveaux humains d'une façon puissante, depuis cinquante ans ; aujourd'hui seulement nous commençons à apercevoir le résultat de ce travail intellectuel. Mais le temps est proche où toutes ces idées passeront à l'état de fait accompli. Cependant, il ne faut pas trop compter sur la fraternité, l'égoïsme des hommes est trop enraciné ; il ne faut plus compter que sur le besoin, la nécessité et l'intérêt : ces mobiles-là nous donneront seuls les moyens puissants d'action. Il faut que le travailleur soit obligé de se grouper, non par un pur sentiment de fraternité, mais par celui de l'individualité.

Quand on se met à examiner certaines positions sociales, on ne peut rester insensible devant les nombreuses misères qui se présentent en foule sur nos pas. Ainsi, vous avez connu, il y a vingt ans, un compagnon, bon travailleur, ouvrier habile, gagnant de bonnes journées ; vous le retrouvez aujourd'hui vieux, presque infirme, grattant des pièces, attelé à l'étau, malgré ses cheveux blancs et sa débilité ; vous apprenez que son fils est mort, qu'il a encore sa vieille femme, et qu'ils n'ont pour vivre, lui et sa compagne, que la modique journée de trois francs au lieu de celle de six francs qu'il gagnait autrefois. A cette vue, votre cœur se serre ; en présence d'une position si pénible, on mesure la hauteur du calvaire qu'il a dû gravir ; on serait tenté de désespérer du sort du travailleur ; on s'explique certains découragements ; on devine les frissons des voisins, qui prévoient un pareil avenir pour eux. Les commotions sont violentes, le cœur et le cerveau fermentent, instinctivement on cherche le coupable ; il doit y en avoir un, ce doit être le gouvernement. Où la passion domine, la justice est exclue. Mais quand on regarde l'avenir, et que l'on pense qu'avec la prévoyance organisée on peut éviter ces pénibles situations, on n'a plus qu'un but, apporter son concours pour pousser les travailleurs dans le groupement régénérateur.

Résumons donc ce que doit faire le travailleur et quelle somme il devra y consacrer.

Etre membre du syndicat de la partie pour organiser le travail et sa rémunération, soit neuf francs par an ; de la société des secours mutuels, soit trente-six francs par an.

Etre assuré contre les accidents, soit quinze francs par an.

Les invalides du travail, soit cent francs [1] par an.

Soit environ cent soixante francs par année à prélever sur un salaire de douze cents francs. C'est impossible, nous direzvous. Premièrement, quand les travailleurs seront organisés, les salaires augmenteront ; naturellement, les choses nécessaires à la vie augmenteront aussi, mais pas dans la même proportion ; donc le budget des recettes sera plus élevé. Nous considérons ce point comme secondaire pour notre démonstration.

Mais quand les travailleurs seront associés — nous ne voulons pas parler des associations donnant le travail, nous voulons dire quand ils seront associés pour le manger, pour

---

1. Nous avons fixé cette somme approximativement ; elle peut varier, si l'on constituait une société générale qui résume les trois principaux cas : maladies, accidents et vieillesse.

le pain, pour les fournitures de ménage, pour les logements, les approvisionnements de toute sorte —, ils obtiendront un bon marché qui dépassera la somme que réclame la prévoyance du présent et de l'avenir. Oui, avec le même budget, si les travailleurs savaient s'organiser, ils pourraient, en pourvoyant aux nécessités présentes de la vie, s'assurer pour plus tard le bien-être.

Ne demandez pas les moyens ; ils sont pratiqués, en petit il est vrai, par les plus intelligents ; il faut les développer, pour que tous puissent jouir des bienfaits du groupement. Si la liberté vous manque pour vous éclairer, si l'instruction et l'éducation vous font défaut, il faudra bien que ceux qui la refusent la donnent, parce que personne ne veut plus de bouleversements et que c'est le moyen de les éviter. Or la nécessité est une loi impérieuse, qui soumet même les plus forts. Rappelez-vous que vous avez une arme, le vote, qui doit tout pacifier ; servez-vous-en.

7. L'avenir

Vivre c'est le droit, travailler c'est le devoir.
Avec le travail tout, sans lui rien.

Y a-t-il un sujet qui passionne plus les hommes que la politique ? Non, nous ajoutons que tout homme qui ne s'intéresse pas aux affaires publiques est un mauvais citoyen. A ceux qui se font un mérite de leur indifférence en politique, on peut leur répondre que les indifférents et les ignorants sont seuls la cause des catastrophes qui ont accompagné et suivi les revendications du droit. Au lieu d'un mérite, c'est une honte. Les préoccupations politiques de tout l'ensemble des citoyens sont très salutaires, elles appellent la lumière, elles provoquent l'étude, elles donnent des solutions. L'indifférence étaye, autorise, soutient l'arbitraire, laisse violer le droit et entrave le progrès. Loin de regretter de voir toutes les intelligences occupées à ce grand sujet, il faut s'en féliciter ; c'est l'école, nécessaire à tous, qui doit prémunir l'avenir contre les maladresses, les absurdités, les actes de violence et d'injustice des inhabiles et des ignorants qui ne connaissent pas les pratiques du droit qui leur est conféré.

Ah ! nous savons bien que les passions, surexcitées par quelques rêveurs insensés, peuvent produire le désordre. Eh bien, nous sommes profondément convaincu que, si une certaine effervescence, quelques violences se sont produites dans ces laboratoires politiques qu'on nomme réunions publiques, elles sont dues aux restrictions de la loi. On y a tout discuté, on y a prêché la destruction de la propriété, de la famille, etc. ;

on y a fait toutes les apologies, on y a même fait des appels aux armes, on y a prêché la haine, on y a mis tous les hommes honorables au ban, on les a voués au mépris ; des bravos même frénétiques ont appuyé les théories les plus absurdes et même les plus violentes ; mais il n'est pas, que nous sachions, arrivé un seul trouble dans la rue. Savez-vous pourquoi ces trépignements, cet accueil fougueux aux orateurs de l'éreintement ? Parce qu'au lieu d'avoir cinquante, cent réunions par jour vous en aviez une ou deux, et que vous y aviez introduit un commissaire de police. Alors les cinq ou six cents admirateurs des réformateurs s'y donnaient rendez-vous et formaient le cortège approbateur des sommités de la parole de la pléiade à système. Ils étaient chez eux, ils fabriquaient des triomphes. Plus les théories étaient absurdes, plus les insultes étaient grossières, plus les *hurrah* étaient énergiques. Le reste de la salle était comme abruti. Dans les commencements, la tribune leur appartenait, mais, depuis quelque temps, des gens sensés se sont hasardés à combattre quelques-unes de ces théories.

Pourquoi un agent de l'autorité qui force l'orateur qui veut se gagner la bienveillance et les bravos de la salle à invectiver le gouvernement ? Il se passe des faits curieux dans les réunions publiques. Aux Folies-Belleville, un tribun d'une belle pantomime se démenait comme un fou et, indirectement, engageait les auditeurs à prendre le fusil. Toute la salle et lui-même regardèrent le commissaire avec un air de défi ; le commissaire, au lieu de donner un avertissement qui aurait mis le feu aux poudres, sourit et haussa les épaules. Deux minutes après, l'assemblée retirait la parole à l'orateur. Avec la demi-liberté qui régit les réunions publiques, on a fait un piédestal à quelques obscures individualités qui ont le don de la parole facile et qui s'en servent pour la pose à l'ami du peuple. Il faut, pour que les réunions publiques soient utiles, la vraie liberté. Peu importe qu'il y ait des méchants et des imbéciles, il y en a toujours eu, il y en aura toujours. Du moment qu'ils ne troublent pas l'ordre, laissez-les développer leurs idées comme ils l'entendront ; ce n'est pas à l'autorité à s'en mêler, c'est à l'auditoire à se faire respecter. Avec la liberté il le fera. Il y a, en politique, deux espèces d'individus passionnés à l'excès qui sont très nuisibles [1], c'est l'éreinteur quand même et l'encenseur quand même ; l'un vous indigne, l'autre vous fait vomir. N'avez-vous pas entendu le premier, aveuglé par la passion, ne rien admettre de bien fait par ses ennemis politiques, ne reconnaître aucune faute à ses amis, mettre tout sur le compte du parti opposé et éreinter tout ? Et le second, parlant de la Révolution, ne trouve aucune expression assez odieuse pour la flétrir ? Entendez-le parler de ce génie de l'étiquette, de cet organisateur de la valetaille, c'était un grand roi, ce goinfre à perruque [2] qui faillit attendre ; il n'a que des éloges pour le successeur du cul-de-jatte Scarron, quand il fait massacrer des dizaines de mille de Français dans le Midi, au nom d'un infernal bigotisme. Et cette prostitution pourrie que son bien-aimé Louis XV étale au grand jour, elle ne lui arrache qu'une excuse, sans parler des bénédictions qu'il prodigue à des actions plus récentes. La Révolution c'est l'abomination de la désolation ; mais les grands règnes, voilà des exemples que l'on doit donner à nos enfants.

Le jour approche où nous aurons une histoire vraie qui fermera la bouche aux encenseurs.

Les entraves les plus sérieuses à la solution du problème social sont donc les exagérations des uns et les restrictions des autres, dictées par la peur que leur inspirent les premiers. Le nombre n'en est pas si grand que nous puissions désespérer de la solution, le bon sens n'a pas encore abdiqué chez les Français. S'ils n'ont pas encore fait de grands progrès dans la pratique, les idées ont marché depuis quelques années ; on peut dire que la partie intelligente de la nation a compris que

---

1. A côté de ces énergumènes, on peut hardiment placer ces êtres odieux, vermine immonde, qui pratiquent la provocation et la délation, payés par on ne sait qui, assurément chiffrés et classés au livre rouge, concurrents des policiers des fonds secrets. Il faut les flétrir, ces boutiquiers rongés d'ambition, ces courtiers d'assurances mielleux, colporteurs de calomnies, qui sèment la désunion. Font-ils assez de mal ces mouchards amateurs ? Combien de patriotes ont été victimes de ces ulcères sociaux, qui fournissent à l'ombrageuse police politique des détails intimes, Judas venimeux qui vont tendant la main avec une impertinente audace ! Ils sont plus que nuisibles, ils sont exécrables.

2. M. Nec pluribus impar, ce ver solitaire royal, avait un appétit monstrueux ; le buisson de côtelettes était servi en guise de hors-d'œuvre.

le règne de la force touchait à sa fin et qu'il faut résolument entrer dans la voie du droit. Oui, tous les esprits éclairés, non seulement de France, mais de toute l'Europe civilisée, ont senti que l'enlacement général que nous signalons dans notre chapitre des syndicats, et qui s'est affirmé par de bons débuts, était la véritable solution qui s'imposera par le temps et le vouloir des travailleurs, le jour où ils auront la liberté, la justice et l'éducation qui leur manquent. Insensés les gouvernements qui n'entreront pas dans cette voie.

Oui ! le mal est immense, nous le voyons et sentons aussi bien que personne ; nous ne sommes pas plus de l'avis de ces optimistes qui voient tout en beau, qui encensent tout et qui se cramponnent à des institutions caduques, que de celui de ces esprits chagrins qui dénigrent, qui distillent le découragement, la haine et qui voient tout en mal.

Le sublimisme nous a donné souvent à réfléchir ; malgré son effrayant développement, nous sommes affermi dans notre conviction que la misère effrayante qui ronge le travailleur disparaîtra par l'application de ce puissant moyen, la solidarité obligatoire, en présence de la nécessité. Malgré tout ce qu'il peut y avoir de pénible dans la situation actuelle, nous regardons l'avenir avec plus de satisfaction, depuis que nous avons consacré une partie de nos réflexions à l'examen du redoutable problème. Si nous avons fait un rêve brillant, superbe et même grandiose pour le siècle prochain, ce rêve régénérateur n'a rien d'utopiste, il est la conséquence normale de la progression constante des idées ; nous ne pensons pas qu'on puisse nous taxer de songe-creux, d'absurde, quand nous viendrons dire, par exemple, qu'en l'année 1950 un homme qui ne saura ni lire ni écrire sera, en France, aussi rare qu'un centenaire.

Laissez-nous vous dire tout ce que nous avons vu dans ce rêve, vous hausserez les épaules si vous croyez que ce n'est qu'un rêve ; mais si vous ne le croyez pas insensé, mais possible, vous envisagerez l'avenir avec cette satisfaction qui donne l'assurance, la conviction de la fin des peines.

Oui, le sublimisme doit disparaître dans un temps donné ; la solidarité et le travail s'en chargeront ; le travail est l'outil qui doit donner la puissance ; il est persévérant et salutaire, ce grand ennemi de tous les vices, ce vaccin de l'ennui, rongeur effrayant des classes privilégiées et des sublimes. Il faut que les travailleurs l'organisent, que les intelligents et les possesseurs le provoquent, que le gouvernement lui facilite les moyens de grandir en instruisant ses membres ; les travailleurs en le donnant assureront l'avenir de justice que nous entrevoyons. La solidarité et le travail, tout est là.

Oui, l'avenir nous promet une solidarité, non pas nationale, mais européenne, et au besoin universelle ; la semence est jetée, et aveugles ceux qui ne veulent pas voir le vigoureux rejeton qui sera dans le siècle prochain le pivot du droit et de la justice. Ce que les gouvernants n'ont pu faire, les Etats-Unis de l'Europe, les travailleurs le feront, sans secousse, sans froissement, par la puissance de leur union ; ils y arriveront lentement, par la force des choses ; les peuples ne seront pas seulement pour nous des frères, ils seront nos intéressés, ce qui sera plus solide et plus durable. Là est le grand moyen ; mais un puissant auxiliaire lui est acquis c'est le génie de l'homme.

Oui, l'avenir nous promet non seulement un travail comme il est actuellement, mais un travail intelligent ; non pas un labeur qui déforme, qui épuise, qui tue même, car aujourd'hui, dans plus de la moitié des travaux, l'ouvrier emploie sa force animale, son intelligence sommeille. Chez certaines natures courageuses, ces excès, cette dépense outrés amènent la déformation, l'épuisement et souvent la mort.

Dans le travail de l'avenir, que demande-t-on à l'homme ? Son intelligence, sa science, en un mot son génie. Que faut-il pour cela ? Des machines, encore des machines, toujours des machines. Nous ne pensons certes pas que les machines puissent tout faire : « tout » serait trop exclusif et même absurde, mais nous sommes convaincu que tous les travaux où l'homme est bœuf seront remplacés par les machines.

Oui, voilà l'incomparable puissance qui apporte son formidable concours à la résolution du problème social ; et ce concours sera d'autant plus intelligent et rapide que ceux qui le produiront seront plus instruits et plus forts.

Quand on regarde la lenteur décourageante du progrès, on est péniblement affecté. Mais, pour ceux qui luttent depuis longtemps contre les difficultés des travaux et qui ont pu juger des améliorations et des développements que le génie de l'homme y a apportés, ils éprouvent un frémissement de satisfaction, en envisageant les gigantesques résultats qui auraient été acquis si toutes les cervelles qui concourent au travail avaient été ouvertes par l'instruction. Nous dirons à tous les méchants qui redoutent les rayons de ce glorieux flambeau, à tous ces formalistes de bonheur commun qui veulent le passer à la jauge et au gabarit : la rédemption est dans le genre humain, c'est la froide et lente puissance qui doit renverser la lourde pierre qui couvre le sépulcre dans lequel des siècles d'ignorance et de superstitions tiennent le progrès enfermé [3].

Cette assurance vient-elle de ce que nous sommes mécanicien ? Cependant, pour les incrédules, il y a l'exemple de tout ce que les machines ont remplacé depuis cinquante ans ; que de progrès, que d'améliorations ne leur doit-on pas ? Ces faits, très visibles et indiscutables en présence des résultats, doivent cependant les faire réfléchir.

Prenons un exemple entre mille. Tout le monde connaît la façon de faire le pain actuellement ; voyez-vous ces robustes individus, provoquant par un râlement caverneux les efforts considérables qu'ils sont obligés de faire pour battre et mélanger la pâte, eh bien, le plus fort mitron doit quitter le métier à quarante ans. Il est épuisé ? Non, il est souvent tué. Aujourd'hui, chez certains boulangers intelligents, le plus frêle jeune homme fabrique dans une nuit deux mille kilogrammes de pain avec quelques hectolitres de charbon, son intelligence et son attention, sans cette dépense exagérée de force animale qui abrutit, brise et anéantit l'individu.

Toutes les fois que vous verrez une machine remplacer la force brutale de l'individu, dites : voilà du progrès. Quand nous pensons qu'on peut mettre en doute ce que les sublimes font et peuvent faire pour l'avenir, nous sommes pris d'un rire de pitié. Nous ne voulons pas détailler tout ce qu'elles font déjà, les résultats sont là et on peut les juger. Mais ce qu'elles seront dans l'avenir peu éloigné, nul ne peut le deviner, on peut seulement le pressentir.

---

3. Un peu de grandes phrases des réunions publiques. Quand on se fait apôtre, un peu de pathos ne nuit pas.

Nous n'apprendrons rien aux esprits intelligents, quand nous leur dirons que la solution de la question agricole est une question de machines ; pour cette mère nourricière, elles seront les bras qui manquent, que l'armée et le couvent lui prennent et que l'industrie lui enlève ; il faut qu'elles lui rendent cette force, cette puissance de production, par l'intelligence et la force des engins qui sont appelés à les remplacer. Quand les machines seront rendues pratiques, ne soyez pas impatients, la nécessité dit : il le faut ; le génie de l'homme n'a jamais failli à ce solennel commandement. Chaque commune aura son mécanicien entrepreneur qui fauchera, fanera, labourera, sèmera, sarclera, piochera, récoltera, moissonnera, à tant l'are ou l'hectare.

Il y a vingt ans, un homme battait un hectolitre de blé dans sa journée ; aujourd'hui, trois ou quatre individus en battent cinquante mécaniquement. Se rappelle-t-on les cris, les lamentations, les défiances de la routine contre les altérations des produits des machines ? La paille était mauvaise, le blé était avarié, le pain pétri par la machine était indigeste, etc. Le besoin a soutenu le progrès, les améliorations sont venues aujourd'hui, les dénigreurs d'hier sont les encenseurs de ces auxiliaires indispensables qui, s'ils venaient à faire défaut, porteraient un préjudice et des perturbations considérables dans la production élémentaire. Les machines sont la matière première du progrès, le génie humain en est le machiniste. Dans l'industrie, les machines feront presque tout : elles sont déjà tailleurs, cordonniers, sabotiers, boulangers, menuisiers, brodeuses, blanchisseuses, etc. ; on pourrait faire un volume de tous les métiers qu'elles savent bien remplir. Ne soyez pas inquiets, elles seront dans l'industrie tout, et, dans cette branche, plus vite qu'autre part.

Il y a cela de curieux dans les inventions, c'est qu'on ait trouvé la photographie et que nous n'ayons pas encore la machine à casser les pierres pour les routes. On dirait une série de caprices. Tout viendra à son heure et en raison de l'urgence des besoins. La vitesse du progrès inventif est proportionnée au nombre des intelligences qui ont les aptitudes spéciales pour le donner ; augmentez ce nombre par l'instruction, elle sera plus rapide. Pour les sciences et les arts, elles apporteront un concours immense — car remarquez que sous le nom générique de machine nous entendons non seulement l'ensemble des mouvements, mais aussi le concours de tous les éléments, le produit chimique comme le moteur. Il y a cent ans, un médecin qui serait venu dire : « Je me charge de vous couper un membre sans aucune douleur » aurait été taxé de fou ou peut-être de sorcier, et comme tel enfermé à la Bastille ou rôti en place publique. Cependant aujourd'hui le chloroforme se charge de l'opération. En mécanique le mot *jamais* ne doit s'employer que très rarement.

Les machines seront plus, elles seront les défenseurs de la patrie ; c'est une machine qui doit tuer les armées permanentes, cette honteuse lèpre subie avec tant de résignation par les populations écrasées.

Qu'on le dénie tant que l'on voudra, le monde appartient maintenant aux mécaniciens ; dans cent ans, les historiens constateront la colossale puissance de l'invention. Ce pauvre génie militaire, tout chamarré d'or, de cuir et d'acier, fera triste mine, relégué comme antiquité dans nos musées nationaux, lui si fier, si adulé, si triomphant aujourd'hui. Si actuellement le sabre est la faucille de la gloire, vous verrez peut-être, brillants moissonneurs, le jour où il faudra le cintrer pour en faire la faucille du grain. Qu'il sera plus glorieux d'être le boulanger de l'humanité que d'en être le boucher !

Les machines sont les puissants auxiliaires de la civilisation. Pour le sublimisme, elles sont sa plus certaine destruction. Elles ont cela de bon que l'apprentissage disparaît pour ainsi dire ; vous demandez au travailleur de l'intelligence, de l'habileté, tous les hommes en ont à différents degrés ; recherchez les machines qui en demandent le moins possible, de façon que le premier venu puisse les conduire. Il arrive alors que le travailleur qui la conduit, gagnant bien sa vie et sachant qu'on peut le remplacer facilement, tiendra à garder sa place lucrative. Si au contraire, comme dans une masse de parties actuelles, il sait que vous ne pouvez pas vous passer de lui à cause du métier qu'il sait, il vous pose toutes les conditions qu'il lui plaît, et vous êtes encore bien content quand il daigne vous donner son travail.

Dans une partie, quand les travailleurs possèdent, de par les difficultés du métier, le droit d'imposer leurs caprices et que l'on est obligé de les subir, ils disent que la partie est libre. Pour nous, la liberté d'une partie ainsi expliquée, c'est le triomphe du sublimisme, qui est lui-même la conséquence logique de ce pouvoir. Mais si les sublimes ne nous inspirent pas beaucoup de sympathies, nous devons mettre à leur actif une grande quantité d'inventions. Ici le bien naît du mal. Prenons un patron intelligent, avec beaucoup de travaux en commande et pressés. Les bordées se succèdent dans son atelier ; si les travailleurs ne sont pas nombreux, que la partie soit libre, comme chez les parqueteurs, par exemple — où quand un compagnon a donné le trait il peut nocer à son aise, certain que pas un autre ne travaillera sur sa besogne sans son consentement (l'exemple que nous donnons dans notre chapitre des grosses culottes est concluant) — le patron se trouve dans l'embarras, sa première exclamation est celle-ci : « Ah ! si l'on pouvait faire mes pièces mécaniquement. » Voilà son esprit en quête ; il veut à tout prix s'affranchir de la bienfaisante liberté de la partie, le tyran ! Les essais se succèdent, et souvent la réussite couronne ses efforts ; et à force de modifications, de perfectionnements, la machine remplace complètement les hommes indispensables du métier. La partie dès lors n'est plus libre, elle est organisée et possible, ce qui vaut mieux.

Il faut répondre aux bordées par des machines : voilà pour le sublimisme un moyen qui a bien sa valeur.

Au point de vue économique, on pourrait dire que l'introduction des machines dans une partie apporte une certaine perturbation et un préjudice aux travailleurs qui ont fait un sacrifice pour apprendre le métier. Certes, le travailleur ne peut plus compter sur le fameux pouvoir que lui conférait le métier, mais il peut compter sur son intelligence et son exactitude, et se mettre aux machines ; du reste, comme toutes les bonnes choses sont longues à prendre, malgré cette transformation, l'équilibre se fait lentement et permet au travailleur de reporter son labeur dans une autre voie.

Tout le monde se souvient des jérémiades, des frayeurs des aubergistes, maîtres de postes, producteurs de chevaux, voitures, lors de l'établissement des chemins de fer. C'en était fait de tout commerce, de toute production chevaline. Si quelques-uns se sont trouvés lésés, combien d'autres ont trouvé un débouché à leur ardeur, un écoulement à leurs produits ! Le développement a été immense, jamais on n'a tant employé de chevaux, et jamais on ne les a achetés si cher. En provoquant les affaires, en facilitant les transports, ils ont provoqué les exploitations de toutes sortes, et les voyages dans des proportions si gigantesques qu'aujourd'hui, si une nation les supprimait, elle se suiciderait.

Voilà ce que savent faire les machines ; elles nous donneront des résultats identiques pour tout ce qu'elles entreprendront. Au point de vue moral, elles auront des avantages énormes que l'on ne peut prévoir ; croyez-vous que celui qui a inventé le télégraphe électrique pensait que son invention serait un moyen actif pour empêcher les escrocs et les assassins de commettre leurs crimes ? Certes, non, mais l'expérience en a développé les applications, et aujourd'hui le scélérat qui part en Amérique trouve, à son débarquement, dame justice qui le met en lieu sûr. Dans le temps, le misérable comptait sur les lents moyens de la justice pour s'assurer l'impunité ; aujourd'hui, il réfléchit et souvent le crime est terrassé. Qui peut savoir le nombre d'infamies qui ont été évitées par ce seul motif ? De combien d'autres heureux moyens la science a doté la justice ! La photographie avec la multiplicité du signalement, la chimie par ses analyses ont éclairé les jurés, et la perspective de cette analyse scientifique écrasante a fait trembler plus d'une main d'empoisonneur.

Mais, au point de vue de la question sociale, elles sont indispensables, elles sont le complément qui assurera l'harmonie.

Les hommes ont des besoins ; qui leur donne les éléments de les satisfaire ? La production. Qui peut la donner abondante et économique ? Les machines. Dans le temps on demandait beaucoup de bras, on ne pouvait les improviser ; aujourd'hui il faut des machines, on peut les fabriquer. Les produits étant abondants et à bon marché, il serait rationnel qu'au lieu d'un petit nombre tous en profitent. Là est le nœud gordien, le fameux rébus que nous devinons et dont le mot est association.

Ce que les machines font au profit de quelques-uns, elles le décupleront au profit de tous, quand tous sauront les appliquer au leur. Les machines sont les robustes bras que réclame le siècle du travail intelligent. L'eau, l'air, le feu, les gaz, les fluides, voilà les éléments qui doivent servir le génie de l'homme. A peine sommes-nous sortis de l'enfance pour l'emploi de ces divers agents ; savons-nous, soupçonnons-nous ce que l'avenir nous donnera, nous dira de tout, et spécialement des fluides que nous avons à peine saisis ?

Dans un siècle et plus, si vous le voulez, en admettant que le développement intellectuel et matériel suive la progression immense qui s'est manifestée depuis quatre-vingts ans, eh bien, en 1970, il faudra des milliards de kilogrammètres de force et des millions d'intelligences pour les diriger, les appliquer à la production. Mais, direz-vous, la production ne doit pas être exagérée. Certes, nous comprenons très bien que le trop de production avilit les prix et jette des perturbations dans l'économie commerciale du pays, et les crises désastreuses qui se produisent suivant des périodes plus ou moins rapprochées ont souvent pour base ce trop-plein de produits. Ceci est une question d'économie, chaque producteur intelligent, à moins de pertes, doit régler sa production suivant les besoins.

Mais les besoins grandissent suivant la civilisation ; le Cafre, le Huron se préoccupent peu de vêtements, de savon, de peignes, de livres, de peinture, et même de logement, et de ces infinités de choses qui sont pour nous une nécessité et dont nous sentons les besoins.

Ne prenons pas les exemples si loin. Nous avons connu un vieillard, qui est mort il y a une quinzaine d'années, qui, à l'âge de trente ans, n'était pas sorti des murs de ronde de la capitale. Aujourd'hui le premier négociant venu se décide à quatre heures et part à huit pour Alexandrie, Londres, Madrid ou Saint-Pétersbourg. Dans vingt ans, le premier épicier venu ira à Calcutta, comme il y a cinquante ans on allait à Fontainebleau. Dans le siècle dernier, il n'y avait que les privilégiés qui pouvaient se procurer du sucre ; aujourd'hui, le plus malheureux en fait usage. Quand on regarde la France, ce pays de la civilisation par excellence, qu'on réfléchit à ce qui reste de routes d'exploitation et de travaux à faire, on est rassuré sur l'avenir de nos fils et petits-fils. Mais en Europe, en Afrique, en Amérique, en Asie, où des richesses incalculables attendent le travailleur pour les exploiter, la marge est rassurante.

Les machines sont donc les auxiliaires matériels les plus certains pour l'extinction du sublimisme. Le travail ayant fait la position à chacun, l'enlacement dont nous parlons dans les précédents chapitres ayant mis tous les travailleurs à l'abri des malheurs les plus imprévus, la misère, si effrayante aujourd'hui, atteindra le plus petit nombre et seulement les incorrigibles, car la disparition complète est bien difficile ; la nature a des bizarreries que l'homme ne peut qu'atténuer. Le sublimisme, en un mot, ayant disparu, les plaintes, les dégradations, les découragements, les hontes, et même les crimes qui en sont la conséquence, disparaîtront, la lèpre n'existant plus. Pendant que les travailleurs s'associeront, se grouperont, pendant qu'un grand nombre grandiront, deviendront possesseurs, soit par leur initiative, soit au moyen de l'association, le bien-être moral et matériel montera.

Il faudra bien que les résistances de nos gouvernants tombent en présence de cette puissance de l'entente ; ceux qui seront délégués pour faire les lois qui doivent nous grandir ne pourront pas faillir à leur grande mission. Les travailleurs pourront puiser dans leurs philanthropiques et intelligentes conceptions les éléments pour arriver plus rapidement à la grande et juste solution, aspiration légitime de tous les travailleurs. L'éducation d'un peuple est longue, le vrai progrès est lent ; cette splendide entente l'activera.

Aidez-vous donc les uns les autres, et vous serez bien aidés. Plus de sublimes ! Quel avenir grandiose ! Plus de sublimes, plus d'abonnés, plus de lecteurs de journaux insensés, plus de passionnés pour la lecture de ces romans ignobles où on pose le forçat sur un piédestal ; cette prose émolliente jetée au panier, elle tombe, elle s'annule devant l'indifférence et le mépris. Cette flagellation du public apprendra aux écrivains que leurs lecteurs demandent des choses qui les instruisent, les grandissent, les moralisent, leur développent les bons sentiments. Plus de sublimes ! La tribune de la plume ne se livrera plus à un dévergondage d'idées plutôt à effet que sincères ; les appels aux mauvaises passions deviennent nuls. L'écrivain licencieux, le journaliste éreinteur, haineux, ne sont pas les coupables, c'est le lecteur ; pour lui, sa marchandise s'écoule, donc elle plaît. La presse est le piton après lequel est suspendu la balance de la justice ; pour rien au monde il ne faut la supprimer : la justice aveugle sans sa balance, frapperait au hasard. La presse, cette conspuée, cette méprisée, honnie, emprisonnée, déportée aurait-elle fait encore cent fois de mal comme celui qu'on lui reproche qu'il faut à tout prix la soutenir et lui assurer sa liberté. Si l'on était réduit aux journaux encenseurs, que deviendraient les faibles en présence de la lettre de cachet d'un préfet de police, devant les brutalités d'un sergent de ville ou les abus de pouvoir d'un représentant de l'autorité ?

Puisque nous parlons des abus de la police, laissez-nous vous raconter comment elle s'y prend pour faire aimer une dynastie.

En mai ou juin 1856, le Congrès de Paris délibérait sur les conséquences de la guerre de Crimée. Nous étions employé chez l'ingénieur Oudry, qui demeurait rue du Bac. Nous fûmes chargé d'aller place Vendôme prendre des renseignements pour le fameux pont de Brest.

Muni des documents, nous voulûmes traverser le jardin des Tuileries. Deux lignes de curieux bordaient l'allée centrale, l'empereur rentrait. Nous attendîmes, silencieux, derrière les curieux, que le chemin fût libre pour gagner le pont Royal. L'homme de Décembre et son cortège étaient à trente mètres de nous. Survint un de ces sombres personnages moustachus qui portent leur estampille jusque dans leur chaussure, qui a un cachet tout spécial ; il précédait le cortège, mais derrière le public, et en passant disait : « Découvrez-vous, messieurs. » Notre attitude indifférente (remarquez que nous n'étions même pas mêlé à cette foule avide de voir) le choqua sans doute ; il nous dit d'un ton de commandement : « Découvrez-vous donc. » Même indifférence. Il s'approcha de nous d'une façon sournoise, et d'un coup de poing envoya rouler notre chapeau à cinq ou six pas. Nous ramassâmes notre couvre-chef et nous fûmes faire le grand tour par la place du Carrousel, sans même nous retourner : nous ne tenions pas à faire connaissance avec les gardiens de Mazas. Tous ceux qui n'ont pas une éponge sous le sein gauche devineront ce que nous avons éprouvé.

411

Nous ne pûmes desserrer les dents qu'arrivé dans la rue du Bac. Ces aimables procédés entretiennent l'amitié. Trop de zèle, messieurs, dans l'exercice de votre noble mission ; vous communiquez un virus rabicopolitique qui se guérit difficilement.

Que deviendrait l'artisan en présence des injustices et infamies dissimulées de l'évêque ou du curé ? Que pourrait faire le voyageur contre ces compagnies qui vous transportent avec moins de soin que des marchandises, et qui vous imposent, de par leur privilèges, d'absurdes et dures conditions, si ce n'est de subir en payant l'insolence de leurs employés ? Sans la presse, que devient la morale ? Qui peut condamner les tripoteurs d'affaires, qui savent passer à travers les articles du Code, que la justice ne peut atteindre, mais que l'opinion publique appelle des fripons [4] ? Comment flétrir ces individus de talent qui vendent leur conscience, qui se prêtent honteusement à toutes les lâchetés de ceux qui les paient ? La presse sociale seule peut mettre en évidence le vendu et le maquignon. Comment ridiculiser ces paillasses de vanité, qui croient être des personnages parce qu'ils viendront audacieusement étaler une brillante batterie de cuisine, qu'ils ont souvent mendiée dans les antichambres des chancelleries ? La presse est le pilori auquel on doit clouer toutes ces turpitudes, toutes ces infamies. La presse doit être l'assistance judiciaire des faibles, la lumière des simples et l'instruction des éclairés. Ce qu'il faut pour que la presse se conquière l'estime générale, c'est qu'il n'y ait plus de sublimes. Plus de sublimes ! plus de galerie, plus d'auditeurs, plus de fanatiques approbateurs, plus de triomphes à ces tribuns de la violence, de l'éreintement et du bouleversement ; la tribune des réunions publiques sans les sublimes devient une tribune moralisante d'entente, d'instruction, de lumière, un pilori des immoraux et des méchants. Plus de sublimes ! plus d'admirateurs, plus de chanteurs de gaudriole inepte, malsaine et démoralisante. Plus de sublimes ! plus de ces trépignements frénétiques, plus d'applaudissements pour des chanteuses de saletés, débitées avec des gestes crapuleux ; de l'indifférence, voilà tout. De pareils poètes et interprètes, au ruisseau du mépris ! Plus de sublimes ! plus de noces à Montreuil ; au lieu

---

4. Le graissage des pattes est une calamité du siècle.

de flâner aux barrières, on se rend à sa conférence, à son orphéon, à son expérience, à son cours de science, à la réunion publique, au théâtre où on joue *Le Cid* et *La joie fait peur,* ou à l'exposition de peinture pour y voir un tableau représentant la bataille de Jemmapes ou de Valmy, où les soldats-citoyens sauvent la patrie. Voilà mon rêve.

A tous les réformateurs qui crient, pour arriver à la régénération tant proclamée : « Plus de capital, plus d'intérêt, plus de Dieu, plus de famille, plus de propriété », nous répondrons par le cri de notre conscience et de notre profonde conviction :

PLUS DE SUBLIMES !!!

Table

ÉTUDE PRÉALABLE

VIE QUOTIDIENNE ET RÉSISTANCE OUVRIÈRE
A PARIS EN 1870

QUESTION SOCIALE. LE SUBLIME
OU LE TRAVAILLEUR COMME IL EST EN 1870
ET CE QU'IL PEUT ÊTRE

PREMIÈRE PARTIE

DEUXIÈME PARTIE

ACTES ET MEMOIRES DU PEUPLE
Collection animée par Louis Constant

MEMOIRES

Louise Michel, *Mémoires.*

Victorine B., *Souvenirs d'une morte vivante (1848-1871).*

Lluis Montagut, *J'étais deuxième classe dans l'armée républicaine espagnole.*

Martin Nadaud, *Léonard, maçon de la Creuse.* Introduction de Jean-Pierre Rioux.

Kristian, *Zistoir Kristian. Mes-aventures. Histoire vraie d'un ouvrier réunionnais en France.*

Agricol Perdiguier, *Mémoires d'un compagnon.* Introduction d'Alain Faure

Hélène Elek, *La mémoire d'Hélène.*

Norbert Truquin, *Mémoires et aventures d'un prolétaire à travers la révolution.* Introduction de Paule Lejeune.

Maman Jones, *Autobiographie.* Introduction de Paule Lejeune.

Domitila, *Si on me donne la parole.* La vie d'une femme de la mine bolivienne, récit recueilli par Moema Viezzer.

Constant Malva, *Ma nuit au jour le jour.* Introduction de Bruno Mattéi.

Suzanne Voilquin, *Mémoires d'une fille du peuple.* Introduction de Lydia Elhadad.

Vera Zassoulitch, Olga Loubatovitch, Elisabeth Kovalskaïa, Vera Figner, *Quatre femmes terroristes contre le tsar.* Textes réunis et présentés par Christine Fauré.

Louis Barthas, *Les carnets de guerre de Louis Barthas, tonnelier (1914-1919).*

Hanna Schramm et Barbara Vormeier, *Vivre à Gurs.* Un camp de concentration français, 1939-1942.

Emilio Guarnaschelli, *Une petite pierre. L'exil, la déportation et la mort d'un ouvrier communiste italien en U.R.S.S. 1933-1939.* Lettres réunies par Nella Masutti. Préface de Jean Maitron.

Adelheid Popp, *La jeunesse d'une ouvrière.*

Mohamed Choukri, *Le pain nu.* Récit autobiographique traduit de l'arabe par Tahar Ben Jelloun.

ACTES

Fernand Rude, *C'est nous les canuts.*

Ernst Glaeser, *La Paix.* Roman. Introduction de Lionel Richard.

Charles Andler, *La vie de Lucien Herr.* Introduction de Justinien Raymond.

Edmond Thomas, *Voix d'en bas. La poésie ouvrière au XIXe siècle.*

ACHEVÉ D'IMPRIMER EN FÉVRIER 1980
SUR LES PRESSES DE L'IMPRIMERIE COR-
BIÈRE ET JUGAIN A ALENÇON (ORNE)
DÉPÔT LÉGAL : 1ᵉʳ TRIMESTRE 1980
PREMIER TIRAGE : 3 300 EXEMPLAIRES
ISBN 2-7071-1128-7